RHANNU STRAEON

am
Ddementia

RHANNU STRAEON

am Ddementia

PROFIADAU GOFALU

GOLYGWYD GAN LUCY WHITMAN

Rhagair gan Joanna Trollope

Cyhoeddwyd gyntaf yng Nghymru 2019
gan Y Lolfa Cyf.
Talybont
Ceredigion SY24 5HE

www.ylolfa.com

Cyhoeddwyd gyntaf ym Mhrydain 2010
gan Jessica Kingsley Publishers
73 Collier Street
Llundain N1 9BE
a
400 Market Street
Suite 400
Philadelphia
PA 19106, UDA

www.jkp.com

Hawlfraint © Jessica Kingsley Publishers 2010
Addasiad Sioned Lleinau 2019

Data Catalogio wrth Gyhoeddi y Llyfrgell Brydeinig
Mae cofnod catalogio wrth gyhoeddi ar gyfer
y llyfr hwn ar gael gan y Llyfrgell Brydeinig

ISBN: 978 1 78461 748 6
Argraffwyd a rhwymwyd yng Nghymru gan Y Lolfa Cyf.

Cynnwys

Gair o faes y gad

Cadw cysylltiad, gollwng gafael

Rhagair

Joanna Trollope OBE,
cefnogwraig Dementia UK

GANWYD FY NHAD yn 1914, a chafodd fyw nes ei fod yn 89. Gallech ddweud bod 89 yn oedran teg, heblaw am y ffaith i gysgod dementia dywyllu'r 15 mlynedd olaf o'r 89 hynny. Yn debyg iawn i gynifer o'r profiadau sy'n cael eu disgrifio yn y casgliad unigryw hwn, nid dementia tawel oedd e. Ac fel yr eglura nifer yn y gyfrol hon, cafodd ei afiechyd effaith sylweddol ar y teulu cyfan, yn enwedig – ac yn amlwg – ar fy mam. Roedd yr holl fusnes truenus yn waeth, yn anffodus, oherwydd diffyg eglurder o safbwynt y diagnosis, y cyndynrwydd cymdeithasol parhaus i gydnabod yr afiechyd a'r diffyg cefnogaeth go iawn. A hynny lai na deng mlynedd yn ôl.

Bydd y gyfrol hon yn rhyddhad mawr i'r miloedd o bobl sydd wedi eu heffeithio gan y cyflwr creulon hwn – a hynny ar adeg o newid. O'r diwedd, mae dementia'n cael ei dderbyn yn gyhoeddus a'i drin yn feddygol o ddifrif. Mae gwaith gwerthfawr nyrsys Admiral yn lleddfu gwewyr cleifion ac yn helpu'r gofalwyr o fewn eu teuluoedd rhag mynd yn hollol wallgof dan y straen o ofalu amdanyn nhw, bellach yn cael sylw, yn cael ei ddathlu ac – rwyf wirioneddol yn gobeithio – yn cynyddu. Gyda phawb yn byw'n hŷn, ac yn gorfod wynebu'r gwirionedd real o golli'n pwyll yn sgil hynny, mae angen cymaint o ymchwil a chefnogaeth â phosib arnom ni.

Mae proffil dementia, yn ei holl ffurfiau, wedi cynyddu'n sylweddol yn sgil dewrder a didwylledd enwogion megis Terry Pratchett, a gafodd ddementia, a John Suchet, yr oedd ei wraig â dementia. Ond yr hyn y mae'r gyfrol hon yn ei ddangos, mewn modd yr un mor huawdl a dewr, yw cryfder, dyfalbarhad a hiwmor anhygoel pobl ddigon preifat wrth iddyn nhw ddygymod â dementia ymysg aelodau eu teulu a'u ffrindiau.

Maen nhw'n brwydro yn erbyn stigma cymdeithasol, difaterwch, trais, budreddi, blerwch meddygol, homoffobia, creulondeb, blinder, gwlychu a baeddu, unigrwydd, galar a lefelau anhygoel o rwystredigaeth. Mae nifer ohonyn nhw'n stryffaglu hefyd i amddiffyn gweddill y teulu rhag dementia, ac yn gofidio am arian. Ond er gwaethaf yr holl ddigalondid, fe welwch enghreifftiau o gadernid ysbryd yn ogystal â hiwmor ac agwedd benderfynol i barhau i garu rhywun sydd wedi ei effeithio'n fawr gan rywbeth y tu hwnt i'w reolaeth. Dyma gasgliad o brofiadau sy'n deyrnged i ddygnwch di-ildio pobl i fynnu urddas i bob un ohonom nes y byddwn yn cymryd ein hanadl olaf. Mae darllen y straeon yma'n sicr o wneud i ni i gyd, yng ngeiriau un o'r cyfranwyr, 'fod yn benderfynol o wneud gwahaniaeth'.

Mawrth 2009

Rhagymadrodd

Barbara Stephens,
cyn-Brif Weithredwraig, Dementia UK

MAE GAN DDEMENTIA'R potensial i gyffwrdd â bywydau pob un ohonom, naill ai'n uniongyrchol neu'n anuniongyrchol. O ganlyniad, mae'n bwysig ein bod ni'n gwrando ar y rhai sydd â phrofiad personol o'r afiechyd hwn, sy'n gallu newid bywydau'n llwyr. Mae gennym gymaint i'w ddysgu.

Yn *Rhannu straeon am ddementia* dadlennir gwir effaith dementia ar fywydau pobl. Mae'r straeon sy'n rhan o'r casgliad hwn yn ddirdynnol ac yn ddyrchafol. Maen nhw'n adlewyrchu trasiedi dementia'n glir iawn, yn ogystal â dyfnder y golled a chymhlethdod y siwrnai. Disgrifia gofalwyr teuluol eu rhwystredigaeth a'u digalondid hefyd wrth ymgodymu â'r system iechyd a gofal cymdeithasol, sydd yn rhy aml yn ddiffygiol o safbwynt gofalu amdanom.

Ond mae yna obaith a hyder hefyd: arwyddion clir y gellir cyfoethogi ansawdd bywyd pobl drwy gynnig gwasanaethau cefnogol sensitif sydd wedi eu rheoli'n dda, drwy wella dealltwriaeth o effaith dementia ar bawb sydd wedi'u heffeithio ganddo, a thrwy sylweddoli pwysigrwydd gwerthfawrogi pob un ohonom fel bodau dynol, a chynnal a chyfoethogi'r berthynas rhyngom.

Bydd y llyfr hwn yn cyfrannu, mewn ffordd sylweddol iawn, at wella gwybodaeth gweithwyr proffesiynol sy'n gweithio yn y maes. Bydd yn siŵr o gynyddu ymwybyddiaeth ymysg y rhai sy'n barod i wynebu'r her. Ond, yn bwysicach fyth, bydd yn cynnig hwb i'r bobl hynny sydd wedi eu heffeithio gan ddementia ar hyn o bryd, a'r rhai sydd wedi dweud ffarwél wrtho, ond a'i etifeddiaeth yn parhau.

Diolchiadau

Lucy Whitman

Rwy'n ddiolchgar iawn am yr holl help, y gefnogaeth a'r anogaeth a gefais wrth lunio'r llyfr hwn. Hoffwn ddiolch yn enwedig i'r canlynol:

Jules Jones, a gefnogodd fy nheulu fel ein nyrs Admiral. Fe ddangosodd ddiddordeb yn y casgliad hwn yn gynnar iawn yn ei hanes a 'nghyflwyno i'w chyd-weithwyr yn y mudiad *for dementia*. Rhoddodd Barbara Stephens, prif weithredwraig *for dementia*, ei chefnogaeth barod i'r gyfrol, a chyflwynodd Joy Watkins, cydlynydd adnoddau Uniting Carers for Dementia, fi i lawer o'r gofalwyr sydd wedi cyfrannu at y casgliad, ac mae ei chefnogaeth hael wedi parhau drwy gydol y gwaith.

Mae staff yr Alzheimer's Society wedi helpu'n fawr iawn, yn enwedig felly Janet Baylis, rheolwraig y Dementia Knowledge Centre, a'm croesawodd i lyfrgell gyfyng hen ganolfan y gymdeithas (cyn iddyn nhw symud i'w cartref newydd) gan gynnig llawer o awgrymiadau ystyriol. Mae gwefan yr Alzheimer's Society wedi bod yn ffynhonnell amhrisiadwy o wybodaeth.

Drwy staff y Down's Syndrome Association, fe ddes i gysylltiad â Peggy Fray. Cefais gyfle i elwa ar brofiad helaeth Gail Chester fel golygydd casgliadau fel hwn. Mae Nancy Croft wedi gwrando ar bob manylyn o'r prosiect wrth iddo ddatblygu. Mae Helen Ibbotson, fy ngolygydd yn Jessica Kingsley Publishers, wedi bod yn gefnogol iawn. Diolch arbennig i U Hla Htay am ganiatáu i ni ddefnyddio'r llun ar y clawr, ac i bawb arall a gyfrannodd ffotograffau ohonyn nhw eu hunain a'r bobl y maen nhw wedi bod yn gofalu amdanyn nhw. Diolch hefyd i Mavis Pilbeam am ei gwaith prawfddarllen diflino.

Mae ffrindiau, cyd-weithwyr a chydnabod i gyd wedi dangos diddordeb ac mewn nifer o achosion, naill ai wedi cyfrannu at y llyfr, wedi fy nghyflwyno i gyfranwyr posib eraill, wedi cynnig adborth ar ddeunydd drafft neu wedi fy helpu mewn ffyrdd eraill. Diolch o galon i

Jaye Akintola, Brian Baylis, Abul Choudhury, Rosemary Clarke, Russell Clifton, Rosemary Cox, Tim Dartington, Rachael Dixey, Sandra Evans, Lenny Fagin, Andrea Gover, Maria Jastrzębska, Sophie Laws, Graham Lock, Geraldine McCarthy, Natalie Morris, Roger Newman, Shirley Nurock, Barbara Ongley, Nicky Parker, Zimena Percival, Julie-Ann Phillips, Maggi Playle, Neill Quinton, Ruth Robinson, John Rousell, Mick Scully, Ralph Smith, Rhonda Smith, Mohammed Subhan, Rachel Thomson.

Diolch hefyd i fy nheulu, yn enwedig Ben, fy mab, sy'n gyfaill da, a Rosalind, fy chwaer, a roddodd gymaint o help i mi ar adeg dyngedfennol.

Yn fwy na dim, wrth gwrs, mae fy nyled yn fawr i'r holl gyfranwyr sydd wedi adrodd eu straeon yn y llyfr hwn, gan rannu eu profiadau er budd eraill. Mae wedi bod yn brofiad gwerthfawr i mi gael cydweithio â nhw i greu'r casgliad hwn.

Cyflwynir y llyfr hwn er cof am fy rhieni, Elizabeth a George Whitman.

Cyflwyniad

Lucy Whitman

Llyfr ar gyfer pwy yw hwn

Yn gyntaf oll, mae'r llyfr hwn ar gyfer y bobl hynny sy'n gofalu am rywun â dementia, neu sydd wedi gwneud hynny yn y gorffennol. Rwy'n gobeithio y gall gynnig cysur a thawelwch meddwl – dydych chi ddim ar eich pen eich hun. Mae eraill wedi troedio'r llwybr hwn o'ch blaen. Yn ail, rwy'n gobeithio y bydd gan y boblogaeth ehangach ddiddordeb ynddo. Efallai nad yw dementia'n effeithio arnoch chi heddiw, ond efallai y bydd yn gwneud hynny yfory. Yn olaf, rwy'n gobeithio'n fawr y bydd gweithwyr proffesiynol ym maes iechyd a gofal, p'un a ydyn nhw'n arbenigo ym maes dementia neu beidio, yn darllen y llyfr, ac y bydd yn cyfrannu at ymwybyddiaeth ehangach o fewn eu proffesiwn nhw ynglŷn ag anghenion pobl â dementia a'r rheini sy'n gofalu amdanyn nhw.

Dementia – cyflwr sy'n drysu

Rwy'n gwybod nawr nad fy anhawster mwyaf oedd ei hafiechyd ei hun ... ond y ffaith nad o'n i'n gwybod dim am ddementia. Doeddwn i ddim hyd yn oed yn gyfarwydd â'r gair, ac yn waeth byth, yn meddwl mai dim ond 'heneiddio' oedd fy mam, fel roedd ei mam hithau wedi'i wneud, a'i bod yn rhaid i ni wneud y gorau allen ni. Ddefnyddiodd y nyrs ardal o'r feddygfa leol mo'r gair, na sôn am ddiagnosis, nac am glinig cof na chyffuriau ar gyfer dementia, nac am yr Alzheimer's Society na grwpiau cefnogi nac am ofal seibiant ... Hyd y gwyddwn i, doedd gen i ddim dewis ond ymdopi â'r sefyllfa a gwneud y gorau allwn i, gan ddechrau gyda'n gilydd ar hyd llwybr na allwn ei ddisgrifio ond fel un hynod o anniben. (Rosemary Clarke, 'Cyflwr o ras')

16

Fel Rosemary, a nifer o'r cyfranwyr eraill i'r llyfr hwn, baglu yn ein blaenau heb unrhyw wybodaeth na chanllawiau ar hyd y llwybr 'hynod o anniben' hwn wnes i a 'nheulu hefyd, pan ddatblygodd fy mam ddementia tuag at ddiwedd ei hoes. Profiad ofnadwy yw colli rhywun rydych chi'n ei garu i unrhyw afiechyd terfynol, ond mae dementia'n gyflwr sy'n drysu, o safbwynt y person y mae ei ymennydd yn cael ei effeithio, ac o safbwynt perthnasau a ffrindiau.

Mae'n rhaid i bawb sy'n gofalu am glaf neu berson anabl wneud ymdrech gorfforol ac emosiynol enfawr, rheoli calendr o apwyntiadau gyda nifer dirifedi o weithwyr proffesiynol iechyd a gofal cymdeithasol, brwydro i sicrhau bod yr un y maen nhw'n gofalu amdano yn cael yr holl fudd-daliadau a'r gefnogaeth y mae ganddo hawl iddyn nhw, yn ogystal â gorfod ymdopi â'r holl dasgau gofalu ochr yn ochr â'u cyfrifoldebau eraill, fel gwaith a theulu. Ond mae rhywbeth ychwanegol, swreal ynglŷn â gofalu am rywun sydd â dementia.

Cysylltir dementia â cholli'r cof, ond mewn nifer o achosion nid dyma'r symptom cyntaf, na hyd yn oed yr un mwyaf amlwg. Efallai mai'r arwydd cyntaf fod rhywbeth o'i le yw fod rhywun yr ydych yn ei adnabod yn dda iawn yn dechrau ymddwyn mewn ffordd ryfedd, a heb esboniad yn troi'n ddrwgdybus/bryderus/swil/ymosodol/ obsesiynol/gyffredinol 'afresymol'. Efallai y bydd unigolion yn gwneud camgymeriadau gyda materion ariannol, yn dechrau gyrru'n wyllt, ac eto ddim fel petai'n ymwybodol eu bod yn peryglu eu bywydau nhw eu hunain a bywydau pobl eraill.

Mae'r rhan fwyaf ohonom yn tueddu i wadu bod unrhyw broblem ar y dechrau fel hyn: All hyn ddim bod yn digwydd. Dyw e'n ddim byd o bwys – dim mwy na henaint, neu gyfnod bach gwael. Does bosib na allen nhw gofio/deall/gyrru'n fwy gofalus tasen nhw ddim ond yn trio ychydig bach yn galetach? Mae nifer ohonom hefyd wedi dod wyneb yn wyneb â system sy'n gwadu'r sefyllfa – meddygon teulu, seiciatryddion, staff ysbyty. 'Dim ond straen.' 'Iselder yw'r broblem.' 'Ychydig bach yn ddryslyd.' 'Oedran yw gwraidd y broblem.' 'Does dim eisiau becso.'

Mae cyfathrebu'n mynd yn her. Mae'r gofalwr yn flinedig ac yn fyr ei amynedd wrth orfod ateb yr un cwestiynau drosodd a thro. Mae sgyrsiau'n swnio'n rhyfedd. 'A beth wyt ti'n feddwl am y syniad sydd gyda nhw, amdana i'n cael babi arall?' meddai fy mam, 90 mlwydd oed. 'Rhaid 'mod i'n colli 'mheli i gyd,' meddai mam Steve Jeffery

('Mwstásh pwysig iawn'). Yn y pen draw, mae iaith yn diflannu'n llwyr.

Profiad iasoer yw sylweddoli nad yw eich mam, a roddodd enedigaeth i chi, neu eich partner, sydd wedi bod wrth eich ochr am dros 30 mlynedd, bellach yn eich adnabod. Mae'r ddaear fel petai'n symud dan eich traed. Mae'n sefyllfa frawychus, ac yn herio eich hunaniaeth chi eich hun yn ogystal â'r un sydd â dementia.

Adlewyrchir y diffyg gwybodaeth a'r dryswch a deimlir gan bobl â dementia a'u gofalwyr yn yr anwybodaeth a'r benbleth ehangach ynglŷn â'r cyflwr hwn sydd wedi treiddio drwy ein gwasanaethau iechyd a'n gwasanaethau gofal ni tan heddiw – sefyllfa sy'n cael ei hamlygu yn y penodau sy'n dilyn.

Serch hynny, mae sail dros obeithio fod newid ar droed, a hynny er gwell. Yn mis Chwefror 2009, cyhoeddwyd Strategaeth Ddementia Genedlaethol ar gyfer Lloegr, *Living Well with Dementia*. Erbyn hyn mae Cynllun Gweithredu Cymru ar gyfer Dementia 2018–2022 ar gael. Mae'r strategaeth a'r cynllun gweithredu yn cynnwys cynlluniau uchelgeisiol i wella pob agwedd ar ofal dementia, gan ddechrau trwy gydnabod yr angen i gynyddu'r ymwybyddiaeth ynglŷn â dementia, ymysg y cyhoedd a'r byd meddygol, fel blaenoriaeth os ydym am wella bywydau'r rhai sy'n cael eu heffeithio.[1]

Yn 2009, prin oedd y bobl hynny oedd yn cael diagnosis ffurfiol o ddementia neu gefnogaeth gan wasanaethau arbenigol ar unrhyw adeg yn ystod eu hafiechyd.[2] Heb ddiagnosis, doedd dim modd sicrhau'r driniaeth na'r gefnogaeth fwyaf addas. Roedd cefnogaeth ar gael, ond prin oedd y bobl â dementia a'r gofalwyr a oedd yn gofyn am help, gan adael pethau nes bod y sefyllfa'n enbydus. Erbyn hyn, yn ôl y Strategaeth Ddementia Genedlaethol:

> mae cyfleoedd i atal niwed a chyfoethogi ansawdd bywyd wedi mynd heibio. Os na cheir diagnosis o ddementia, ni fydd cyfle i'r person sydd â dementia a'r gofalwyr o fewn y teulu wneud penderfyniadau drostynt eu hunain. Ni fyddan nhw'n gallu cynllunio'n wybodus ar gyfer y dyfodol ac ni fydd ganddyn nhw fynediad at gymorth, cefnogaeth a thriniaethau … sy'n gallu helpu.[3]

Dyna wahaniaeth fyddai cael cynnig gwybodaeth, cyngor a chefnogaeth ar y dechrau wedi gwneud i 'nheulu i ac i gymaint o deuluoedd eraill sydd wedi cyfrannu at y llyfr hwn, yn hytrach na'n bod wedi cael ein gadael i stryffaglu yn ein blaenau orau y gallem, wrth geisio gwneud synnwyr o'r sefyllfa.

Beth yw dementia?

Dyma sut mae'r Strategaeth Ddementia Genedlaethol yn diffinio dementia:

> Caiff y term 'dementia' ei ddefnyddio i ddisgrifio syndrom sy'n gallu cael ei achosi gan sawl afiechyd sy'n arwain at ddirywiad cynyddol o safbwynt sawl maes gweithredu, yn cynnwys dirywiad yn y cof, y gallu i resymu, sgiliau cyfathrebu a'r gallu i gyflawni gweithgareddau dyddiol. Ochr yn ochr â'r dirywiad hwn, gall unigolion ddatblygu symptomau seicolegol megis iselder, seicosis, ymosodedd a chrhwydro, sy'n cymhlethu'r gofal ac sy'n gallu digwydd ar unrhyw gyfnod yn yr afiechyd.[4]

Y mathau mwyaf cyffredin o ddementia yw clefyd Alzheimer a dementia fasgwlar (y cyfeirir ato weithiau fel dementia amlgnawdnychol – *multi-infarct dementia*). Ymysg y mathau llai cyffredin o ddementia mae dementia â chyrff Lewy a dementia blaenarleisiol. Mae'r clefydau hyn i gyd yn rhai cynyddol (yn gwaethygu dros amser), ac yn derfynol (yn arwain at farwolaeth yn y pen draw).

Awgryma ymchwil gan yr Alzheimer's Society ar gyfer Adroddiad Dementia'r Deyrnas Unedig fod bron 700,000 o bobl â dementia yn y Deyrnas Unedig (dros 1% o'r boblogaeth), a bod y rhif yma'n debygol o ddyblu o fewn y 30 mlynedd nesaf.[5] Gall dementia ddatblygu mewn person o unrhyw oed, ond mae'r tebygrwydd yn cynyddu wrth fynd yn hŷn. Mae un ym mhob 50 o bobl rhwng 65 a 70 oed â rhyw fath o ddementia, o gymharu ag un ym mhob 5 dros 80 oed.[6]

Beth yw gofalwr?

Yn ôl y Carers UK, mae 6.5 miliwn o bobl yn ofalwyr.[7] Y diffiniad o ofalwr yw rhywun sy'n 'darparu gofal di-dâl drwy ofalu am aelod o'r teulu, ffrind neu gymar sy'n sâl, yn fregus neu'n anabl'.

At ddibenion y llyfr hwn, caiff y term 'gofalwr' ei ddefnyddio'n fwy eang. Cyfeiria at unrhyw un sydd mewn perthynas bersonol agos â'r un sydd â dementia, ac, yn y rhan fwyaf o achosion, yn cymryd y cyfrifoldeb o sicrhau bod y person sydd â dementia yn ddiogel ac yn cael y gofal gorau. Efallai fod y gofalwr yn rhannu cartref â'r person sydd â dementia, ac o bosib yn gyfrifol am y gofal ymarferol, yn cynnwys yr holl ymolchi a bwydo, codi pethau trwm a golchi dillad; neu efallai mai ef neu hi sy'n gyfrifol am drefnu gofal proffesiynol, yn rheoli'r trefniadau ymarferol ac yn gwneud y gofidio, efallai o bellter. Gall y term 'gofalwr' hefyd gynnwys aelodau eraill o'r teulu neu ffrindiau sydd wedi eu heffeithio'n fawr oherwydd bod rhywun y maen nhw'n *hoff iawn ohono* wedi datblygu dementia. Gall hynny gynnwys y plant sy'n tyfu i fyny ar aelwyd lle mae un partner â dementia, fel yn achos y teulu Malik ('Mam oedd nawr yn gwisgo'r trowsus'), neu'n fab neu ferch sy'n oedolyn ac yn teithio adre'n gyson i gefnogi eu mam, sy'n gofalu am ei gŵr, fel yn achos Ian McQueen ('Materion teuluol').

Disgyn yn raddol ac yn ddiarwybod i rôl gofalwr y mae'r rhan fwyaf o bobl, heb sylweddoli arwyddocâd y term o'i ddefnyddio gyntaf i'w disgrifio nhw. 'Dywedodd cynghorydd y feddygfa wrtha i 'mod i'n ofalwr,' medd Andra Houchen ('Hyd eithafion straen'). 'Doedd gen i ddim syniad beth oedd hynny'n ei olygu. Hyd y gwyddwn i, ro'n i'n wraig, yn fam, yn mynd i'r gwaith, yn trio helpu fy ngŵr oedd â rhyw salwch annealladwy, ac yn gwneud fy ngorau i'w helpu drwy ei iselder, cyfnod gwael neu argyfwng canol oed.'

Sut ddaeth y llyfr hwn i fod?

Pan oeddwn i'n gofalu am fy mam, doedd gen i ddim amser i ymuno â grwpiau cefnogi, ond fe wnes i ddarllen ambell lyfr am ddementia, er mwyn trio deall rhywfaint ar y sefyllfa. Fe wnaeth pytiau o brofiadau bywyd go iawn pobl yn yr amrywiol gyflwyniadau i lyfrau am ddementia beri imi ryfeddu, fy mrawychu, fy nghysuro a fy nghyffroi. Rai blynyddoedd ar ôl marwolaeth fy mam, sylweddolais fod arnaf angen ysgrifennu am fy mhrofiad fy hun, a chefais y syniad y byddai casgliad o brofiadau gwahanol bobl yn ddefnyddiol i eraill mewn sefyllfa debyg. Penderfynwyd ar gyfranwyr posibl drwy gysylltu â sefydliadau gofalwyr amrywiol, yn benodol Uniting Carers for Dementia, yn ogystal â ffrindiau, cyd-weithwyr a chydnabod. Mae dementia'n gyflwr mor gyffredin, roedd bron pawb y gwnes i gysylltu â nhw ynglŷn â'r llyfr yn awyddus i sôn wrtha i am rywun ro'n nhw'n ei adnabod. Gofynnais am gyfraniadau gan amrywiaeth eang o bobl, ond nid yw'r gyfrol hon yn sampl wyddonol; ni allai'r un gyfrol unigol fod yn hollgynhwysfawr nac yn gyfan gwbl gynrychiadol.

Mae'r llyfr wedi'i rannu'n dair prif adran – Byw gyda cholled, Gair o faes y gad a Cadw cysylltiad, gollwng gafael.

Byw gyda cholled

Yn rhan gyntaf y llyfr, mae pobl o gefndiroedd gwahanol ac mewn amgylchiadau gwahanol yn disgrifio'r boen o golli rhiant neu gymar annwyl yn sgil dementia.

Mae Maria Jastrzębska, a ddaeth gyda'i theulu i Loegr o Wlad Pwyl wedi'r rhyfel, Debbie Jackson a ffodd o Dde Affrica gyda'i gŵr yn sgil apartheid, U Hla Htay o Myanmar (Burma), Maria Smith o'r Eidal, a Geraldine McCarthy o Iwerddon, i gyd yn disgrifio'r tor calon o weld anwyliaid yn cael eu trawsnewid o flaen eu llygaid.

Dyna'r sioc ofnadwy o ddeall bod eich cymar, yr un y buoch chi'n edrych ymlaen at ymddeol yn hapus yn ei gwmni, wedi datblygu clefyd cynyddol yr ymennydd, nad oes modd ei wella. 'Rwy'n *dal* i'w chael hi'n anodd credu bod clefyd Alzheimer wedi digwydd i *ni*,' ysgrifenna Rachael Dixey ('Cerdded ar iâ'), 'fel tasen ni wedi cael y sgript anghywir.'

Ni ellir anghofio ambell ddyddiad: y diwrnod y cafwyd y diagnosis, y diwrnod yr aeth yr un yr ydych yn ei garu i fyw mewn cartref gofal.

Ochr yn ochr â'r galar a'r sioc, mae'r straen a'r blinder, y pwysau didrugaredd a'r gwaith anodd eithriadol sy'n gysylltiedig â gofalu am rywun. Yn ogystal â'r baich dyddiol, mae argyfyngau cyson – cwymp neu godwm arall, haint arall, mynd i'r ysbyty i aros eto, sydd fel arfer yn arwain at ddirywiad pellach yng nghyflwr yr un yr ydych yn gofalu amdano. Fe ymddengys fod ymchwil gan Dr Colm Cunningham a'i gyd-weithwyr o Goleg y Drindod, Dulyn, yn cadarnhau'r hyn yr oedd llawer ohonom yn ei dybio eisoes – y gall cwympo, a chael heintiau a llawdriniaethau mawr gyflymu'r dirywiad gwybyddol. Cyhoeddwyd eu gwaith yn y cylchgrawn *Biological Psychiatry* yn 2008 o dan y teitl 'Systematic inflammation induces acute behavioural and cognitive changes and accelerates neurodegenerative disease'.

Ceir tosturi a thynerwch eithriadol, ond rhwystredigaeth a chwerwder hefyd – yn ogystal â'r euogrwydd anorfod. Ceir hefyd ddyhead i allu dianc. 'Pan ddeffrois i'r bore 'ma, ro'n i'n dyheu am gael bod yn rhywle arall. Ond, fel arfer, stryffaglu gyda'r gadair olwyn fydda i unwaith eto, yn ei gwthio a'i chodi i gist y car, ynghyd â'r sedd, y bag, yr het a'r menig, y bag clytiau a'r padiau sbâr a'r hancesi gwlyb, ac yn mynd i'w nôl o'r cartref.' (Anna Young, 'Hanner byd i ffwrdd')

Mae dementia'n cyfyngu ar y gallu i gyfathrebu â'r rhai ry'n ni'n gofalu amdanyn nhw, ond o fewn byd gofal dementia, ry'n ni'n gwneud cysylltiadau newydd, gyda meddygon, nyrsys a gwirfoddolwyr caredig, gyda gofalwyr eraill sydd yn yr un sefyllfa â ni ac yn gwybod beth ry'n ni'n ei wynebu, gyda'r fyddin o weithwyr gofal cyflogedig sydd wedi dod o bob cwr o'r byd i'n helpu ni i ofalu am ein perthnasau bregus – yn aml gan adael eu plant eu hunain neu eu rhieni oedrannus nhw gartref. 'Bydden nhw'n anfon adref yr hyn ro'n nhw'n ei gynilo trwy weithio dramor, i gefnogi'r teuluoedd a adawyd ar ôl ganddyn nhw. Roedd y sefyllfa'n hynod o boenus pan gollodd un o'r gofalwyr ei mam ei hun yn ystod ei chyfnod gyda ni.' (Maria Jastrzębska, 'Môr o gariad')

Gair o faes y gad

Er bod rhai pobl sydd â dementia a'u teuluoedd yn cael gofal a chefnogaeth ardderchog, nid dyna'r sefyllfa ym mhob achos. Yn ail adran y llyfr hwn, canolbwyntir ar enghreifftiau lle mae'r boen o golli rhywun agos atom i ddementia'n cael ei dwysáu gan fethiannau yn y gwasanaeth a ddylai fod yn ein helpu.

Disgrifia llawer o'r cyfranwyr y dicter a deimlwyd ganddyn nhw yn sgil y diffyg gofal a'r amarch a ddangoswyd tuag at eu rhieni neu eu partneriaid mewn ysbytai neu gartref gofal. Cyfeirir at enghreifftiau megis gofalwyr gwrywaidd yn helpu merched i fynd i'r tŷ bach, cleifion yn cael eu gadael yn hanner noeth ar wardiau cymysg, neu drigolion cartrefi preswyl yn cael eu gwisgo yn nillad pobl eraill – pethau oedd yn corddi ac yn gwylltio aelodau o'r teulu oedd yn gofalu am eu hanwyliaid, am eu bod yn tanlinellu'r methiant i gydnabod bod person sydd â dementia'n haeddu parch a hyd yn oed gwrteisi sylfaenol.

'Ro'n i'n ystyried y ffaith bod Dad yn ymddangos yn gwisgo dillad rhywun arall yn y cartref preswyl fel arwydd o amarch llwyr, a'i fod yn colli cymaint o'i hunaniaeth yn sgil hynny, heb fod unrhyw fai arno ef ei hunan. Roedd hynny'n gwbl dorcalonnus,' eglura Rosie Smith ('Byth yn angof'). Pam mae hi mor anodd i gartrefi preswyl sicrhau bod dillad pawb yn cael eu dychwelyd i'w perchennog cywir wedi eu golchi? Sut fyddai perchennog y cartref yn hoffi gwisgo dillad rhywun arall, a'r rheini'n rhy fach neu'n rhy fawr iddo?

Mae modd cyfeirio at restr o gwynion eraill sy'n achosi nosweithiau di-gwsg i aelodau'r teulu hefyd – cleisiau heb eu hesbonio, dannedd heb eu glanhau ac yn pydru, doluriau gwasgu yn datblygu heb i neb sylwi, bwyd neu feddyginiaethau'n cael eu gadael allan o afael y claf ar y bwrdd wrth y gwely, diffyg hylif a maeth am nad yw'r staff yn rhoi amser i fwydo'r rhai yn eu gofal, cleifion ofnus ar wardiau ysbyty'n galw am help, ond yn cael eu hanwybyddu gan nyrsys sy'n eu hystyried yn 'niwsans'.

Ystyrir dementia yn afiechyd henaint. Ar y cyfan, nid yw ein cymdeithas yn anwylo nac yn gwerthfawrogi pobl hŷn o fewn ein cymdeithas, ac mae'n debygol bod hynny'n cael ei adlewyrchu yn y diffyg sylw ac adnoddau sy'n cael eu rhoi i ofal, triniaeth ac ymchwil i ddementia. Er mai rhagfarn oed gan sefydliadau sydd wrth wraidd llawer o'r diffyg gofal a'r amarch sy'n wynebu hen bobl sydd â dementia, mae llawer o bobl iau sydd â dementia hefyd yn gorfod wynebu'r un anawsterau. Mae dementia'n afiechyd creulon, beth bynnag fo oedran yr unigolyn, ond yn achos pobl iau sy'n cael eu taro ganddo, yn ogystal â'u teuluoedd, mae'r ing yn waeth.

Mewn sawl rhan o'r wlad, gwasanaethau wedi eu cynllunio ar gyfer pobl oedrannus a bregus yw'r unig wasanaethau sydd ar gael i bobl â dementia; yn aml, maen nhw'n anaddas ar gyfer pobl iau, heini a llawn egni, sy'n arddangos arwyddion o 'ymddygiad heriol'. A dweud y gwir, does gan lawer o gartrefi gofal a chanolfannau dydd ddim trwydded i dderbyn cleientiaid dan 65 oed. Mae pennod Pat Brown, 'Craciau yn y system', yn dilyn taith hunllefus drwy system afresymegol a di-hid. Daeth ei theulu i gysylltiad â gweithwyr gofal, seiciatryddion a gweithwyr cymdeithasol heb unrhyw ymwybyddiaeth o ymddygiad ac anghenion pobl sydd â dementia, a bu'n rhaid i'w gŵr ddioddef dulliau asesu arswydus a barodd i'w gyflwr anwadal waethygu.

Amcangyfrifwyd bod tua 18,000 o bobl drwy'r Deyrnas Unedig yn byw gyda dementia cynnar, sef dementia sy'n datblygu cyn iddyn nhw gyrraedd 65 mlwydd oed.[8] Mae'n bosib bod yr amcangyfrif hwn yn rhy isel, gan nad yw meddygon teulu na hyd yn oed seiciatryddion yn adnabod y cyflwr bob tro. Dioddefodd Pat Brown ac Andra Houchen ('Hyd eithafion straen') a'u teuluoedd, am flynyddoedd, wedi i'w gwŷr gael camddiagnosis o iselder yn hytrach na dementia. Gan nad oedd cyffuriau gwrthiselder yn gweithio, cafodd gŵr Andra Houchen driniaeth therapi electro-gynhyrfol (ECT – *electro-convulsive therapy*). Gwrthododd y seicolegydd a fu'n asesu gŵr Pat Brown â chredu tystiolaeth ei brofion ei hun, gan ddod i'r casgliad fod Chris Brown yn twyllo er mwyn gallu sicrhau ymddeoliad cynnar.

Y broblem fwyaf a wynebai Andra Houchen oedd nad oedd y meddyg teulu na'r seiciatryddion amrywiol a archwiliodd ei gŵr yn barod i wrando ar yr hyn oedd ganddi i'w ddweud. Mynd yn fwy a mwy od wnaeth ymddygiad ei gŵr, ond roedd yntau'n dal i wadu bod dim o'i le. Mynnodd y meddygon na allen nhw drafod achos ei gŵr gyda hi, ar sail 'cyfrinachedd y claf'.

Mae cyfrinachedd y claf yn ddelfryd ddigon teg, ond, yn achos dementia, gall dilyn llythyren y ddeddf yn rhy llym achosi rhagor o broblemau yn y pen draw. Os na all y cleifion eu hunain gydnabod bod problem, neu os nad ydyn nhw'n gallu siarad drostyn nhw eu hunain, efallai na fyddan nhw'n yn cael gofal a thriniaeth hanfodol. (Mae'n bosibl y bydd yn rhaid i'r bobl o'u cwmpas hefyd fyw gyda 'newidiadau anesboniadwy i'w personoliaeth a'u cymeriad, heb unrhyw help', fel yn achos teulu Andra Houchen, er i hynny arwain Andra a'i merched at ymyl eu dibyn meddyliol eu hunain.) Mae'r Cynllun Gweithredu Dementia yn cydnabod yr angen am ddiagnosis cynnar o ddementia.[9] Ar hyn o bryd, mae tueb meddygon i wrthod gwrando ar y rhai sy'n adnabod y claf orau yn rhwystro diagnosis cynnar.

Cafodd Brian Baylis ('Yr un o bwys') ei anwybyddu hefyd ar sail 'cyfrinachedd y claf', a'i rwystro gan y gwasanaethau cymdeithasol rhag cael unrhyw ymwneud pellach ag achos ei ffrind, Timothy. Roedd Timothy yn anabl iawn yn sgil ei ddementia ac yn methu lleisio'i ddymuniadau ei hun, ac roedd Brian wedi bod yn gofalu amdano ac yn gweithredu fel eiriolwr ar ei ran ers blynyddoedd. Yn yr achos hwn, ymddengys bod homoffobia (naill ai'n fwriadol neu'n anfwriadol) ar waith. Ym mhennod Roger Newman, 'Rhaid bod y byd wedi newid?', eglura nad yw anghenion penodol lesbiaid a hoywon sy'n cael eu heffeithio gan ddementia'n cael eu cydnabod na'u diwallu gan wasanaethau confensiynol, a disgrifia sut y daeth i gydsefydlu grŵp gofalwyr lesbiaidd, hoyw, deurywiol a thraws yr Alzheimer's Society, sydd bellach yn ffynnu fel grŵp.

Mae pobl â syndrom Down mewn perygl o ddatblygu clefyd

Alzheimer yn iau o lawer na gweddill y boblogaeth.[10] Yn 'Stori Chwaer', ceir disgrifiad teimladwy iawn gan Peggy Fray o'r ffordd y tynnwyd 'y sgiliau roedd hi wedi brwydro mor galed i'w hennill' oddi ar ei chwaer, Kathleen, a'r modd yr ymladdodd hithau yn erbyn y system lle nad oedd gan lawer o'r darparwyr gofal unrhyw brofiad na hyfforddiant o ofalu am bobl eraill oedd â'r ddau anabledd hyn.

Ceir disgrifiad o safbwynt gwahanol gan Gail Chester ('Canllawiau ar gyfer cadw eich meddwl'), sef ei meddwl ei hun: mae'n archwilio'r ofn gwirioneddol a dirgel o etifeddu clefyd Alzheimer.

Cadw cysylltiad, gollwng gafael

Mae adran olaf y llyfr yn archwilio rhai o'r ffyrdd y mae gofalwyr wedi eu canfod i gadw mewn cysylltiad agos â rhywun sydd â dementia datblygedig, pan nad oes modd defnyddio iaith lafar bellach, a sut y llwyddon nhw i fod yn gwmni i'w cymar neu eu rhiant wrth iddyn nhw deithio tuag at y diwedd anorfod.

Pwysleisia Tim Dartington ('Diwedd y stori') y byddai'r rhan fwyaf ohonom yn dymuno marw gartref, ond ei bod hi'n anodd iawn gwneud hynny ar hyn o bryd. Pan fydd y rhai sydd â dementia'n datblygu heintiau, neu'n profi anawsterau wrth anadlu tuag at ddiwedd eu hoes, fe fyddan nhw'n aml yn cael eu trosglwyddo i'r ysbyty gan y gwasanaethau brys, ac yn marw yno mewn amgylchiadau anghyfarwydd. Gyda chryn dipyn o benderfyniad, cefnogaeth broffesiynol dda, tipyn o waith cynllunio a thipyn go lew o lwc, llwyddodd Tim Dartington, Barbara Pointon a Rosemary Clarke i gyd i sicrhau y gallai'r person oedd yn eu gofal farw mewn amgylchiadau cyfarwydd, yng nghwmni'r rhai oedd yn eu caru.

Hyd yn oed 'ar ddiwedd y stori', daw tuedd sefydliadau i wadu'r gwir i'r amlwg. Mae Tim Dartington yn dirwyn ei brofiad i ben â'r geiriau canlynol:

> Dementia oedd achos ei farwolaeth ar y dystysgrif yn ôl y meddyg – oedd yn ddigon gwir. Yn rhyfedd iawn, doedd swyddfa'r crwner ddim yn fodlon derbyn eglurhad mor syml a bu'n rhaid ysgrifennu tystysgrif newydd. Hyd yn oed mewn marwolaeth roedd angen dod o hyd i eglurhad arall ar gyfer yr hyn oedd wedi bod yn digwydd. (Tim Dartington, 'Diwedd y Stori')

Yr her o'n blaenau

Mae'r llywodraeth yn 'cydnabod bod dementia yn broblem iechyd a gofal cymdeithasol sylweddol sy'n effeithio nid yn unig ar y rhai sy'n byw gyda dementia, ond ar eu teuluoedd, eu ffrindiau a'u gofalwyr hefyd'.[11]

Ac er bod dementia yn fwy cyffredin ymhlith pobl hŷn, mae angen inni gynorthwyo'r rhai â dementia cynnar hefyd. Serch hynny, er mwyn sicrhau gwir welliannau cyson o safbwynt ansawdd bywyd pobl sydd â dementia a'u gofalwyr, mae angen buddsoddiad enfawr o arian, a hwnnw wedi'i dargedu'n effeithiol. Mae'r llywodraeth yn buddsoddi £10 miliwn ychwanegol y flwyddyn o 2018/19 er mwyn helpu i gyflawni camau allweddol y cynllun gweithredu, sy'n cynnwys:

- Datblygu 'timau sy'n canolbwyntio ar unigolion' er mwyn darparu cymorth ychwanegol i bobl â dementia a'u teuluoedd/gofalwyr.
- Adolygu a safoni rôl gweithwyr cymorth dementia – gan gynyddu eu niferoedd fel bo'r angen.
- Datblygu swydd Ymarferydd Ymgynghorol Dementia Perthynol i Iechyd Cymru Gyfan a fydd yn rhoi cyngor a chymorth i fyrddau iechyd ac awdurdodau lleol er mwyn llywio gwelliannau i wasanaethau.
- Cynyddu graddfa a phrydlondeb diagnosis o ddementia.
- Cryfhau cydweithredu rhwng gofal cymdeithasol a'r maes tai er mwyn galluogi pobl i aros yn eu cartrefi am gyfnod hirach.
- Cyflwyno 'Gwaith da – Fframwaith dysgu a datblygu dementia i Gymru' fel bod gan y sawl sy'n gweithio gyda rhai â dementia y sgiliau i adnabod symptomau'n gynt, a'u bod yn fwy hyderus a chymwys i ofalu am rai â dementia a'u cefnogi.
- Cyflwyno egwyddorion 'Ymgyrch John' ledled pob bwrdd ac ymddiriedolaeth iechyd.[12]

Straeon serch gwahanol

Profiad dyrchafol ac ysbrydoledig oedd gweithio ar y gyfrol hon. Mae'r straeon sydd wedi eu cynnwys yn brawf anhygoel o gryfder cariad, cariad sy'n goroesi 'yn glaf ac yn iach', 'yn dragywydd'.

Mae'n amlwg fod canran helaeth o gyfranwyr i'r gyfrol hon yn ymwneud fel gwirfoddolwyr â grwpiau cefnogi gofalwyr neu ymgyrchoedd, hyd yn oed os yw eu dyddiau nhw fel gofalwyr wedi dod i ben. Mae rhywbeth ynglŷn â gofalu am rywun sydd â dementia sy'n eich newid chi, ac mae llawer o ofalwyr a chyn-ofalwyr yn teimlo'r angen i ledaenu'r gair: i rannu'r hyn a ddysgwyd ganddyn nhw ag eraill sy'n dechrau ar y daith hon, neu i ymgyrchu'n frwd am welliannau i'r gwasanaethau.

Disgrifia Maria Smith y profiad hwn yn ei cherdd 'Cariad cadarn':

Dim ond f'ysbryd sy'n adlamu yn erbyn craig galed anobaith
ac yn codi
bob bore
i wynebu'r diwrnod newydd,
yn benderfynol o wneud gwahaniaeth.

Nodiadau

[1] Adran Iechyd (2009) *Living well with dementia: A national dementia strategy*, Llundain: Adran Iechyd tt. 23–30. Llywodraeth Cymru (2018) *Cynllun Gweithredu Cymru ar gyfer Dementia 2018–2022* gov.wales/docs/dhss/publications/110302dementiacy.pdf. Gwelwyd 29 Mawrth 2019

[2] *Living Well with Dementia*, t.17.

[3] *Living Well with Dementia*, t.17.

[4] *Living Well with Dementia*, t.15.

[5] Alzheimer's Society (2007) *Dementia UK:* Llundain: Alzheimer's Society, t. xiv. Diweddariad: www.alzheimers.org.uk/sites/default/files/migrate/downloads/dementia_uk_update.pdf. Gwelwyd 28 Mawrth 2019

[6] Alzheimer's Society (2016) *Factsheet 450LP: Risk factors for Dementia* Llundain: Alzheimer's Society. Ar gael ar www.alzheimers.org.uk/factsheet/450, gwelwyd 27 Mawrth 2019.

[7] Gwefan Carers UK, www.carersuk.org/about-us/why-we-re-here, gwelwyd 27 Mawrth 2019

[8] Harvey, R., Skelton-Robinson, M. ac Rossor, M.N (2004) 'The prevalence and causes of dementia in people under the age of 65 years'. *Journal of Neurology, Neurosurgery and Psychiatry 74, 1206–1209.* Ar gael ar http://jnnp.bmj.com/cgi/content/full/74/9/1206, gwelwyd 6 Mawrth 2019.

[9] *Cynllun Gweithredu Cymru ar gyfer Dementia 2018–2022*, t. 13

[10] Holland, T. (2004) *Down's Syndrome and Alzheimer's Disease: A Guide for Parents and Carers*, Teddington: Down's Syndrome Association. Ar gael ar dsagsl.org/wp-content/uploads/2012/11/ds_and_alzheimers1.pdf, gwelwyd 6 Mawrth 2019

[11]   *Cynllun Gweithredu Cymru ar gyfer Dementia 2018–2022*, t. 3
[12]   *Cynllun Gweithredu Cymru ar gyfer Dementia 2018–2022*, t. 5

Byw gyda cholled

1

Môr o gariad

Maria Jastrzębska

AR FORE FY mhen-blwydd yn hanner cant, fel plentyn, rwyf eisiau clywed lleisiau fy rhieni. Rwy'n ffonio'r tŷ ac mae'r gofalwr sy'n byw gyda nhw'n ateb ac yn pasio'r ffôn o'r naill i'r llall i siarad â mi. A siarad o brofiad, taswn i'n gofyn i 'nhad fynd i nôl Mam, byddai'n anghofio gwneud hynny a 'ngadael i ar ben arall y ffôn am hydoedd, ac mae Mam hithau'n gorfforol analluog i fynd i'w nôl yntau na phasio'r ffôn iddo. Rwy'n dweud wrth Dad ei bod hi'n ben-blwydd arna i ac mae'n dymuno pen-blwydd hapus i mi. Mae'n becso am nad yw e wedi cofio, felly rwy'n ei gysuro ac yn dweud wrtho y bydda i'n dod am dro i Lundain yr wythnos nesaf a'n bod ni wedi trefnu i ddathlu gyda'n gilydd bryd hynny. Dyw Mam ddim wedi'i synnu gymaint gan y cyhoeddiad, ond mae'n gofyn sut mae 'ngheffyl i. Dyma un o'r mynych achlysuron hynny pan alla i naill ai chwarae'r gêm a dweud bod fy ngheffyl i'n dda iawn, diolch yn fawr, neu drio mynd at wraidd yr hyn y mae hi'n ei olygu drwy sôn am fy ngheffyl, o gofio 'mod i'n byw mewn tŷ pâr yn Hove ac nad ydw i'n berchen ar geffyl nac yn marchogaeth unrhyw geffylau. Efallai mai sôn am un o'n cathod ni y mae hi, neu efallai fy nghymar, Deborah, neu ein merch, Elena – neu efallai ei bod hi wir yn meddwl bod gen i geffyl. Roedd dementia ar Mam a Dad, a dyma enghraifft ddigon cyffredin o 'nghyswllt i â nhw yr adeg honno.

Erbyn heddiw, pan fydd ffrindiau'n dweud wrtha i nad yw eu rhieni'n gallu gofalu amdanyn eu hunain bellach, rwy'n teimlo fel chwerthin – nid mewn ffordd gas, ond mewn hysteria cyfarwydd. Ac, wrth gwrs, y peth nesa fyddan nhw'n ei ddweud, â golwg boenus a syn ar eu hwynebau, yw bod yr un rhieni'n gyson yn gwrthod y gofal da y maen nhw wedi mynd i ymdrech fawr i'w ddarparu iddyn nhw. Ac alla i ddim peidio ag ystyried a faswn i, pan ddaw'r amser, yn derbyn y fath help â breichiau agored ai peidio?

Dad ddatblygodd ddementia gyntaf. Os gall dementia fyth gael ei ddisgrifio fel cyflwr tyner, fe ddechreuodd dementia 'nhad yn gymharol dyner wrth iddo golli'r gallu i gofio pethau oedd newydd ddigwydd, o ganlyniad i ambell strôc fechan. Mam oedd yn gofalu amdano o ddydd i ddydd, ac fe gafodd hynny effaith ar ei hiechyd hithau. Yn ystod cyfnod a dreuliodd hi yn yr ysbyty lleol ar gyfer adsefydlu'r henoed, cefais gefnogaeth gan leian Bwylaidd ddoeth a charedig, a berswadiodd Mam i drefnu i gael gofal wedi iddi ddychwelyd adref. Er nad ydw i'n grefyddol iawn fy hun, sylweddolais fod eglwys Bwylaidd leol fy rhieni'n un o'r mannau hynny lle roedd digon o gefnogaeth ar gael. Gweithiodd y trefniant am rai wythnosau, ond pan es i i ffwrdd un penwythnos, fe gyrhaeddais yn ôl a darganfod bod Mam wedi cael gwared ar y gofalwyr newydd. Roedd hi'n cwyno bod y gofalwyr yn anobeithiol ac yn ddiog, ac ro'n nhw'n cwyno ei bod hi'n eu rhwystro nhw rhag gwneud dim. A dyna ni'n gorfod dechrau o'r dechrau eto. Yn y cyfamser, roedd cof Dad yn gwaethygu. Byddai'n anghofio diffodd y nwy ac yn ffwndro'n lân. Doedd e ddim yn gallu cofio a oedd wedi bwyta pryd o fwyd a/neu wedi cymryd y cyffuriau gwrthgeulo.

Dechreuodd dementia Mam mewn ffordd fwy trawiadol o lawer. Fe gwympodd hi sawl gwaith. Doedd neb wedi sylweddoli mewn gwirionedd ei bod hi wedi torri ei chlun. Roedd yn un o'r toriadau hynny sy'n anodd eu gweld, a minnau'n cofio o hyd fel ro'n i'n ei hannog hi i gerdded, gan feddwl mai crydcymalau oedd wrth wraidd y boen. Ar ôl mynd â hi i'r ysbyty yn y diwedd, cafodd lawdriniaeth frys a'r sioc honno, ynghyd â chlefyd Parkinson yr oedd wedi cael diagnosis ohono flwyddyn neu ddwy ynghynt, a'i gyrrodd dros y dibyn. Ro'n i'n ymweld â hi a 'nhad ddwywaith yr wythnos, gan ddod i fyny i Lundain o Brighton, a byddai hi'n dweud wrtha i fod yr ysbyty ar dân ac yn pledio arna i i wneud rhywbeth i'w helpu hi i ddianc.

Bu'n wraig anodd erioed. Fel llawer o bobl oedd wedi byw drwy gyfnod goresgyniad y Natsïaid, a degawd o Staliniaeth wedi hynny, cyn dod i Brydain, byddai ei hemosiynau'n aml ar chwâl. Er hynny, roedd ei meddwl yn dal yn finiog fel rasel, felly roedd hi'n fwy o sioc fyth ei gweld hithau'n dirywio fel hyn, nid yn unig yn gorfforol ond yn wybyddol hefyd. Yn rhyfedd iawn, roedd hi'n dal i allu amgyffred ambell beth oedd yn digwydd – mewn ffordd ddigon dryslyd, cofiwch.

Er enghraifft, roedd hi'n argyhoeddedig y byddai'n rhaid i 'nhad fynd i'r llys. Mewn gwirionedd, ro'n i heb ddweud wrthi fod yna frwydr gyfreithiol fawr wedi datblygu rhwng fy mrawd a minnau ynglŷn â rheoli holl faterion busnes fy rhieni.

Roedd fy mrawd a minnau'n anghytuno ynglŷn â phopeth, bron, wrth ymwneud yn agos iawn â gofalu am ein rhieni. I ryw raddau, roedd hyn yn fwy o her fyth na threulio'r holl amser hwnnw'n sicrhau gofal iddyn nhw.

Arweiniodd gofid fy mrawd ynghylch eu dirywiad at ysfa ynddo i fwrw'r bai ar rywun am y sefyllfa – fel arfer, ar y gweithwyr proffesiynol oedd yn gofalu amdanyn nhw, ond yn amlach na pheidio, arnaf fi. Roedd popeth ro'n i'n ei wneud yn ei gorddi, ac roedd y ffaith ei fod yn honni byth a beunydd mai oherwydd fy mlerwch i roedd cyflwr fy rhieni'n dirywio'n gwneud i bwysau'r gwaith fy llethu'n llwyr ar brydiau. Rwy'n dal i deimlo'n hynod drist na wnaeth y dirywiad yn iechyd fy rhieni, a'u marwolaethau yn y pen draw, ein tynnu'n agosach at ein gilydd, ond yn hytrach, ddyfnhau'r rhwyg oedd rhyngom.

Gallai 'nhad 'ymddangos' yn ddigon da i bawb. Roedd yn ŵr bonheddig o'i gorun i'w sawdl, yn gwrtais a dysgedig, a gallai drafod materion cyfoes mewn modd digon diddorol am gyfnodau byr iawn. Funudau'n ddiweddarach, byddai wedi anghofio pwnc y drafodaeth yn llwyr, ac ar adegau byddai'n dechrau o'r dechrau unwaith eto. Roedd hynny'n flinderus. Yn fwy rhwystredig fyth, byddai'n dweud wrth weithwyr cymdeithasol a staff proffesiynol eraill ei fod e a Mam

yn ymdopi'n berffaith. Fyddai e ddim yn cofio bod Mam erbyn hynny mewn cadair olwyn ac yn methu mynd allan ar ei phen ei hun. Byddai'n dweud wrthyn nhw mai hi oedd yn gwneud y siopa ac yn gofalu am y tŷ ac mai fe oedd yn gofalu am yr arian, er bod pentyrrau o lythyrau o gwmpas y lle am nad oedd e'n gallu ymdrin â nhw bellach.

Ewa, mam Maria, cyn y rhyfel

Y cyfnodau o newid oedd y rhai anoddaf. Pan fu'n rhaid i Mam fynd i'r ysbyty'n sydyn, doedd neb i ofalu am fy nhad, ond roedd hi'n amlwg na allai ofalu amdano'i hun. Byddai fy mrawd a minnau'n gofalu amdano am yn ail. Pan na fyddem yn gallu bod yno, byddem yn ei ffonio er mwyn gwneud yn siŵr ei fod yn cymryd ei feddyginiaeth. Trefnwyd bod gofalwr rhan amser yn galw i baratoi bwyd iddo a chadw trefn ar y tŷ. Roedd fy mywyd fel petai ar chwâl i gyd. Byddwn yn cyrraedd adref o Lundain wedi blino'n llwyr ac yna'n mynd yn ôl i fyny unwaith eto mewn diwrnod neu ddau. Rhyw fath rhyfedd o adrenalin oedd yr unig beth oedd yn fy nghadw i fynd.

Mae angen dysgu'n gyflym iawn, a chymaint o wybodaeth i'w chofio. Hyd yn oed pethau syml nad oeddech chi wedi eu hystyried o'r blaen, megis y gall rhwymedd neu haint droethol neu beidio ag yfed digon effeithio'n fawr ar gyflwr meddyliol person. Treuliais oriau ben bwy gilydd yn ceisio cysylltu â'r asiantaethau perthnasol er mwyn ceisio gwell gofal i'm rhieni. Ar y cyfan, roedd y gweithwyr proffesiynol yn ardderchog. Cynigiodd mudiad lleol Alzheimer's Concern glust i wrando, a nhw oedd y cyntaf i gyfeirio at sefyllfa fy rhieni a'r *ddau* ohonyn nhw â dementia fel 'aflwydd dwbl'. Roedd y swyddog cefnogi dementia yn yr ysbyty yn wych, a helpodd i symud pethau yn eu blaenau yn wyneb biwrocratiaeth lethol yr ysbyty ei hun. Pan anfonwyd fy nhad i'r un ysbyty (yn ystod arhosiad hir fy mam yno) oherwydd haint ar yr ysgyfaint, helpodd i drefnu bod fy rhieni'n gallu gweld ei gilydd ar y ward. Roedd hefyd yn deall pwysigrwydd symud fy mam o'r ward feddygol ac yn gweld cymaint roedd ei harhosiad yn yr ysbyty yn peri iddi ddrysu fwyfwy. Yn rhyfedd iawn, cafodd y swydd honno ei dileu wedyn – adlewyrchiad trist o'r broblem ariannu barhaus.

Hunllef gyfarwydd i unrhyw un sydd wedi gorfod wynebu'r sefyllfa hon yw ceisio cael gafael ar feddygon ar y ffôn. Cymaint y baich ar eu hysgwyddau fel bod yn rhaid i chi drio'u dal nhw yn ystod cyfnod gwallgof o fyr pan fydd cyfle ganddyn nhw i siarad â chi. Ambell ddiwrnod, byddwn yn trefnu fy mywyd yn llwyr o gwmpas un galwad ffôn. Er gwaethaf ymdrechion fy nhad i argyhoeddi'r gwasanaethau cymdeithasol nad oedd angen eu cefnogaeth arno, ro'n nhw hefyd yn ardderchog. Yn y pen draw, trefnu system gofal cartref preifat wnaethon ni, rhywbeth roedd fy rhieni'n ffodus o allu ei fforddio. Roedd fy rhieni bob amser wedi dweud nad o'n nhw eisiau gadael eu cartref a chael eu symud i ganol dieithriaid a llu o 'hen bobl'! Fe ddaethon ni o hyd i ofalwyr Pwylaidd oedd yn gallu byw i mewn. O ganlyniad, gallai fy rhieni aros yn eu cartref eu hunain, bwyta bwyd Pwylaidd cyfarwydd a pheidio â gorfod wynebu'r boen o orfod symud i rywle arall. Roedd y gofalwyr yn ymroddedig a mamol, ac er nad oedd fy mam yn rhy hapus â'r sefyllfa ar y dechrau – roedd hi eisiau gofalu am fy nhad ei hunan – fe ddaeth hi'n hoff iawn ohonyn nhw gydag amser. Fe ddangoson nhw hefyd yn eu tro eu bod yn ei deall ac yn hoff ohoni.

Awgrymodd ffrind oedd yn weithiwr cymdeithasol y byddai'r system ofal yn chwalu a'r gwasanaethau cymdeithasol yn methu ymdopi â'r pwysau pe bai'r holl Bwyliaid oedd ym Mhrydain yn penderfynu gadael. Pan fyddwn i'n ymweld â fy rhieni, fi fyddai'n gofalu amdanyn nhw, er mwyn rhoi cymaint o seibiant â phosib i'r gofalwyr. I ryw raddau, ro'n i'n teimlo'n euog am beidio â gwneud mwy; mae merched – yn enwedig merched Pwylaidd – yn tueddu i deimlo'n euog yn aml iawn. Roedd y gofalwyr yn helpu drwy'r flwyddyn, yn cynnwys cyfnod y Nadolig, ac yn gwneud gwaith glanhau ychwanegol ac yn gofalu am bobl eraill yn eu hamser sbâr. Byddai fy rhieni'n cynnig cyflog, llety a bwyd iddyn nhw. Bydden nhw'n anfon adref yr hyn ro'n nhw'n ei gynilo trwy weithio dramor i gefnogi'r teuluoedd a adawyd ar ôl ganddyn nhw. Roedd y sefyllfa'n hynod o boenus pan gollodd un o'r gofalwyr ei mam ei hun yn ystod ei chyfnod gyda ni.

Ro'n i hefyd yn awyddus i wneud pethau fy hun gyda fy rhieni. Golchi gwallt fy mam, sgwrio cefn fy nhad, eu rhoi nhw yn y gwely – mae rhyw agosrwydd gwerthfawr ynglŷn â gofalu am rywun mewn ffordd gorfforol fel hyn. Roedd hi'n fraint i mi allu gwneud hyn o dro i dro, yn hytrach na gorfod gwneud hynny fel rhan o drefn feunyddiol. Am flynyddoedd ro'n i wedi dadlau gyda fy rhieni am wleidyddiaeth a'm rhywioldeb. Rhoddodd eu sefyllfa fregus ddiwedd ar hynny, a'r cyfan ro'n i'n gallu ei wneud, neu eisiau ei wneud, oedd gofalu amdanyn nhw. Ro'n i'n falch fod gen i ddigon o gariad i wneud hynny'n ddigon hawdd. Yr un pryd, roedd bod yn dyst i ddibyniaeth gynyddol fy rhieni – a arweiniodd yn y pen draw at orfod eu helpu gyda'r gorchwylion mwyaf sylfaenol pan oedden nhw'n mynd i'r tŷ bach – yn gwneud i mi grio cyn gynted ag ro'n i'n cyrraedd adref.

Ro'n i'n ffodus hefyd fod fy nghymar, Deborah, wedi cael cyfle i adnabod fy rhieni cyn i ddementia gael gafael go iawn arnyn nhw. Roedd fy mam, yn enwedig, wedi bod yn llugoer iawn ar y dechrau, tra oedd fy nhad yn fwy difater: doedd y naill na'r llall ohonyn nhw'n hoffi'r syniad mai merch arall oedd fy nghymar. Anwybyddu eu hagwedd wnaeth Deborah ac yn y diwedd, fe ddechreuon nhw gynhesu ati'n fawr. Roedd ei dealltwriaeth a'i chefnogaeth hi'n allweddol yn ystod y cyfnodau anodd.

Mewn rhai ffyrdd, roedd fy nhad yn fwy ffodus na Mam, gan nad oedd e'n ymwybodol o gwbl gymaint roedd ei gyflwr meddyliol wedi dirywio. Byddai'n gwadu bod dim o'i le, ac yn gwbl argyhoeddedig ei fod e'n ymdopi'n iawn. Ymddangosai fel petai'n mwynhau bywyd. Roedd wrth ei fodd yn mynd i nofio gyda 'mrawd a'i ferch, ac yn gallu nofio yn ôl ac ymlaen yn ddigon hwylus. Daeth un o'r gofalwyr â'i phlant draw gyda hi o Wlad Pwyl, ac er ei fod yn rhoi ambell bryd o dafod iddyn nhw am gadw gormod o sŵn, roedd e wrth ei fodd yn eu gweld nhw. Yn hytrach na bod y ddau ohonyn nhw'n byw mewn tŷ mawr ar eu pennau eu hunain, roedd awyrgylch deuluol i'r lle unwaith eto. Byddai pob diwrnod yn dechrau o'r newydd heb unrhyw atgof o'r hyn oedd wedi digwydd funudau ynghynt. Allai e ddim cofio'r anawsterau a'r heriau oedd yn wynebu ein teulu ni ac, o ganlyniad, roedd ei berthynas â phawb yn un hwylus iawn. Am y tro cyntaf erioed, roedd e'n dad llai traddodiadol a hen ffasiwn. Doedd e ddim bellach yn teimlo mai ei gyfrifoldeb ef oedd beirniadu, a dechreuodd fod yn wirioneddol werthfawrogol a diolchgar wrth bawb a oedd yn dangos unrhyw garedigrwydd a chefnogaeth.

Fy ngobaith oedd y byddai cyflwr meddyliol fy mam yn gwella ychydig unwaith y byddai hi wedi cyrraedd gartref o'r ysbyty. Roedd hi wedi cynhyrfu llai ac roedd hi'n amlwg yn hapus ei bod gartref gyda 'nhad, ond nid yr un person oedd hi o gwbl wedyn. Yn ystod yr asesiadau meddyliol niferus y bu'n rhaid i fy rhieni eu hwynebu, un cwestiwn cyson oedd, 'Pwy yw prif weinidog y wlad hon?' a chefais fy nghalonogi gan sylw fy mam y dylai'r arbenigwyr meddygol hwythau gael eu cwestiynu ynglŷn â phwy oedd prif weinidog Gwlad Pwyl. Byddai ei phersonoliaeth go iawn yn dod i'r golwg bob hyn a hyn, fflachiadau o hiwmor a chariad – a oedd yn dorcalonnus i mi, gan mai prin oedd yr adegau hynny wrth i amser ddirwyn yn ei flaen.

Tynerwyd hithau gan y dementia mewn rhai ffyrdd. Neu efallai mai cilio i fyd mwy preifat wnaeth hi. Roedd ei chof yn dal i weithio'n well nag un fy nhad, ond roedd hi'n fwy dryslyd nag e ac yn profi rhithweledigaethau o dro i dro. Byddai'n gweld cysgod yng nghornel yr ystafell yn troi'n gath neu hyd yn oed yn gorff marw yn llygad ei chof. Dro arall byddai'n gweld milwyr, offeiriaid a chymeriadau o'r gorffennol. Ond byddai hefyd yn profi cyfnodau pan fyddai'n gallu meddwl yn glir ac yn sylweddoli sut roedd ei meddwl yn cael ei effeithio ac yn arswydo wedyn o ddeall beth oedd yn digwydd iddi, yn ogystal â phoeni am fy nhad, a oedd yn rhywbeth y bu hi'n ei wneud yn gyson yn ystod eu perthynas. Cyfarfod yn ystod gwrthsafiad Warszawa wnaethon nhw, pan oedd eu bywydau mewn perygl cyson, a doedd yr ofn y byddai rhywbeth yn digwydd iddo ddim wedi'i gadael.

Ar adegau, byddai'n argyhoeddedig ei fod yn mynd i ffwrdd i frwydro, a doedd yntau ddim yn gallu tawelu ei meddwl. Roedd ei synnwyr yntau o amser wedi dirywio, a byddai'n ystyfnigo ac yn dweud, 'Fe af i os bydd angen,' neu 'Wel, dwi ddim yn mynd heddiw,' gan gadarnhau ei chred hithau fod y rhyfel yn dal ymlaen.

Ro'n i'n dal i boeni y gallai fy nhad droi 'nôl i siarad Rwsieg, iaith roedd yn gyfarwydd iawn â hi pan oedd yn blentyn ifanc iawn, ac na fyddwn felly'n gallu ei ddeall. Ond mewn gwirionedd, Mam oedd yr un annealladwy o'm safbwynt i. Er bod fy nhad yn gallu sgwrsio'n ddigon normal, roedd Mam yn cael trafferth gyda'i geiriau; ro'n nhw fel tasen nhw'n dianc o'i cheg ac yn llithro'n rhwystredig iawn o'i gafael, ac er ei bod yn dweud un peth, byddai'n golygu rhywbeth arall. Doedd y sefyllfa ddim cynddrwg pan o'n i gyda hi, gan y gallwn bwyntio at bethau a thrio dyfalu beth oedd ar ei meddwl. Ond byddai'n amhosib deall beth roedd hi'n ei ddweud wrth sgwrsio â hi ar y ffôn. Weithiau, byddwn yn gofyn iddi ddweud y frawddeg eto mewn ffordd wahanol. Byddai hynny'n ei gwneud hi'n rhwystredig iawn a byddai'n fy nghyhuddo i o dwpdra – pam nad oeddwn i'n deall y pethau mwyaf sylfaenol? Byddai hefyd yn plagio fy nhad, nad oedd yn cofio bod ganddi broblemau lleferydd. Wedi trio a thrio ei deall hi, byddai'n dweud wrthi'n fyr ei amynedd, 'Am beth ar y ddaear wyt ti'n sôn, fenyw?'

Doedd Deborah ddim wedi sylweddoli ar y dechrau faint o waith dyfalu oedd yn digwydd, gan y byddai hi'n ein clywed ni'n siarad Pwyleg ac yn cymryd mai sgwrs eithaf normal oedd yn digwydd rhyngon ni. Un amser cinio pan o'n ni'n ymweld â'm rhieni, gofynnodd i mi gyfieithu'r sgwrs. Bu'n rhaid i mi egluro wrthi'n dawel bach nad oedd gen i unrhyw syniad beth roedd Mam yn sôn amdano er ein bod ni wedi bod yn 'siarad' ers hydoedd.

Er gwaetha'r hyn oedd yn ymddangos fel rwtsh llwyr, profiad digon brawychus ar adegau oedd sylweddoli bod yr hyn oedd yn cael ei ddweud yn gwneud rhywfaint o synnwyr. Fe fydden ni'n mynd allan am 'dro' bach – minnau'n gwthio'r gadair olwyn a 'nhad yn gafael ynddi – a byddai Mam yn dweud ei bod hi am i ni fynd i nôl y brodyr. Roedd hi'n daer iawn. Fues i'n pendroni'n hir am hyn. Nid sôn am fy mrawd yr oedd hi. Doedd hi ddim chwaith yn sôn am unrhyw frawd arall y gallwn i feddwl amdano. Yna, un diwrnod, dyma ni'n deall. Roedd hi eisiau i ni fynd i Safeways i brynu potel o win: Ernest a Julio Gallo oedd enwau'r brodyr ar label y gwin roedd hi'n cofio'i fwynhau, ac roedd hi eisiau i ni brynu mwy ohono.

Y peth anoddaf yw bod yn dyst i ddirywiad meddyliol a chorfforol anorfod rhywun sy'n agos iawn atoch. Roedd fy nhad wedi gwneud popeth yn iawn. Pan oedd yn 70 mlwydd oed, ar ôl ymddeol o'i yrfa fel peiriannydd, aeth ati i astudio rhaglennu cyfrifiadurol yn y coleg lleol. Cafodd ei ethol hefyd yn gadeirydd yr Archif Bwylaidd Danddaearol (sy'n casglu dogfennau'n ymwneud â'r gwrthsafiad Pwylaidd yn ystod yr Ail Ryfel Byd), a gweithio'n llwyddiannus ar gyhoeddiadau hanesyddol. Roedd hi'n dorcalonnus i weld ei gof tymor byr a hyd yn oed ei gof tymor hir yn diflannu yn y pen draw. Rwy'n cofio sgwrs am y rhyfel pan sylweddolais na allai gofio i'r fyddin Sofietaidd oresgyn gwlad Pwyl yn 1939. Dyma un o'r ffeithiau oedd wedi'u serio ar ei feddwl ac ar feddwl ei gyfoedion. Roedd ef ei hunan wedi'i gipio gan y milwyr Sofietaidd. Allwn i ddim goddef gweld y ffaith hon a'r holl ffeithiau eraill yn llithro o'i feddwl fel hyn.

Byw i'r funud yw'r cyfan allwch chi ei wneud. Beth bynnag fydden ni'n ei wneud, ro'n i'n gwybod y byddai 'nhad yn anghofio amdano'n fuan iawn wedyn. Ond ro'n i'n credu'n gryf mewn dyfalbarhau ac y byddai'r adegau da yn cael eu cofnodi yng nghalonnau fy rhieni, os nad yn eu meddyliau. Roedd yna adegau diddan a di-nod, fel eistedd yn yr ardd gyda nhw. Fe fydden nhw'n dal i 'ddarllen' y papur newydd, a minnau'n chwynnu neu'n dod â phaned iddyn nhw. Byddai Deborah a minnau'n mynd â nhw allan am dro. Yng Ngerddi Kew, fe gawson ni fenthyg cadair olwyn ychwanegol er mwyn i 'nhad allu mynd o gwmpas y lle yn hwylus. Roedd angen cryn berswâd arno i'w gael i eistedd ynddi ar y dechrau gan ei fod yn mynnu mai Deborah ddylai eistedd ynddi, ac y gallai yntau, y gŵr bonheddig fel ag yr ydoedd, ei gwthio *hi*.

Yn Syon Park, aethon ni i sesiwn 'cyfarfod â'r anifeiliaid' gyda llu o blant bach a'u rhieni. Daeth gofalwyr yr anifeiliaid ag amrywiaeth anhygoel o greaduriaid allan i'w dangos i bawb. Cafodd fy rhieni gyfle i gyffwrdd ag ambell sgorpion a neidr gantroed; roedd Mam yn falch iawn o gael tylluan yn eistedd ar ei harddwrn ac roedd python yn llithro o gwmpas gwddf fy nhad. Ro'n nhw wrth eu bodd – yn fwy felly na rhai o'r plant o'u cwmpas. Wrth gwrs, pan ddangoson ni'r ffotograffau iddyn nhw, doedd fy nhad ddim yn cofio dim. Ond doedd dim ots am hynny. Roedd e wedi bod yno. Yr hyn oedd yn bwysig i mi oedd y llun o fy rhieni'n chwerthin.

Roedd yna adegau lletchwith hefyd. Tuag at ddiwedd ei bywyd, dechreuodd fy mam gymryd darnau o fwyd o'r bwrdd a'u cuddio nhw yn ei bag llaw. Weithiau byddai hyn, yn ogystal â'i dannedd gosod yn saethu allan ar ras o'i bag mewn ambell gaffi neu fwyty, yn gwneud i mi wingo. Rwy'n cofio dau weinydd yn trio troi eu cefnau'n dawel bach, eu hysgwyddau'n ysgwyd i fyny ac i lawr wrth iddyn nhw chwerthin, a minnau'n ymbalfalu ar lawr yn chwilio am ddannedd fy mam. Chwerthin gyda nhw fyddai Deborah a minnau. Heb ddeall y jôc, chwerthin hefyd wnaeth fy rhieni, dan ddylanwad ychydig o win coch hefyd, siŵr o fod. Ro'n i'n benderfynol na fyddai fy rhieni'n cael eu cuddio o'r golwg gartref.

Roedd fy nhad yn gorfforol gryfach na Mam a hi fu farw gyntaf. Doedd ei marwolaeth ddim yn annisgwyl. O ystyried ei hoedran a'i gwendid, ro'n i'n gwybod na fyddai hi'n goroesi'r flwyddyn honno. Serch hynny, roedd yn ysgytwol. Hefyd, roedd yn rhaid i mi ddod o hyd i ffordd o drafod y sefyllfa gyda 'nhad – profiad torcalonnus. Marw yn yr ysbyty wnaeth hi ac felly doedd e ddim yn gwybod yn iawn ble roedd hi. Roedd e'n anhwylus ei hun a minnau wedi bod yn poeni na fyddai'n ddigon da i fynd i'w gweld. Ond gyda help y gofalwyr, fe lwyddon ni i'w gael e i'r ysbyty mewn tacsi. Roedd fy rhieni mor falch o weld ei gilydd. Fe fuon nhw'n dal dwylo ac yn cofleidio'i gilydd fel dau gariad. Anodd dweud a oedd yr un ohonyn nhw'n sylweddoli mai ffarwelio â'i gilydd o'n nhw.

Y bore y bu farw Mam, roedd yn rhaid i mi ddweud wrth fy nhad. Ro'n i'n sylweddoli y byddai wedi anghofio am ein sgwrs o fewn yr awr, ond ro'n i hefyd yn gwybod sut y byddai'r newyddion yn effeithio arno yn y bôn. Cafodd sioc ofnadwy, fel pe na bai wedi disgwyl y peth o gwbl. Wedi'i marwolaeth, byddai'n chwilio amdani yn y tŷ ac yn gofyn i'r gofalwyr ble roedd hi. Ro'n nhw yno gydag e bob dydd o'r wythnos ac rwy'n credu iddyn nhw benderfynu ei arbed rhag y gwir gymaint â phosibl drwy adael iddo gredu y gallai hi ddod adref ryw

Maria gyda Leonard, ei thad

ddiwrnod. Pan fyddwn i'n ymweld ag e, allwn i ddim dweud celwydd wrtho. Allwn i ddim goddef esgus bod Mam yn dal yn fyw. Fyddwn i ddim yn codi'r mater, ond tasai'n digwydd gofyn, dweud y gwir wrtho fyddwn i. Roedd pob sgwrs gawson ni ynglŷn â'i marwolaeth fel pe bai'n clywed y newyddion am y tro cyntaf ac eto lleddfu wnaeth ei ymateb gydag amser. Rwy'n grediniol ei fod yn sylweddoli'r gwir yn ei galon, er na allai ei feddwl ddal gafael ar y wybodaeth honno ar lefel arall. Ar ryw olwg roedd y dementia'n ei amddiffyn, fel y gwnaeth drwy gydol y blynyddoedd olaf hynny. Dechreuodd ddrysu rhwng y gofalwyr a Mam gan ofyn iddyn nhw'n aml i ymuno ag e wrth noswylio. Adeg angladd Mam, doedd gan fy nhad ddim syniad beth oedd yn digwydd, heblaw pan gyrhaeddodd yr hers i ddynodi bod angladd rhywun yn digwydd. Daeth nifer o ffrindiau fy rhieni i'r angladd. Cynhaliwyd y te wedyn yng nghlwb cymdeithasol yr eglwys a chafodd fy nhad amser wrth ei fodd.

Weithiau rwy'n meddwl ei fod e'n tybio ei bod hi yno, ond o fynd ag e am dro, dyna pryd y byddai'n sylweddoli nad oedd hi gyda ni. Ro'n i'n teimlo bod rhyw olau'n diffodd ynddo – does dim ffordd arall o ddisgrifio'r peth. Wrth edrych allan ar yr afon unwaith, dywedodd, 'Wel, mae'r cyfan ar ben 'te.' Fel arfer, serch hynny, edrychai'n hapus.

Byddai'n mwynhau mynd am dro, yn mwynhau cael sylw'r gofalwyr oedd yn ei eillio, ei fwydo, yn mynd ag e allan o'r tŷ, ac yn rhoi cusan iddo wrth noswylio. Y noswyl Nadolig olaf, roedd wrth ei fodd yn claddu ei wyneb ym mynwes yr holl wragedd oedd o'i gwmpas. Roedd e'n gafael yn dynn ynddyn nhw i gyd ac allen ni ddim dechrau ar ein pryd bwyd arbennig am nad oedd e'n barod i ollwng ei afael ynddyn nhw. Bu farw lai na blwyddyn ar ôl Mam.

Ro'n i'n disgwyl i'w marwolaethau fod yn rhyddhad, am fod y ddau mor eiddil a sâl erbyn hynny. Mae hynny'n wir mewn rhai ffyrdd, pan fydda i'n clywed ffrindiau'n sôn am orfod wynebu'r un heriau wrth drefnu gofal, yn gorfod bod ar alw'n barhaus, yn aros am alwadau ffôn sy'n sôn am gwymp, am haint neu argyfwng arall. Treuliwyd cymaint o oriau hir a blinedig i mewn ac allan o'r ysbyty, ar y ffôn ac yn gofidio. Mae gwylio eich rhieni'n dirywio yn brofiad ysgytwol, ond mae gen i ffrindiau a gollodd eu rhieni'n llawer cynharach na fi, a chael eu hysgwyd mewn ffordd wahanol.

Nawr, pan fydda i'n cerdded ar lan y môr, rwy'n cofio ymweliadau fy rhieni â Brighton, pan fyddai eu cymydog caredig yn dod â nhw i lawr yn y car. Rwyf wedi gosod dau blac i gofio amdanyn nhw ar fainc lle byddai fy nhad yn eistedd wrth ymyl Mam yn ei chadair olwyn, yn gwenu yn hytrach na gwgu. Rwy'n cofio'r pleser a'r rhyfeddod llwyr o weld y môr. Fe fydden nhw'n bwyta hufen iâ wrth i'r gwynt ei chwythu dros bob man. Does yr un diwrnod yn mynd heibio heb i mi hiraethu amdanyn nhw.

2

Dim syniad beth sydd ar ei meddwl

Jennifer Davies

Roedd gan fy rhieni bedwar o blant: dau fab a dwy ferch. Fi yw'r ieuengaf a'r un oedd yn cael ei disgrifio'n annwyl iawn fel 'camgymeriad'. Roedd fy rhieni'n byw er mwyn eu plant; yn syml iawn, ni oedd y pethau pwysicaf yn eu bywydau.

Roedd Mam yn wraig ddeniadol a smart dros ben. Ymfalchïai'n fawr iawn yn ei hymddangosiad. Roedd ein cartref fel pin mewn papur a byddai'n paratoi bwyd maethlon ar ein cyfer. Bu'n gweithio drwy gydol ei hoes fwy neu lai, yn ogystal â gofalu am ei theulu a'r cartref, gan ymddeol o'i swydd fel derbynnydd mewn meddygfa pan oedd hi'n 68 mlwydd oed.

Un gariadus iawn â chymeriad cryf, oedd Mam. Byddai hi'n poeni am bethau, yn enwedig am ei phlant. O wybod bod Mam yn ein disgwyl ni ar ryw amser penodol ac y bydden ni'n hwyr, bydden ni'n trio cysylltu â hi rywsut (cyn dyddiau ffonau symudol) gan ein bod ni'n gwybod y byddai hi'n tybio ein bod ni wedi ein lladd. Byddai hi ar bigau'r drain, hyd yn oed ar ôl cyn lleied â chwarter awr. Ac roedd hynny'n effeithio ar bawb arall hefyd. Tasen ni'n disgwyl i 'mrawd ddod adref ac yntau'n hwyr, byddai Mam yn gofidio'n fawr – cymaint felly nes y byddai Dad a minnau'n dechrau gweddïo drosto hefyd.

Roedd hi'n gas gan Mam aros yn y tŷ yn ystod y dydd, ac wedi iddi ymddeol, byddai'n mynd am dro i'r canolfannau siopa lleol bob dydd, boed law neu hindda. Roedd hi'n siaradwraig heb ei hail ac yn mwynhau sgwrs dda wrth deithio ar y bws. Byddai'n adrodd y sgyrsiau hynny wedyn wrthym ni. Ro'n ni i gyd yn argyhoeddedig fod dieithriaid ar hyd a lled Birmingham yn gwybod ein hanes yn sgil holl 'sgyrsiau' bach Mam gyda phawb ar y bws.

Rwy'n ysgrifennu yn amser y gorffennol, er bod Mam yn dal yn fyw. Rhaid 'mod i'n gwneud hynny oherwydd cyflwr presennol Mam a chymaint mae hi wedi newid. Ond er ei bod yn wahanol iawn – yn gorfforol ac yn feddyliol – i'r disgrifiad ohoni uchod, Mam yw hi o hyd. Wynebu cyfnod arall yn ei bywyd y mae hi. Serch hynny, rwy'n gweld ei heisiau ac mae'r sefyllfa fel rhyw fath o golled enfawr. Roedd hi wrth ei bodd â'r Carpenters a phan fyddwn i'n mynd allan â hi am dro yn y car byddwn i'n chwarae eu cryno ddisg ac yn cyd-ganu â nhw. Nawr, pryd bynnag y bydd un o ganeuon y Carpenters i'w chlywed ar y radio, mae dagrau'n dod i'm llygaid. Mi fyddwn i'n dod ar draws Mam yn aml yn siopa yn Marks & Spencer pan fyddwn i'n mynd yno amser cinio i brynu brechdan. Roedd hi bob amser mor falch o 'ngweld i, hyd yn oed am gyfnod mor fyr â hynny. Rwyf wedi teimlo'n ddagreuol iawn yn M&S droeon wrth feddwl na chaf i gyfle i gyfarfod â hi yno eto.

Dechreuodd y dementia ofnadwy sydd ar fy mam ryw wyth mlynedd yn ôl.

Un diwrnod, fe syrthiodd pan oedd hi'n siopa. Roedd twll yn y palmant o flaen y fferyllfa. Roedd yn ddiwrnod tywyll, gwlyb, ac i lawr â hi. Torrodd ei chlun a bu raid iddi gael llawdriniaeth. Mae'n rhaid mai yn ystod ei chyfnod yn yr ysbyty y sylwon ni gyntaf ei bod hi'n dechrau anghofio geiriau – geiriau syml ac amlwg fel 'cwpan'. Rwy'n cofio un noson pan oedd pawb yn ymweld gyda'i gilydd a Mam yn trio cofio enw gwlad benodol. Ry'ch chi'n ymwybodol o'r teimlad fod gair ar flaen eich tafod ond methu cael ato, ac roedd hynny'n ei gyrru o'i chof. Felly dyma ni'n dechrau awgrymu enwau. A dyma gael at yr ateb yn y diwedd: Zimbabwe! Rwy'n cofio dweud mor lwcus o'n ni nad wedi mynd drwy'r gwledydd yn nhrefn yr wyddor roedden ni, gan y bydden ni wedi bod yno drwy'r nos, a phawb yn chwerthin.

Catholigion oedd Mam a Dad. Roedd Dad yn ddefosiynol iawn, a ninnau hefyd yn dilyn y ffydd. Rwy'n cofio mynd i'r Offeren gyda hi a'i chlywed yn simsanu wrth weddïo. Roedd hyn yn anarferol oherwydd roedd Mam yn tueddu i weddïo'n uchel ac yn gyflym. Byddai'n gorffen 'Ein Tad' cyn i weddill y gynulleidfa gyrraedd hanner ffordd. Fel plentyn, ro'n i'n teimlo cryn embaras oherwydd hyn ac yn edrych yn gas arni drwy'r Offeren – duwiol iawn!

Roedd bywyd fel tasai'n mynd yn ei flaen yn ddigon hwylus, ond

Patricia Scully gyda'i phlant (o'r chwith i'r dde) John, Jennifer, Mick a Sheila

dechreuodd Mam ddirywio a datblygu obsesiwn ynghylch rhai pethau. Y crychau ar ei hwyneb oedd hi i ddechrau. Dyna'r cyfan y byddai'n sôn amdano. Er cymaint y bydden ni'n trio'i hargyhoeddi nad oedd ei chrychau hi'n waeth na rhai unrhyw un arall o'i hoed hi, eu bod nhw'n hollol normal ac nad o'n nhw'n ddrwg o gwbl, roedd hi'n methu deall na derbyn pam roedd ei chroen yn crychu. Wedyn, rai misoedd yn ddiweddarach, dyma hi'n troi ei sylw at ei bronnau. Doedd hi ddim yn gallu deall pam oedden nhw mor fawr ac yn hongian i lawr. Byddai'n tynnu ei bronnau allan yn gyhoeddus er mwyn dangos i eraill am beth roedd hi'n sôn. Ro'n ni'n dychmygu y byddai hi'n cael ei harestio, gyda phenawdau fel, 'Pensiynwraig wedi'i charcharu am ddangos ei bronnau'n gyhoeddus'. Ond, ar y cyfan, roedd pobl yn garedig iawn.

Wedyn, roedd y teledu'n peri gofid iddi. Pan oedd hi'n ei wylio, roedd hi dan yr argraff fod y rhai oedd ar y sgrin yn siarad yn uniongyrchol â hi a byddai hi'n gwrtais ac yn dal i wrando arnyn nhw. Droeon, pan fyddwn i'n galw, byddai'n amhosib cael sgwrs â Mam am fod Richard a Judy'n siarad â hi! A phan fyddai'r teledu wedi'i ddiffodd, byddai'n cael ei chorddi gan ei hadlewyrchiad ar y sgrin ac yn meddwl mai rhywun arall oedd yno. Bu'n rhaid i ni daflu lliain sychu llestri dros y teledu.

Yn y cyfamser, bu farw Dad. Roedd Mam bellach yn byw mewn fflat oedd dan oruchwyliaeth warden. Yn ffodus, roedd y warden yn wraig hyfryd oedd yn hoff o Mam ac yn hapus iddi fyw yno cyhyd â phosib. Ond dechreuodd ofidio o weld Mam yn dal i fynd allan bob dydd, gan ddal y bws i'r ganolfan siopa leol neu i ganol dinas Birmingham. Dechreuodd sôn am ei phryder y byddai Mam yn mynd ar goll neu'n mynd i drafferthion. A gwir y gair, oherwydd cyn bo hir, dyma'r heddlu'n dod â Mam adref ar ôl dod o hyd iddi mewn cyflwr braidd yn ddryslyd y tu allan i'r fferyllfa.

Yn ystod y cyfnod hwn, cafodd Mam lawer o gefnogaeth gan ei theulu, er ein bod ni i gyd yn gweithio'n llawn amser. Roedd Mam yn lwcus bod ganddi bedwar o blant, ac ro'n ninnau'n lwcus o gael cefnogaeth ein gilydd. Ro'n ni i gyd yn helpu Mam ac yn siarad â'n gilydd bob dydd, yn enwedig fy chwaer a minnau. Ry'n ni'n agos iawn, ac roedden ni i gyd yn byw'n eithaf agos at ein gilydd. Ond roedd hi'n dod yn fwyfwy amlwg fod angen mwy o help ar Mam os oedd hi i barhau i fyw yn ei fflat. Fe drefnon ni y byddai rhywun yn galw gyda hi bob bore i helpu, ac fe fydden ni'n galw am yn ail ar ôl gwaith er mwyn gwneud yn siŵr fod ganddi rywbeth i'w fwyta. Roedd hi wrth ei bodd yng nghwmni ei phlant ac yn hapus fod rhywun fel petai o gwmpas y lle o hyd.

Un tro, ro'n i'n sgwrsio am fy ngŵr, a dyma Mam yn gofyn yn sydyn am bwy ro'n i'n sôn:

'Am Rob, Mam.'

'Pwy yw Rob?'

'Fy ngŵr i.'

'Dy ŵr di!' Ebychodd Mam yn syn. 'Do'n i ddim yn gwybod dy fod ti wedi priodi. Wel, meddylia na ddwedaist ti wrtha i dy fod ti wedi priodi.'

'Mam annwyl, fe briodes i saith mlynedd 'nôl. Roeddech chi yno. Edrychwch, dyma lun o'r briodas. Fe welsoch chi Rob yr wythnos ddiwethaf!' Dechreuodd Mam edrych yn swil ond chwerthin wnaeth y ddwy ohonon ni.

Dyma Mam yn disgyn wedyn ac yn torri ei choes. A dyna ddiwedd ar ei bywyd annibynnol.

Aethpwyd â hi i'r ysbyty, ac roedd hwnnw'n gyfnod gofidus i bawb. Doedd Mam ddim yn gallu deall beth oedd wedi digwydd iddi a pham ei bod hi yno. Pan fydden ni'n ei gadael hi bob nos, byddai fel gadael plentyn bach, ofnus. Effeithiodd y sefyllfa ar bob un ohonon ni, a hyd yn oed nawr, mae'n anodd dwyn y cyfnod hwnnw i gof. Roedd y cyfan allan o'n rheolaeth ni. Yn y gwaith, meddwl am Mam fydden ni. Roedd hi'n anodd canolbwyntio ac roedd popeth arall yn ymddangos yn ddibwys. Treuliodd Mam ryw bedair wythnos yn yr ysbyty, ac roedd y gofal yn echrydus. Roedd hi'n glaf anodd ei thrin yn sgil y dementia, a doedd y staff nyrsio ddim fel tasen nhw'n gwybod sut i ymdopi â hi. Ar ôl rhai wythnosau, cafodd Mam ei throsglwyddo i ysbyty arall. Treuliodd ddeg wythnos yno ac roedd y staff nyrsio yma'n fwy caredig a goddefgar, hyd yn oed pan oedd Mam yn strancio'n ddrwg o ofyn iddi wneud rhywbeth nad oedd hi eisiau ei wneud, yn enwedig ffisiotherapi. Os oedd yn brifo, roedd Mam yn gwrthod symud.

Roedd pawb yn ymwybodol iawn na fyddai Mam yn medru dychwelyd i'w fflat a bu'n rhaid i ni ddechrau ar y dasg ddiflas o chwilio am ofal preswyl iddi. Ro'n ni'n ffodus o ddod o hyd i gartref hyfryd, a symudodd yno wedi iddi adael yr ysbyty.

Ar y dechrau, nid yn unig roedd Mam yn ddryslyd, ond roedd hi'n ymddangos yn ddihyder hefyd. Stopiodd fwyta a chollodd dipyn o bwysau. Rwy'n cofio un achlysur pan nad oedd Mam yn teimlo'n dda iawn ac wedi cyfogi. Cafodd ei symud i'w hystafell i roi preifatrwydd iddi a'i gwneud yn gyfforddus. Pan gyrhaeddon ni i'w gweld hi roedd hi'n gynnes ac yn gysurus, ond yn meddwl ei bod hi wedi gwneud rhywbeth o'i le ac yn cael ei chosbi drwy gael ei symud o gwmni'r lleill a'i rhoi yn ei hystafell ar ei phen ei hun. Roedd hi'n ofid calon i ni weld Mam fel hyn.

Nawr, ar ôl dwy flynedd, mae Mam yn ffynnu ac fe fydd hi'n dathlu ei phen-blwydd yn wyth deg chwech eleni. Ar ryw olwg, mae hi wedi dod yn rhan o'r sefydliad ac yn gyfarwydd â'i hamgylchedd. Felly ninnau hefyd. Ry'n ni'n adnabod y staff yn dda ac maen nhw'n gyfarwydd â ni fel teulu. Ry'n ni'n ymweld â Mam yn aml iawn. Mae'n dal yn effro ac yn ein hadnabod bob tro ac yn falch iawn o'n gweld ni, er nad yw'n gallu dweud ein henwau. Mae'n dal i fod yn siaradus, ond yn anffodus dydyn ni ddim yn gallu deall yr hyn y mae hi'n ei ddweud. Fe ddaw ambell frawddeg gall o'i genau o dro i dro ac ry'n ni'n ei deall. Ond mae'r cariad yn dal yn ei llygaid a'i gwên. Bydd hi bob amser yn troi ei boch i gael cusan, yn rhedeg ei bysedd drwy ein gwallt, yn dal ein dwylo, ac yn gwneud rhyw sylw – yn ei ffordd ei hun – ynglŷn â'r hyn ry'n ni'n ei wisgo. Felly, wedi'r holl drawma, mae pethau wedi tawelu tipyn erbyn hyn.

Ond does neb am weld ei rieni'n gorfod mynd i gartref nyrsio yn y fath gyflwr. Yn ystod y misoedd cyntaf, ro'n i'n arfer deffro am ddau neu dri o'r gloch y bore ac yn gorwedd yno am oriau'n gofidio ac yn galaru am Mam. Ro'n i'n ei dychmygu hi'n deffro yn y nos yn llawn ofn. A fyddai'r staff yn garedig wrthi? Ro'n i eisiau gosod camerâu cudd er mwyn gwneud yn siŵr ei bod hi'n cael y gofal gorau.

Mae dementia'n glefyd ofnadwy, yn troi'r un sydd â'r clefyd yn blentyn unwaith eto. Ond mae babi'n gallu crio pan fydd yn sychedig neu eisiau bwyd. All Mam ddim. Mae'n rhaid iddi hi aros yn llwglyd a sychedig nes ei bod yn cael bwyd a diod. Mae hi'n gwlychu ac yn baeddu, sy'n ei phoeni'n fawr iawn. Dy'n ni ddim yn gwybod beth sy'n mynd drwy ei meddwl. Beth os yw hi'n arswydo rhag rhywbeth a ninnau'n methu ei chysuro hi? Beth os yw hi mewn poen a ninnau ddim yn deall hynny? Mae babanod yn annwyl a deniadol, yn wahanol, fel arfer, i bobl oedrannus. Dydy Mam ddim yn cael pleser wrth ddarllen, gwylio'r teledu na gwrando ar gerddoriaeth. Dydy hi ddim yn mwynhau ei bwyd, sy'n gorfod cael ei hylifo; all hi ddim mwynhau gwydraid bach o sieri cyn cinio, gwerthfawrogi tusw hardd o flodau na chael sgwrs dda. Mae hynny bob amser yng nghefn fy meddwl, ac yn neidio i'r blaen yn aml: tra bydda i wedi cael diwrnod prysur a phleserus, mae Mam wedi bod yn eistedd yn ei chadair freichiau drwy'r amser. Ond efallai nad oes sail i'm hofnau. Efallai fod dementia wedi dileu angen Mam am y pethau rwyf wedi'u nodi. Y gwir yw, dydyn ni ddim yn gwybod.

Rwy'n deall bod rhai pobl sydd â dementia'n mynd yn ymosodol neu'n dreisgar, nad ydyn nhw'n gallu cofio'u teulu o gwbl ac yn mynd bron yn farwgysglyd. Yn ffodus, dydy hynny ddim wedi digwydd i Mam – ddim eto, o leiaf! Mae hi fel petai wedi aros yr un fath dros y flwyddyn neu ddwy ddiwethaf, heb waethygu ryw lawer. Rwy'n gobeithio'n fawr mai felly y bydd pethau i'r dyfodol.

3

Y golau'n diffodd

Jim Swift

AR 11 EBRILL 2002, dywedwyd wrtha i fod dementia ar Jan, fy ngwraig. Roedd hi'n 58 mlwydd oed.

Daeth yr arwydd cyntaf fod rhywbeth o'i le pan oedden ni ar ein gwyliau yn yr Eidal yn 1996. Roedden ni wedi mynd allan am bryd o fwyd un noson, a dyma Jan yn gofyn i mi'n sydyn ble roedden ni wedi bod y diwrnod cynt. Roedden ni wedi ymweld â Fenis, ac wedi mwynhau diwrnod cofiadwy iawn yno. Roedd Jan wedi prynu tei i mi ar bont Rialto. Edrychais ar Jan a gweld y dychryn yn ei llygaid wrth iddi drio gwneud ei gorau glas i gofio'r diwrnod gwych hwnnw. Dywedais wrthi ble roedden ni wedi bod a llanwodd ei hwyneb ag atgofion. Sylweddolais hyd yn oed ar y dechrau fel hyn nad oedd pethau'n argoeli'n dda: fe fues i ar ddi-hun dipyn yn ystod y nos yn trio pwyso a mesur beth oedd wrth wraidd y broblem.

Wrth i'r blynyddoedd fynd heibio, aeth y digwyddiad i gefn fy meddwl. Athrawon oedd Jan a minnau ac roedden ni wedi gweithio'n gyson gyda'n gilydd dros y blynyddoedd. Erbyn 2000, roedd Jan yn gweithio fel athrawes gyflenwi mewn ysgolion amrywiol yn ardaloedd Manceinion, Salford a Bolton. Roedd hi'n dal i weithredu'n normal ar un lefel, ond daeth hi'n amlwg fod rhywbeth o'i le. Byddai'n drysu weithiau ynglŷn â pha asiantaeth gyflenwi roedd hi'n gweithio iddi, ac fe fyddai hi weithiau'n addo bod mewn dwy ysgol yr un pryd. Roedd hi hefyd yn anghofio talu ambell fil ac yn prynu bwyd oedd gennym yn barod, gan olygu y byddai rhyw ddwsin o duniau o diwna yn ein cwpwrdd ni weithiau!

Yn y pen draw, cyfeiriodd y meddyg teulu hi at adran seiciatrig yr ysbyty lleol, ac fe ddaethon nhw i'r casgliad bod iselder arni a'i bod yn anfodlon â'r gwaith cyflenwi. Chafodd hi ddim sgan ar ei

Jim a Jan ar eu mis mêl yn 1969

hymennydd tan ar ôl sawl ymweliad arall â'r ysbyty. Dangosodd y sgan fod ei hymennydd yn berffaith normal. Drwy gydol yr holl apwyntiadau eraill yn yr ysbyty, ddywedais i ddim gair, ond rŵan fod Jan wedi clywed ei bod hi'n iawn, dyma fi'n sôn wrthi am fy mhryderon. Roedd Jan yn sobor o falch nad oeddwn i wedi sôn wrthi'n gynharach gan na fyddai hi wedi bod eisiau gwybod beth oeddwn i'n ei feddwl.

Er gwaetha'r canlyniadau positif, parhau i ddirywio wnaeth gallu Jan. Cafodd ei hanfon i gael sgan dyfnach, a'r tro hwn roedd y canlyniadau'n awgrymu clefyd Alzheimer. Yn dilyn y sioc gychwynnol, ac ar ôl egluro'r sefyllfa wrth deulu a ffrindiau, penderfynais yn syth na fyddwn yn sôn gair wrth Jan am ei chyflwr gan ei bod hi wedi datgan ei syniadau am y mater yn glir iawn. Byddai hyn yn anodd, gan ein bod ni wedi rhannu popeth â'n gilydd trwy gydol ein priodas. Byddai'n golygu dweud celwydd sylweddol wrth yr un roeddwn i'n ei charu fwyaf yn y byd. Serch hynny, roeddwn yn bendant mai dyma'r ffordd orau ymlaen, oherwydd tasai hi'n gwybod y gwir, byddai hi'n dychmygu bod popeth y byddai hi'n ei anghofio a phopeth gwirion y byddai hi'n ei wneud yn gam pellach ar y ffordd i ddistryw.

Cafodd Jan ei rhoi dan ofal meddyg ymgynghorol a fyddai'n ymweld â hi'n gyson gartref er mwyn profi ei chof a'i gallu. Rhoddwyd Aricept ar bresgripsiwn iddi, ac am ychydig, roedd ei sgôr yn y profion yn well.

Yn ystod haf 2004, aethom i'r sioe awyr flynyddol yn Eastbourne. Gadewais Jan yn eistedd ar fainc ar y promenâd a mynd i brynu brechdanau. Pan ddychwelais, doedd dim sôn am Jan; roedd hi wedi diflannu i ganol y dorf enfawr oedd wedi ymgasglu yno. Gyda chymorth plismon, gwnaethpwyd cyhoeddiad dros yr uchelseinydd, ond llwyddais i gael gafael ar Jan cyn i'r cyhoeddiad hwnnw gael unrhyw effaith. Dydw i ddim eisiau profi'r teimlad arswydus hwnnw byth eto.

Y flwyddyn honno, ysgrifennais:

Mae Jan yn dal i fod yr un mor gariadus a gofalgar ag erioed. Dydy ei phersonoliaeth hi ddim wedi newid, ond mae'n dorcalonnus ei gweld hi'n stryffaglu i gofio enwau pethau bob dydd. All hi ddim delio ag arian, dweud faint o'r gloch ydy hi, defnyddio unrhyw declyn yn y cartref nac ysgrifennu ei henw. Alla i mo'i gadael ar ei phen ei hun.

Gan nad ydy'r clefyd yn dilyn patrwm penodol, ac am fod symptomau pawb yn amrywio, mae'n anodd gwybod beth i'w ddisgwyl, sy'n gwneud edrych i'r dyfodol hyd yn oed yn fwy brawychus. Petai'n bosib i Jan aros fel y mae hi, byddai'n wych, er mor anodd fyddai dygymod â'r sefyllfa. Fy ngofid yw na fydda i'n gallu delio â phethau pan fydd y clefyd yn cymryd gafael go iawn.

Ers hynny, mae cyflwr Jan wedi dirywio'n sylweddol. Roedd Jan yn brifathrawes mewn dwy ysgol, a dysgodd gannoedd o blant i ddarllen, ysgrifennu a rhifo. Bellach, all hi ddim gwneud y pethau hynny ei hun. Erbyn hyn, all hi ddim gwisgo amdani'i hun hyd yn oed. O'i gadael ar ei phen ei hun, byddai'n debygol iawn o wisgo'i dillad dros ei phyjamas. Byddai hi'n gwisgo un gardigan dros y llall, un pâr o drowsus dros y llall. Byddai'n anghofio sychu ei hun ar ôl bod yn y toiled heb help. Ddwywaith rydw i wedi rhoi past dannedd ar ei brwsh dannedd, ac yna'i gweld hi'n trio gwlychu hwnnw efo dŵr o'r toiled. Weithiau, bydd hi'n edrych arna i ac yn gofyn, 'Ble mae Jim?' Mae hi wedi'i chyfareddu gan y teclynnau sy'n rheoli'r teledu ac yn eu cario nhw o gwmpas y lle efo hi. Mae pethau'n diflannu, ac yn cael eu ffeindio mewn mannau rhyfedd. Mae hi'n fy nilyn i i bobman ac yn trio helpu. All Jan ddim adnabod gwrthrych hyd yn oed os ydw i'n pwyntio ato ac yn enwi ei liw. Mae'n gynyddol gwynfanllyd ac ymosodol pan fydda i'n trio'i helpu i wisgo a dadwisgo. Yn aml iawn, mae ei sgwrs hi'n eithaf disynnwyr.

Yn ddiweddar, yn y ganolfan ddydd y mae Jan yn ei mynychu ddwywaith yr wythnos, dywedodd aelod o staff wrtha i ei bod hi'n treulio llawer o'i hamser yn siarad â chleient arall – dyn o'r un oedran â hi fwy neu lai – ond mai sgwrs rwtsh-ratsh sydd rhyngddyn nhw fel arfer. Doeddwn i ddim wedi meddwl am sgwrs Jan yn y ffordd yma o'r blaen, a chefais fy synnu a 'mrifo gan y disgrifiad, yn fwy felly na chan rai o'r pethau rhyfedd mae Jan yn eu gwneud. Ond bob dydd bellach, mae rhywbeth yn brifo. Mae'n anodd peidio â chrio pan fydd eich gwraig yn dweud wrthych eich bod chi'n ffôl, yn ddi-werth, yn flêr ac yn gwneud dim. Mae'n frawychus gweld y wraig ofalgar, hyderus, a deallus hon yn cael ei dinoethi o bob gronyn o ddynoliaeth.

Yn gynnar iawn fe wnes i fabwysiadu'r mantra 'Oes ots?' Oes ots fod Jan yn cario teclynnau rheoli'r teledu o gwmpas y lle efo hi? Ond, fel arfer, haws dweud na gwneud. Pan fydd y llun ar y sgrin yn diflannu dyn a ŵyr sawl gwaith y diwrnod neu pan fydd ei modrwy dyweddïo'n mynd ar goll unwaith eto, gall y cwbl fynd yn ormod i chi.

Alla i ddim dioddef y syniad o Jan yn gorfod mynd i gartref. Byddai hynny'n teimlo fel taswn i'n ei bradychu hi, felly rydw i wedi gwario ein cynilion i gyd ar adeiladu ystafell wely a chawod hwylus ar lawr gwaelod ein cartref. Dydw i ddim yn siŵr a fydda i'n ddigon cryf i ddygymod â'r hyn sydd o'n blaenau ni, ond mae'n rhaid i mi wneud fy ngorau, er mwyn Jan. Efallai fod hyn yn swnio'n rhyfedd, ond ar un adeg doeddwn i ddim yn meddwl y gallwn i hyd yn oed roi ei chlustdlysau yn y tyllau yn ei chlustiau, ond rydych chi'n dysgu i ddelio â phethau am fod yn rhaid i chi.

Fyddwn i byth wedi llwyddo i gyrraedd mor bell â hyn heb gymorth ein nyrs Admiral. Mae ei chyngor, ei harbenigedd, ei hagwedd

Jan, 2007

broffesiynol, ei gofal a'i thosturi wedi bod yn gefn mawr gan roi nerth i mi gyrraedd lle rydw i. Dyma wasanaeth y dylid ei ehangu ar hyd a lled y wlad a'i wneud yn flaenoriaeth o safbwynt strategaeth gofal y llywodraeth.

Mae'n anodd iawn cofio erbyn hyn pa fath o berson oedd y Jan wreiddiol, heblaw pan fyddwn ni'n gwylio fideos cartref. Ond alla i ddim gwylio'r rheini am yn hir iawn gan fod y gwahaniaeth rhwng y Jan honno a'r Jan bresennol yn ormod i'w oddef.

Rydw i'n cyfathrebu drwy e-bost â gŵr arall y mae ei wraig â chlefyd Alzheimer ac mae rhywbeth digon cathartig am rannu profiadau o bellter fel hyn. Er bod teulu a ffrindiau'n dweud wrtha i am siarad yn rhydd efo nhw am Jan, rydw i'n gyndyn o wneud hynny am 'mod i'n siŵr eu bod nhw wedi diflasu'n llwyr ar wrando ar fy mhaldaruo i erbyn hyn.

Mae fy merch hynaf yn ei chael hi'n sobor o anodd clywed am ddirywiad ei mam, felly rydw i'n tueddu i gadw fy meddyliau i mi fy hun. Mae fy merch ieuengaf yn byw yng Nghaint ac felly'n cael ei chadw rhag y poen mwyaf gan y pellter.

Adeg angladd Ronald Reagan, a oedd hefyd â chlefyd Alzheimer, cyfeiriodd ei wraig Nancy at y cyflwr fel 'y golau'n diffodd', a dyma pam y dewisais i'r geiriau hynny ar gyfer fy mhennod i. Dyma hefyd sut rydw i'n meddwl am Jan. Daeth â golau i fywydau cymaint o blant yn ystod ei gyrfa fel athrawes. Hi oedd yr athrawes feithrin a babanod orau i mi ei chyfarfod erioed, a phan fydd ei golau'n diffodd ar ddiwedd y dydd, bydd y byd ar ei golled.

Mae Jan yn dal i fod yn rhan o'r byd go iawn, fwy neu lai. Mae ganddi'r un bersonoliaeth gynnes, a chariad at blant yn enwedig. Rydw i'n trysori pob eiliad, ond hyd yn oed ar ôl chwe blynedd, rydw i'n dal i ddeffro i sylweddoli bod fy mywyd wedi'i ddinistrio gan yr afiechyd hwn sydd wedi melltithio'n bywydau. Os oes yna un peth da i lynu wrtho, y ffaith 'mod i wedi gallu dweud a gwneud pethau efallai na fyddwn wedi eu dweud na'u gwneud tasai Jan wedi marw'n sydyn.

Ers i mi gael y newyddion, rydw i wedi trio gwneud fy ngorau glas i ddarparu beth bynnag sydd ei angen ar Jan. Yng ngeiriau un o ganeuon Sting, 'I swear in the days still left, we will walk the fields of gold'. Rydw i wedi trio gwneud pob diwrnod yn un euraid.

4

Cerdded ar iâ

Rachael Dixey

Os AF I i ffwrdd am bythefnos, rwy'n ofni'n fawr y bydd Irene wedi fy anghofio i erbyn i mi ddod 'nôl. Ar hyn o bryd, pan fydd hi'n fy ngweld i, mae hi'n f'adnabod i a naill ai'n stopio'n syn o'i cherdded 'nôl a 'mlaen ac yn fy nghofleidio, neu'n gafael yn fy llaw a'i chusanu'n llon gan ddweud, 'Dere!' gan fynd ar ras ar hyd y coridor a 'nhynnu i ar ei hôl. Wedyn, byddwn ni'n eistedd ac fe fydd hi'n dweud rhywbeth fel 'O, rwy'n dy garu di!' neu 'Ti yw'r un – rwyf eisiau bod gyda thi am byth!' Dyma'r cyfan sydd gennyf ar ôl – a phe bai hyn yn dod i ben hefyd, fe fyddwn i heb ddim byd o gwbl. Mae hi hefyd yn hoffi fy ngweld i ac rwy'n teimlo'n wael wrth feddwl y bydd hi'n hiraethu amdana i am bythefnos. *Ond* mae angen seibiant arna i – rwy wedi blino, rwy'n dal pob annwyd sy'n mynd o gwmpas y lle ac rwy eisiau rhoi 'nhraed i fyny cymaint, eistedd ar lan môr glas, cynnes a gwylio'r tonnau …

Mae gofalu am rywun agos atoch sydd â dementia'n golygu na fydd dim byth yn iawn eto – ry'ch chi'n gwybod bod angen seibiant arnoch chi ond hefyd yn teimlo bod angen i chi fod yno, yn gofalu. Os ydych chi eisiau cwmni a mynd allan, ry'ch chi'n meddwl beth ry'ch chi'n ei wneud yno, ac eisiau dianc oddi wrth bawb. Os ydych chi ar eich pen eich hun, ry'ch chi'n dymuno cael cwmni. Does dim byd byth yn iawn, yn syml iawn am nad oes dim *yn* iawn. Mae'r person ry'ch chi'n ei garu yno o hyd – ond ddim yno.

Mae Irene yn byw yn ei byd bach ei hun – byd nad oes gen i fynediad iddo – ond mae hi'n dal i allu dod allan o'r byd bach hwnnw er mwyn i ni allu bod gyda'n gilydd, am ryw awr, neu lai, cyn gorfod dychwelyd eto i'w byd hi. Golyga hyn gerdded 'nôl a 'mlaen ar hyd y coridor, yn siarad â hi ei hun mewn geiriau na all unrhyw un arall eu deall, gan chwerthin a chanu ambell waith. Ac mae byd y ward dementia yn aml yn rhywle rwy'n teimlo'n fwy cysurus ynddo fy hunan, yn cael bod gyda'r staff gofal a'r cleifion eraill. Yn y byd 'real' y tu allan, mae'n teimlo fel petai pobl ddim ond yn deall i ryw raddau, ac yna'n teimlo'n anghyfforddus.

Pan gwrddais i ag Irene am y tro cyntaf, ro'n ni'n gwybod y bydden ni'n treulio gweddill ein bywydau gyda'n gilydd, a dyna wnaethon ni, yn hapus iawn. Hyd yn oed ar ôl dros ugain mlynedd, byddai fy nghalon a'm llygaid yn dawnsio o'i gweld hi. Maen nhw'n dal i wneud hynny, ond nawr mae yna deimladau eraill, mwy cymhleth hefyd. Mae gwybod ein bod ni'n dal yn bwysig i berson arall yn rhoi ystyr i'n bywydau, ac mae dementia'n dwyn y sicrwydd hwnnw: ydw i'n dal yn bwysig iawn i Irene neu ydy hi'n cusanu llaw pawb? Rwy'n dal i gredu 'mod i'n bwysig iawn iddi, a bod gan bawb sydd â dementia gof emosiynol sy'n parhau ar ôl i fathau eraill o gof ddiflannu. Ac *mae* ei llygaid hi'n dal i ddawnsio, ar hyn o bryd.

Felly beth yw ein stori hyd yn hyn? Sut gyrhaeddon ni'r fan hon, lle mae fy nghariad oes yn ei byd bach ei hun a'i chariad oes hi yma, yn ein cartref, ar ei phen ei hun? Mae'r dechrau braidd yn niwlog, oherwydd doedd y symptomau cynnar ddim yn wahanol iawn i unrhyw brofiadau eraill mae pobl dros eu hanner cant yn eu hwynebu – y jôc am ddringo'r grisiau ac anghofio beth oedd eich neges. Ond nid â'r cof yn unig mae a wnelo dementia: mae'n ymwneud â'ch gallu i feddwl, ac i ddirnad pethau. Daeth yn amlwg nad problemau'n ymwneud â bod yn anhrefnus oedd yr unig heriau a wynebai Irene, na bod yn drwm ei chlyw na cholli hyder. Collodd ei sgiliau gyrru. Roedd hi'n athrawes brofiadol ym maes llenyddiaeth, ond dechreuodd golli'r plot yn llythrennol – nid yn unig doedd hi ddim yn gallu cofio stori, doedd hi ddim yn gallu ei *deall*. Fe aethon ni i weld y ffilm *Iris*,[1] ac fel mae cyplau sydd wedi bod gyda'i gilydd ers blynyddoedd lawer yn tueddu i wneud, fe adawon ni'r sinema heb ddweud gair, ond gyda chyd-ddealltwriaeth ein bod ni'n gwybod beth oedd yn rhaid i ni ei wynebu hefyd.

Fe welodd hi arbenigwr i gael profion ym mis Tachwedd 2003, a gadarnhaodd fod yna achos pryder; ym mis Ebrill 2004 awgrymodd y meddyg ymgynghorol mai clefyd Alzheimer oedd gwraidd y broblem. Roedd Irene yn 56. Rwy'n cofio eistedd yno'n glir iawn a meddwl, 'Dyma wireddu'r hunllef.' Diystyru'r casgliad ar unwaith wnaeth Irene gan fynnu bwrw ymlaen â'i bywyd. Dyma osod sail i bethau, a wnaethon ni *erioed* ddefnyddio'r gair 'A' hwnnw wedi hynny. Un peth yw colli eich cymar, ond mae osgoi trafod hyn â'r un ry'ch chi'n arfer ymddiried ynddi yn ergyd ddwbl.

Es at fy meddyg teulu i geisio help ym mis Chwefror 2005, yn trio cymryd arna i o hyd efallai nad oedd dim yn bod 'mewn gwirionedd'. Dywedodd wrtha i y byddai Irene mewn cartref preswyl o fewn tair neu bedair blynedd. Cefais dipyn o sioc. Gwnes fy ngorau i gyrraedd y gwaith, ond yn hytrach, cefais fy hun yng nghwmni ffrindiau yn crio ar eu soffa. Ro'n i'n ddiolchgar am y cadarnhad diflewyn-ar-dafod. Yn ddiweddarach y flwyddyn honno, gan ein bod ni y tu allan i'r 'system', cyfeiriais fy hun at seicolegydd clinigol y tîm Pobl Iau â Dementia (Younger People with Dementia), a gysylltodd â'r nyrs seiciatrig gymunedol (CPN) a gytunodd i ddod i weld Irene gartref. Erbyn hynny, roedd hi'n bosib egluro presenoldeb unrhyw weithiwr proffesiynol wrth Irene drwy ddweud eu bod nhw yno i helpu. Doedd hi ddim bellach yn gallu gofyn cwestiynau mewn gwirionedd, gan nad oedd yn medru dirnad pethau'n iawn. A dyna ddechrau ar gyfnod hir yn ymwneud â'r nyrs seiciatrig gymunedol, sydd wedi bod yn wych, a'r seiciatrydd, sydd hefyd yn wraig hyfryd iawn, oedd yn dod i'n gweld ni gartref unwaith y mis fwy neu lai.

Dyna sefydlu'r ffeithiau a'r dyddiadau. Mae'r helbulon emosiynol yn fwy anodd o lawer i'w disgrifio, heb sôn am ein ffyrdd ymarferol i ymdopi â'r sefyllfa. Ro'n i'n gweithio bedwar diwrnod yr wythnos mewn swydd heriol. Gan fy mod i saith mlynedd yn iau nag Irene, do'n i ddim yn agos at oed ymddeol ac allwn i ddim ystyried rhoi'r gorau i'm swydd, oherwydd rhesymau ariannol. Ond ro'n i'n gwybod hefyd na fyddai bod gyda'n gilydd bob awr o'r dydd yn gwneud unrhyw les i'r naill na'r llall ohonon ni. Trwy gydol 2006, dirywio wnaeth gallu Irene i ymdopi ar ei phen ei hun, ac erbyn mis Medi, roedd angen rota arnon ni ar gyfer ffrindiau a gofalwyr oedd yn cael eu talu fel nad oedd yn rhaid iddi fod ar ei phen ei hun am fwy na hanner awr – yn seicolegol, roedd angen cwmni arni. Ro'n ni eisoes wedi bod yn dibynnu ar ffrindiau a theulu am gyfnodau helaeth o'r dydd, a rhwng y cyfnodau hynny, byddai hi'n fy ffonio i'n gyson yn y gwaith, weithiau mewn gwewyr llwyr. Roedd hyn yn ofnadwy, am na allwn i wneud dim i'w helpu hi o bellter. Ym mis Mawrth 2007, cysylltais ag ambell asiantaeth sy'n cynnig amser i ffwrdd i ofalwyr, a roddodd y cyfle i fi gael noson o seibiant bob wythnos. Heblaw hynny, ro'n i'n dibynnu ar ddod o hyd i bobl eithriadol o amyneddgar a charedig oedd yn gallu ymdopi â natur

Rachel (ar y chwith) ac Irene yn Blackpool, 2006

tristaf fy mywyd. Roedd y ferch gref, ddoniol, ddeallus hon yn colli adnabod arni hi ei hun.

Hyd yn oed ar ôl yr holl flynyddoedd, rwy'n *dal* i'w chael hi'n anodd credu bod clefyd Alzheimer wedi digwydd i *ni*, fel tasen ni wedi cael y sgript anghywir. *Ni* oedd y pâr oedd yn mynd i dreulio 60 mlynedd gyda'n gilydd, yn diflannu i'r machlud ... ro'n ni fel dwy goeden – yn unigolion cryf ar yr wyneb, ond â'n gwreiddiau'n cydglymu'n dynn islaw'r ddaear, ac allwn i ddim dychmygu bywyd hebddi.

Dro arall, yn weddol ddiweddar, dyma ni'n ei throi hi o'n cartref yn Swydd Efrog i gyfeiriad Ardal y Llynnoedd – lle arbennig iawn yn ein calonnau. Cafodd Irene ei magu yno ac roedd gan y ddwy ohonom atgofion melys iawn am y lle. Gorfododd Irene fi i stopio'r car ar saith achlysur, gan fynnu 'mod i'n mynd y ffordd anghywir. Byddai'n trio mynd allan o'r car, yn chwifio'i dyrnau; unwaith y byddwn i wedi stopio, byddai hi'n brasgamu ar hyd y briffordd. Fe fyddwn i'n ei pherswadio hi i ddod 'nôl i mewn i'r car, yn ailgychwyn ar y daith, ac yn trio eto gan droi'n ôl ac ailddechrau. Fe gyrhaeddon ni adref ddwywaith; dro arall, gyrrais am filltiroedd i'r cyfeiriad anghywir, ond o leiaf roedd hynny'n ei chadw hi'n hapus. Mae rhyw fath o wallgofrwydd yn dod drosoch – fe wnewch chi unrhyw beth i gadw'r ddysgl yn wastad, dal eich anadl, gobeithio y bydd y munudau gwallgof yn troi'n rhywbeth mwy cyfarwydd. Roedd yn rhywbeth symbolaidd nad o'n ni bellach yn gallu cyrraedd man a oedd yn arfer bod mor arbennig i ni.

Roedd y newid eithriadol pan aeth Irene i mewn i'r ysbyty, yma un diwrnod ac wedi mynd y nesaf, yn hynod o frawychus. 29 Awst 2007 oedd hi, y diwrnod y gadawodd Irene yr aelwyd, a pheidio â byw gyda fi bellach – diwrnod nad anghofiaf i fyth: rhyw fath o ddiwedd, un o nifer, ond roedd hwn yn un eithriadol o greulon. Ysgrifennais y darn isod ar y pryd, mewn ymgais i ddod i delerau â'r cyfan:

Mae'r penderfyniad y mae pawb yn gwybod sy'n llechu ar ryw orwel annelwig mewn dyfodol niwlog wedi'i wneud, yn ddistaw bach. Mae Irene wedi mynd ac mae'n annhebyg o ddod 'nôl adref yma eto. Doedd hi ddim yn fwriad i'r cyfan ddigwydd yn ddistaw bach fel hyn. Yn sgil argyfwng pan oedd Irene yn gynddeiriog, yn torri ei chalon ac wedi ymlâdd yn llwyr am wythnosau yn hytrach na diwrnod fan hyn a fan draw – ymddygiad a symbylwyd ymhellach gan ei pharanoia ('FFONIA'R HEDDLU!') – daeth ein seiciatrydd i'w gweld. Awgrymodd hithau y dylai Irene fynd i'r ysbyty er mwyn 'cael trefn ar ei meddyginiaeth'. Roedd Irene wedi pacio'i bag cyn i'r meddyg hyd yn oed adael y tŷ. Roedd hi'n amlwg eisiau dianc – gadael y man lle ro'n i'n filain ac 'yn bwriadu dial arni', a'r fan lle byddai'n gweiddi 'NID FY NGHARTREF I YW HWN!' am yn ail â 'FY NGHARTREF I YW HWN – CER O 'MA!' – y cartref roedd hi wedi 'nghloi i allan ohono wythnos ynghynt.

A minnau'n dal i wadu'r sefyllfa ac yn ofni goblygiadau gweld Irene yn gadael yr aelwyd am unrhyw gyfnod o amser (ac anghofio'r cyfan amdani), ro'n i'n dal i dwyllo fy hun a dim ond yn gallu gweld y cyfnodau byr hynny o dawelwch fel tystiolaeth nad oedd Irene 'yn rhy ddrwg' mewn gwirionedd. Do'n i ddim yn gweld yr ofn, y dryswch a'r dirywiad oedd yn dangos mor glir bod Irene wedi cyrraedd rhyw fan newydd. Do'n i ddim yn gallu gwneud y penderfyniad. Roedd disgwyl i'r nyrs seiciatrig gymunedol alw'r prynhawn hwnnw a phenderfynais y byddwn yn gwneud beth bynnag roedd hi'n ei argymell. Roedd y sefyllfa'n glir iawn iddi hi – roedd angen i Irene fynd i'r ysbyty.

Ychydig cyn i ni adael y tŷ, roedd Irene a minnau ar ein pennau ein hunain yn yr ystafell fyw, *hi* a 'nghysurodd i, 'Mae popeth yn iawn, Rach. Dim ond am gyfnod byr fydd hyn a byddwn ni gyda'n gilydd o hyd.' Ro'n i'n hollol syn gan nad oedd hi fel petai'n f'adnabod i o gwbl ychydig eiliadau ynghynt.

Daeth fy chwaer i helpu, gan eistedd gydag Irene yn sedd gefn y car wrth i mi yrru. Rwy'n sylweddoli nad yw gyrru â dagrau'n cronni yn y llygaid yn syniad da, ac roedd fy chwaer yn gofidio amdana i ac Irene am yn ail. Roedd hwyliau Irene yn amrywio o fod yn awyddus i gyrraedd rhywle diogel, i fod wedi'i chynhyrfu'n fawr ac yn trio dianc o'r car. Profiad hynod boenus oedd ei gadael hi yn yr ysbyty, gydag Irene ei hun yn dweud dro ar ôl tro wrth y meddyg, 'Wel, diolch yn fawr iawn ond mae'n rhaid i ni fynd nawr,' gan gydio yn ei bag bach a'i throi hi am y drws.

Y bore wedyn, roedd Irene mewn cryn wewyr ac yn ailadrodd y geiriau, 'DYDW I DDIM WEDI GWNEUD DIM BYD O'I LE!' drosodd a thro, gan gredu ei bod hi wedi'i gyrru i ffwrdd i gael ei chosbi. Asesiad cychwynnol y meddyg ymgynghorol oedd mai ward acíwt fyddai'r lle gorau iddi. Synnodd fi drwy ddweud y byddai'n cymryd rhyw ddau i dri mis i sicrhau'r feddyginiaeth orau ar ei chyfer, yn hytrach na phythefnos neu dair wythnos. Gofynnais iddo siarad yn blaen â mi, a dywedodd y byddai'n annhebyg y gallai Irene fyth fynd adref ar ôl hyn. A dyna ni – roedd y penderfyniad ynglŷn â phryd y dylai Irene ddechrau cael gofal preswyl, a oedd yn gwmwl mawr ar y gorwel, bellach wedi'i wneud yn sydyn a'i roi y tu ôl i ni. A dyna sut mae'r clefyd yma'n gymaint o her – mae cymaint o ansicrwydd a sawl sioc ar bob cam o'r ffordd.

Diwrnod olaf mis Awst oedd hi. Bythefnos ynghynt, ro'n ni wedi bod yn beicio yn yr Iseldiroedd, er bod Irene yn treulio'r rhan fwyaf o'r amser ar ochr anghywir yr heol. Bythefnos cyn hynny, ro'n ni wedi bod yn canŵio ar afon Wharfe (gwell i mi ychwanegu ein bod ni'n eithaf profiadol ym maes canŵio!) yn ein canŵ newydd, un roeddech chi'n ei lenwi ag aer, ac roedd Irene wrth ei bodd – tawelwch merddwr, symud drwy'r dŵr yn dawel bach, gwylio elyrch yn twtio'u plu yng ngolau noson o haf.

Gofynnais i'r meddyg ymgynghorol sut allai'r sefyllfa fod wedi dirywio mor gyflym. Dywedodd yntau rywbeth hynod ddefnyddiol: bod y cyfan fel cerdded ar iâ tenau a'r iâ'n teneuo ac yn teneuo heb i chi sylwi – nes yn sydyn eich bod chi'n disgyn drwyddo, ac mae eich byd, yn sydyn iawn, yn hollol wahanol. Eglurodd fod y craciau wedi bod yn anos i'w gweld oherwydd bod Irene yn berson deallus iawn a bod system gofal cystal ganddi gartref.

Treuliais wythnos gyfan yn siarad â hwn a'r llall ynglŷn ag o'n ni wedi gwneud y penderfyniad iawn yn anfon Irene i'r ysbyty; roedd yr ateb yn gwbl amlwg i bawb, heblaw amdana i. Ro'n i'n dal i feddwl y gallen ni fod wedi ymdopi gartref, nad oedd gwir angen iddi fynd at yr holl bobl yma, mor bell o gartref. Cefais wythnos arall wedyn yn teimlo rhyddhad, bod rhywfaint o'r pwysau'n codi. Ro'n i'n eithriadol o flinedig, ac o edrych 'nôl a sylweddoli 'mod i wedi gweld y craciau'n hollti'r iâ, ac wrth gwrs, ro'n ni wedi gorfod wynebu ambell argyfwng ofnadwy. Ond rywsut, ro'n i wedi llwyddo i ymdopi, gan fod eich dealltwriaeth chi o'r hyn sy'n 'normal' a'r hyn sy'n 'argyfwng' yn cael ei ddrysu o fyw gyda rhywun â chlefyd Alzheimer. Ro'n i wedi dal fy ngwynt, yn bwrw ymlaen â'r pethau hynny roedd Irene yn awyddus i'w gwneud, wedi trio amddiffyn ansawdd ein bywydau, gyda ffrindiau a pherthnasau weithiau'n synnu o ddeall beth ro'n ni'n dal i lwyddo i'w wneud. Ac wrth gwrs, os ydych chi'n caru rhywun, mae'n rhaid ymdopi.

Mae tair wythnos wedi pasio bellach. Mae Irene yn wahanol bob dydd. Un diwrnod, rhoddodd ei breichiau amdanaf yn y coridor a dweud, 'Rwy'n dy garu di.' Gofynnodd am faint y byddai'n rhaid iddi aros yno, gan ychwanegu, 'Mae gyda ni gartref hyfryd.' Ddiwrnod arall doedd hi ddim hyd yn oed yn ymwybodol ohona i. Mae hi wedi dirywio ymhellach wrth i'r don sefydliadol olchi drosti a'r gofal un i un yn y cartref leihau. Tair wythnos, ac rwy'n dechrau galaru am fy nghymar mewn ffordd na allwn i ei wneud pan oedd hi'n dal i fyw gartref – yn dal i fod yma, ond nid y person roedd hi'n arfer bod. Ro'n i wedi colli cymar ond roedd hi'n dal i fod.

Tasen ni'n gwybod beth sy'n ein hwynebu ni rownd y gornel mewn bywyd – a phetasen ni'n gwybod bod cwmwl du Alzheimer ar y gorwel – a fydden ni'n anobeithio? Siŵr o fod. Felly, ein lwc ni yw nad ydyn ni'n gwybod. Ro'n i'n agor fy nghalon i'm chwaer yng nghyfraith, yn galaru am ein dyfodol gyda'n gilydd, 'mod i eisiau 30 mlynedd arall o ymddeoliad gyda'n gilydd yn hytrach na dim ond ein 30 mlynedd o fywyd hyd yn hyn, ac meddai hi, 'Wel, dwyt ti ddim yn gwybod beth fyddai wedi digwydd beth bynnag – efallai y byddai Irene wedi marw o rywbeth arall neu wedi canŵio i ffwrdd dros y gorwel gyda rhywun arall.' (Annhebygol, ond pwy a ŵyr.) Rhoddodd y geiriau yma hwb annisgwyl i mi. Y gwir yw, hyd yn oed taswn i'n gwybod y bydden ni'n cael sgript oedd yn cynnwys clefyd Alzheimer fel rhan o'r stori yn hytrach na'r sgript ro'n i wedi gobeithio amdani, mi faswn i wedi dewis treulio 'mywyd gydag Irene, y cymar gorau y gallai unrhyw un fod wedi'i ddymuno.[2]

Mae'r cyfnod newydd hwn o fyw ar fy mhen fy hun yn fwy anodd nag ro'n i wedi'i ddisgwyl. Pa mor gyflym y mae Irene wedi dirywio yw'r peth anodd i'w ddirnad; yn hytrach na'r tair i bedair blynedd a ragwelwyd gan y meddyg teulu, digwyddodd y cyfan mewn dwy flynedd a hanner. Rwy'n gweld eisiau Irene yn fawr iawn, ac mae ymweld â hi'n brofiad mwy anodd nag y gallaf ei ddisgrifio, er 'mod i eisiau mynd, ac yn gwneud hynny bron bob dydd. Ar ôl deufis, symudodd o'r ward acíwt i uned seiciatrig gymunedol, ac roedd hi'n hapusach o lawer yno. Mae'r feddyginiaeth y mae hi'n ei chael fel tasai'n gweithio ac mae hi'n ddigon bodlon ar y cyfan. Ond rwy'n dal i boeni ac rwy'n trio trefnu lleoliad parhaol iddi. Mae angen sawl rhan o'r jig-so arna i er mwyn cyflawni hynny – asesiadau a chyllid – ac fe fydd llwyddo i sicrhau hyn yn rhyddhad mawr. Yn ddiweddar, mae hi wedi bod braidd yn ymosodol tuag at y staff sy'n gorfod ei helpu i wisgo a mynd i'r tŷ bach. Mae'n anodd rhag-weld beth fydd yn digwydd nesaf, a does neb yn gallu dweud wrthoch chi. Mae bywyd yn ddryswch cyson o safbwynt teimladau ac emosiynau, o beidio â gwybod a yw hi'n werth trefnu'r peth hyn a'r peth arall neu adael i eraill gymryd yr awenau, o beidio â gwybod beth fydd yn eich disgwyl y tro nesaf y byddwch chi'n gweld eich cymar, ac o fod heb unrhyw ffordd o baratoi ar gyfer y sefyllfa.

Mae'n dorcalonnus ond yn fendigedig gweld yr hen Irene – ambell fflach o'i chymeriad a'i hiwmor yn dod i'r amlwg – y person cariadus, tyner a phenstiff oedd hi erioed. Mae'r staff yn gwenu yn ei chwmni. Mae'r ddwy ohonom yn aml yn cael pyliau o chwerthin; mae hi'n gwneud i mi grio'n aml. O weld y fath sail i'w phersonoliaeth, felly, alla i ddim ond credu iddi gael magwraeth hapus iawn.

Ar hyn o bryd, rwy wedi fy nal yn y 'nawr', ac mae'n rhy boenus edrych 'nôl ar gyfnodau hapusach yn ein bywydau – diwrnod ein partneriaeth sifil, a chyn hynny, dathlu pum mlynedd ar hugain gyda'n gilydd, a'n cartref yn llawn blodau a theulu; yr holl gerdded a hwylio wnaethon ni, a'r holl amser dreulion ni gyda'n gilydd. Rwyf wedi gosod llun o Irene ym mhob ystafell yn y tŷ, ac rwy'n paratoi fy hun ar gyfer y cyfnod rhyfedd hwn, gydag Irene yn dal i fodoli ond yn ymbellhau fwyfwy o hyd. Mae'n rhaid i mi roi trefn ar fy mywyd fel person sengl, ond un sydd â chymar. Mae'n rhaid i mi baratoi fy hun hefyd ar gyfer y diwedd, gan fod clefyd Alzheimer yn byrhau oes y dioddefwr, a dyna pryd fydd y gwir alaru'n dechrau. Ond rwy'n gwybod bod gen i ddigon o gariad ar ôl gan Irene i 'nghadw i'n gynnes weddill fy mywyd.

Nodiadau

[1] Y ffilm am y nofelydd Iris Murdoch yn dangos effaith clefyd Alzheimer arni hi.

[2] Diolch i'r Alzheimer's Society am yr hawl i ddefnyddio'r testun hwn, a ymddangosodd gyntaf yn ddienw yng nghylchlythyr grŵp gofalwyr LHDT yr Alzheimer's Society ym mis Gorffennaf 2008.

5

Penderfyniad anoddaf fy mywyd

Debbie Jackson

PAN GYRHAEDDODD FY ngŵr a minnau Brydain gyda thri phlentyn, ro'n ni ymhell yn ein tridegau. Dyma'r tro cyntaf i ni adael De Affrica, gwlad ein mebyd. Yn yr 1960au yr oedd hyn, ac roedd De Affrica bryd hynny dan reolaeth yr heddlu a llywodraeth ddidrugaredd oedd yn gweithredu system apartheid.

Cyfreithiwr oedd fy ngŵr ac roedd wedi bod yn rhedeg ei gwmni cyfreithiol ei hun yn Cape Town am bymtheg mlynedd; gweithwraig gymdeithasol o'n i, yn ymwneud â phroblemau tlodi a salwch. Roedd y ddau ohonom wedi cymryd rhan yn y frwydr yn erbyn apartheid. B oedd un o'r ychydig gyfreithwyr oedd yn barod i fynd i'r llys i amddiffyn pobl oedd wedi eu cyhuddo o droseddau a ystyrid yn rhai 'gwleidyddol'. Siaradai'n huawdl mewn pwyllgorau, yn ôl y gofyn, ar lwyfannau cyhoeddus yn erbyn y mesurau cynyddol annheg a gormesol oedd yn cael eu cyflwyno gan y llywodraeth.

Yn y pen draw, yn anorfod, fel llawer o'r rhai oedd yn gwrthwynebu apartheid yn agored, cafodd 'orchymyn gwahardd'. Golygai hyn nad oedd ganddo bellach hawl i fod yn bresennol lle roedd unrhyw gasgliad o bobl – term peryglus o amwys, gan olygu bod gormod o ofn ar ein ffrindiau a'n perthnasau hyd yn oed i ymweld â ni yn ein cartref rhag iddo gael ei arestio. Rhwystrai cymalau eraill o'r gwaharddiad ef rhag cael ei ddyfynnu mewn unrhyw gyhoeddiad, mynychu unrhyw sefydliad addysg (a oedd, wrth gwrs, yn effeithio ar ein plant), mynd i unrhyw borthladd neu faes awyr, a chyfathrebu ag unrhyw un arall oedd wedi'i wahardd (rwy'n cofio ambell gyfarfod cudd mewn siop garpedi yn agos at ei swyddfa). Ymhellach, roedd e'n gorfod cofrestru gyda'r heddlu bob dydd Llun – tipyn o her, yn enwedig ar ddydd Llun gŵyl y banc, pan oedd hi'n hawdd iawn anghofio! Gallai methu cydymffurfio ag unrhyw un o'r amodau yma arwain at gael eich arestio a'ch carcharu.

Un dewr ac optimistaidd fu B erioed – ac roedd ganddo gryn dipyn o hiwmor hefyd – yn wyneb holl sialensau bywyd. Pan ddaeth i Brydain, bu raid iddo wynebu'r her o ailgymhwyso'n broffesiynol a dechrau ar yrfa ym maes y gyfraith yma â'r un ysbryd. Yn raddol, fe wnaethon ni addasu a chreu bywyd newydd i ni ein hunain yn Llundain.

Roedd wrth ei fodd yn cael dadl dda, a chyda'i feddwl clir a miniog, gallai fynd at galon unrhyw drafodaeth yn sydyn iawn. Cofia ei ffrindiau amdano fel person oedd yn llawn hwyl, a chanddo ffordd unigryw o fynegi ei farn. Maen nhw hefyd yn disgrifio'i synnwyr pendant o ffyddlondeb, ei barch a'i gariad at gyfiawnder, ei bersonoliaeth ddirodres a'i ymroddiad di-ildio i'w egwyddorion. Mae ffrindiau a chleientiaid yn dal i gofio'i gyngor doeth hefyd – yn synhwyrol, yn gyson, a'i draed ar y ddaear ag arlliw o hiwmor coeglyd.

Rwyf mor drist o orfod ysgrifennu hyn i gyd, yn yr amser gorffennol.

Mae cymaint bellach wedi'i golli, nawr fod dementia wedi cael gafael go iawn arno. Mae'r sbarc yn ei lygaid yn dal yn amlwg weithiau (ac mae'r rhain yn eiliadau gwerthfawr!) ond prin yw ei allu i gyfathrebu, yn gymaint felly fel na allwn ni ddirnad beth sydd ar ei feddwl, sut mae'n teimlo, na beth mae'n dymuno'i gyfleu. Ond mae'n rhaid i mi ychwanegu bod rhai agweddau o'i bersonoliaeth heb eu heffeithio o gwbl – er enghraifft, mae'n dal i fwynhau cwmni pobl. Mae hefyd yn dal i ymateb yn emosiynol i'w hoff gerddoriaeth.

Wrth gwrs, ddigwyddodd y newidiadau yma ddim i gyd yr un pryd.

Erbyn yr 1990au, ro'n ni yn ein chwedegau, a'r amser i fwynhau ein hymddeoliad gyda'n gilydd ar ôl gweithio'n galed drwy gydol ein priodas, ar y gorwel. Doedd yr un ohonom wedi rhag-weld y tor calon oedd o'n blaenau. Dros y blynyddoedd nesaf, dechreuodd fy annwyl B ddangos symptomau o'r dementia fasgwlar y cafodd ddiagnosis ohono yn 1996, cyflwr fyddai'n chwalu cysur a chyfeillgarwch ein bywyd priodasol hapus, ac a arweiniodd at newid sylweddol yn ein rolau, ein cyfrifoldebau a'n perthynas â'n gilydd.

Ar y dechrau, ddim ond yn achlysurol yr oedd arwyddion o ddatblygiad dementia i'w gweld (o ganlyniad roedd ymwelwyr nad oedd yn galw'n aml weithiau'n amau'r rhesymau dros fy ngofid, am nad oedd hi'n ymddangos fel petai dim yn bod arno). Ymhlith yr arwyddion hynny yr oedd diffyg hunanhyder a brwdfrydedd, cyndynrwydd cynyddol i gymryd rhan, lleihad yn ei allu i ganfod ei ffordd ei hun, methu gwneud penderfyniadau, anallu i ddysgu dim byd newydd (megis sut i ddefnyddio'r botymau ar unrhyw beiriant newydd) ac, wrth gwrs, y duedd i ailadrodd cwestiynau yn sgil methu cofio pethau yn y tymor byr. Rwy'n cofio'n arbennig iddo fynd yn fwyfwy cyndyn i ateb y ffôn, os oedd e'n gwybod y byddai ffrind ar y pen arall yn awyddus i ofyn am gyngor cyfreithiol (rhywbeth y byddai wedi bod yn fwy na pharod i'w wneud yn fyrfyfyr o'r blaen, hyd yn oed ar ôl ymddeol) gan ofyn i mi wneud rhyw esgus drosto am na allai wynebu'r sgwrs.

Rhyw deimlo'n anesmwyth, yn ansicr yn wyneb colled anorfod, a gorbryder cyffredinol a chyson o'n i yn y cyfnod hwn. Ac oedd, roedd yna weithiau deimlad o ddicter gwyllt hefyd, yn enwedig o orfod ateb yr un hen gwestiynau drosodd a thro. (Yn naturiol, byddai'r fath ddicter yn arwain at deimlad anorfod o gywilydd sy'n gyffredin i bob gofalwr yn y sefyllfa hon).

Pan gafwyd y diagnosis ffurfiol o ddementia fasgwlar, ro'n i'n teimlo fel petai'n ddiwedd y byd. Cefais fy llethu gan ofn ofnadwy wrth feddwl am y dyfodol, yn ogystal â thristwch a chydymdeimlad dwfn â'm gŵr yn sgil beth oedd yn ymddangos fel dedfryd angheuol – a doedd gan neb syniad am faint y byddai'r golled a'r dioddef yn parhau. Ro'n i hefyd yn teimlo rhyw angen enbyd i'w amddiffyn rhag profi'r teimlad o anobaith oedd yn fy llethu. A dyna hefyd oedd yn nodweddu f'agwedd at egluro'r sefyllfa wrth ein plant, oedd bellach yn oedolion. Wrth gwrs, ro'n nhw'n ymwybodol fod rhywbeth mawr yn bod, ond roedd cael y diagnosis yn ergyd mor erchyll o bendant, heb gynnig unrhyw obaith tymor hir, nes i'r teulu cyfan gael ei ddryllio. Rwyf wedi cael cefnogaeth arbennig o hael ganddyn nhw drwy'r cyfan, ac maen nhw'n gweld eu tad mor aml â phosib – ac yn siarad ag e'n gyson ar y ffôn hefyd, am ei fod yn amlwg yn mwynhau clywed eu lleisiau.

I raddau helaeth, y dyddiau cynnar hynny pan oedd ganddo rywfaint o grebwyll ynglŷn â'i gyflwr, ac yn chwilio am gysur, oedd yr anoddaf. Rwy'n cofio eiliad ofnadwy (a gâi ei hailadrodd yn achlysurol) pan oedd e mewn cryn wewyr: 'Beth sy'n digwydd i mi? Ydw i'n mynd yn wallgof?' Gwnes fy ngorau i egluro'r sefyllfa iddo mewn ffordd y gallai ei deall, ond roedd fy nghalon i'n torri. Ac roedd fy nheimladau gorbryderus innau'n cadarnhau ei orbryder yntau, er cymaint ro'n i'n trio cuddio f'emosiynau. Roedd y tensiwn felly'n uchel iawn.

Roedd ein meddyg teulu yn help mawr, ond yn rhy fuan o lawer roedd angen help gwasanaethau cymdeithasol yr awdurdod lleol arnom, a gofalwyr i helpu gyda gofal personol, wrth iddo'n raddol fethu gwneud pethau ei hun. Cynigiodd Crossroads gymorth arbennig drwy ddarparu 'gwasanaeth gwarchod' i fod yn gwmni i B tra o'n i'n mynd allan o'r fflat yn gyson am awr neu ddwy ar neges i'r siop, neu i fod ar fy mhen fy hun neu gwrdd â ffrind. Cefais gefnogaeth arbennig o werthfawr gan y nyrs Admiral, ac ro'n i'n hynod o werthfawrogol hefyd o gefnogaeth a mewnbwn y therapyddion galwedigaethol a hyd yn oed y nyrs seiciatrig gymunedol.

Allwn i ddim fod wedi dygymod heb y math yma o gymorth. Ond does dim modd gwadu na fu'n rhaid i mi addasu i ffordd hollol wahanol o fyw, gyda thipyn llai o breifatrwydd ar yr aelwyd, nad oedd yn fêl i gyd bob amser. Roedd colli f'annibyniaeth yn achosi dicter weithiau hefyd.

Efallai mai'r cyfraniad pwysicaf a mwyaf hirhoedlog o safbwynt ein lles ar hyd y 'daith' hon yw'r hyn a gawson ni gan Jewish Care, sefydliad lles o Lundain sydd wedi rhoi llawer o help i ni. Unwaith yr wythnos, byddai B yn mynd i un o'u canolfannau gofal dydd ardderchog oedd wedi'u teilwra'n arbennig ar gyfer pobl sydd â dementia. Yno, gallai gymryd rhan mewn gweithgareddau pleserus a chael cwmni, a minnau wedyn yn cael cyfle i ddilyn fy nhrwyn a gwneud beth bynnag a fynnwn, cyn belled â 'mod i yno ar ddiwedd y dydd i'w nôl.

Fel gofalwr, roedd Jewish Care yn fy nghefnogi drwy drefnu cyfarfod gwerthfawr o'r grŵp cefnogi unwaith y mis. Mae'r grŵp yma'n dal i gael ei gynnal, ac yn cynnig cefnogaeth a dealltwriaeth o'u sefyllfa i bawb sy'n dewis ei fynychu, yn ogystal â rhoi cyfle i ni fynegi ein teimladau a'n hymateb i ddigwyddiadau trawmatig, a hynny mewn lleoliad diogel a chyfrinachol.

Un peth sy'n ymddangos fel petai'n rhan anorfod o effaith dementia ar y gofalwr (yn enwedig yn achos cymar) yw'r teimlad o fod ar wahân wrth iddi ddod yn amhosib parhau â bywyd cymdeithasol fel ag yr arferai fod. Mae ffrindiau weithiau'n gwneud eu gorau i gadw mewn cysylltiad, fel arfer heb fawr o lwyddiant, am na all llawer ohonyn nhw ddygymod â'r heriau o safbwynt cyfathrebu â hen ffrind sydd wedi datblygu'r fath gyflwr brawychus. Gall grŵp cefnogi gwerth ei halen fynd yn bell tuag at helpu gyda'r tristwch a'r unigrwydd a ddaw yn sgil hynny.

Erbyn 1999, roedd pethau wedi mynd yn anoddach o lawer, gan fod angen mwy o gymorth ar B. Yn benodol roedd ei allu i symud wedi dirywio, a doedd e bellach ddim yn gallu mynd i lawr y grisiau o'r fflat, a oedd yn golygu na allen ni adael yr adeilad gyda'n gilydd. Roedd bellach fwy neu lai'n garcharor yn ei gartref ei hun – gan olygu 'mod innau hefyd yn yr un cwch mewn ffordd! Hyd hynny, ro'n ni'n mynd am dro bach gyda'n gilydd bob dydd; ac ro'n i'n gofidio ynglŷn â beth fyddai'n digwydd tasai yna dân neu argyfwng arall. Dyma pryd y dechreuais i gael pyliau o anobaith.

Yn gyndyn braidd, cefais fy mherswadio i drefnu ambell gyfnod o ofal seibiant iddo (pythefnos ar y tro) yn un o gartrefi lleol Jewish Care, er mwyn rhoi cyfle i mi gael ambell hoe. Rhoddodd hyn gyfle i mi fwrw fy mlinder a chryfhau, a oedd yn angenrheidiol dan yr amgylchiadau. Ond ro'n nhw hefyd yn gyfnodau gofidus, o wybod ei fod mewn amgylchiadau anghyfarwydd, heb allu deall ble na pham.

Yn y pen draw, yn 2000, gwaethygu eto wnaeth y problemau symudedd, gorbryder, gwlychu a baeddu a'r ymosodedd achlysurol (a fyddai'n cael ei ddilyn yn syth gan edifeirwch a chymodi), a bu'n rhaid i mi gyfaddef nad o'n i'n gallu ymdopi'n dda bellach. Roedd angen mwy o ofal personol o lawer arno a dechreuais innau ddioddef o seiatica dwys, iselder a theimlo'n ofidus dros ben.

Trefnodd ein meddyg teulu i ni weld seicogeriatrydd, a ddaeth i'n gweld er mwyn asesu B, gan argymell y dylai fynd i gartref gofal am y tymor hir, a hynny cyn gynted â phosib. Derbyn hyn oedd un o benderfyniadau anoddaf fy mywyd. Yn naturiol, bûm yn trafod y sefyllfa gyda'r teulu, ac roedd y cyfan yn destun tor calon i ni i gyd, ond yn amlwg yn anorfod. Ychydig fisoedd yn ddiweddarach, daeth lle yn y cartref Jewish Care ro'n i wedi gwneud cais amdano. Cafodd B gartref yno ym mis Rhagfyr 2000.

Anghofia i fyth y diwrnod hwnnw yr aethon ni ag e i'r cartref. Oherwydd nad oedd yn gallu ymdopi â'r grisiau yn y fflat, ro'n i wedi trefnu ambiwlans preifat ar ei gyfer, ac fe ddaeth ei hoff ofalwr gyda ni (gŵr ifanc hyderus o Nigeria, oedd yn fyfyriwr rhan-amser yn dilyn cwrs y gyfraith). Roedd B a minnau wedi dysgu 'Sarie Marais' iddo – cân draddodiadol o Dde Affrica. Cafodd y parafeddygon syn eu diddanu gan gytganau ailadroddus o 'Sarie Marais' ar y daith. Helpodd hynny gyda'i hwyliau – a chuddio f'ymdrech i osgoi crio!

Roedd rheolwyr y cartref gofal wedi trefnu croeso iddo, ac fe wnaethon nhw ein tywys i fyny i'w ystafell, lle roedd llond powlen braf o ffrwythau ffres yn ein disgwyl ar y bwrdd gwisgo. Roedd nyrs a gofalwr oedd wedi'i benodi i weithio gyda B wrth law, i'w helpu i ddadbacio'i fag a setlo. Pan lwyddwyd i'm hudo oddi yno, gyda chalon drom, ymhen hir a hwyr, gyrrodd gweithiwr cymdeithasol fi adre: 'nôl i'r fflat lle byddwn yn byw bellach ar fy mhen fy hun.

Ar wahân i'r deufis y bu'n rhaid i B ddod i Brydain o 'mlaen i a'r plant o Dde Affrica, dyma'r cyfnod hiraf a mwyaf sylweddol y bydden ni'n ei dreulio ar wahân ers inni briodi yn 1949.

Dros yr wythnosau, y misoedd a'r blynyddoedd wedi hynny, ry'n ni (sef y teulu cyfan) wedi cael ein trin yn garedig iawn gan staff a gwirfoddolwyr fel ei gilydd. Dydyn ni byth yn teimlo ein bod ni o dan draed, waeth pa amser bynnag y byddwn ni'n ymweld â'r cartref neu'n ffonio. Ac ry'n ni wedi dod i dderbyn yn raddol mai dyma wir gartref B bellach; mae staff a gwirfoddolwyr – a pherthnasau trigolion eraill weithiau hefyd – wedi dod yn estyniad gwerthfawr o'n teulu ni. Mae'r gofal a'r ymroddiad a gafwyd wedi bod yn eithriadol. Ac er fy mod i'n gweld ei eisiau'n ofnadwy, mae'n amlwg iawn i mi na allen ni fyth fod wedi cynnig iddo y math o fywyd y mae'n ei fwynhau yn y cartref.

O'm safbwynt i a 'mywyd newydd, rwyf wedi gorfod addasu tipyn ac mae hynny wedi bod yn ddigon poenus ar adegau. Dywedodd cydnabod i mi (dyn) ar ôl i ni gwrdd sawl gwaith, 'Nawr, pam o'n i'n meddwl mai gwraig weddw oeddet ti?' Pam wir? Fel yn achos llawer o bobl mewn sefyllfaoedd tebyg, dydw i ddim yn teimlo 'mod i'n perthyn 'nac yma nac acw' yn hyn o beth. A dydy'r teimlad ddim yn un rhwydd na chyffyrddus ar y cyfan. Ond fel y dywedais i, mae rhywun yn addasu.

Rwy'n ymwneud yn agos iawn â gofal B o hyd, gyda'i anghenion sy'n newid byth a hefyd; mae hyn nid yn unig yn achosi gofid a phryder a thristwch, ond hefyd ambell fflach werthfawr o lawenydd. Fel teulu, ry'n ni wedi dysgu gwerthfawrogi'r eiliadau yma o hapusrwydd sy'n cael eu rhannu â'n hannwyl B. Ac yn wir, rwy'n argyhoeddedig ein bod ni wedi dod yn agosach fel teulu wrth i ni orfod wynebu'r profiadau yma gyda'n gilydd.

Rwyf wedi sylweddoli pa mor eithriadol o werth chweil yw fy ngwaith fel gwirfoddolwraig gyda Jewish Care, ac wedi gweld pa mor ddiddorol a gwerthfawr yw ymwneud â gweithgareddau mudiadau fel Uniting Carers for Dementia. Mae treulio amser gyda theulu a ffrindiau hefyd yn help mawr i 'nghadw 'rhag mynd yn wallgof'.

Mae'n rhaid i mi gyfeirio hefyd at gyfraniad arbennig y timau o wirfoddolwyr yn synagog fach y cartref gofal i'n lles ni. Mae'r achlysuron yma'n rhoi cryn foddhad a phleser i B ar lefel emosiynol ac ysbrydol y blynyddoedd diwethaf hyn, gan wneud yn iawn am fethu mwynhau sgwrs dda, darllen a'r holl bethau eraill sydd y tu hwnt i'w allu erbyn hyn. Magwraeth Iddewig gymedrol 'ganol y ffordd' gafodd e, â thipyn o ddraddodiad crefyddol a threftadaeth ddiwylliannol yn gymysg, a'r agwedd litwrgaidd gerddorol yn enwedig yn dod â chryn bleser iddo. Ond trwy gydol ein priodas, wnaeth yr un ohonom gadw'n agos iawn at y rheolau crefyddol. Mynd i'r synagog ar ddiwrnodau crefyddol pwysicaf y flwyddyn fydden ni, yn hytrach na mynychu'r Sabath wythnosol. Nawr, serch hynny, ry'n ni'n hynod falch o fod yn rhan gyson o'r gynulleidfa fach groesawgar hon yn y gwasanaeth wythnosol yn ogystal ag adeg y gwyliau. Ac roedd B wrth ei fodd yn ymuno yn yr hen fendithion ac, yn fwy na dim, yn y canu roedd bob amser wedi'i fwynhau.

Mae bywyd gofalwr rhywun sydd â dementia yn amlochrog. Daw â'i straen a'i dristwch eithriadol, ond gall hefyd gynnwys sawl cyfnod o hapusrwydd a chariad dwfn.[1]

Nodiadau

[1] Ers iddi ysgrifennu'r bennod hon, bu farw gŵr Debbie. Ysgrifennodd Debbie'n ddienw yng nghylchlythyr gofalwyr Jewish Care, *Careline*, rhifyn 53, haf 2007, ynglŷn â'i phrofiadau wrth ofalu am ei gŵr. Mae'r enwau wedi eu newid.

6

Dysgu am ei byd hi

U Hla Htay

Y dechrau

Cafodd fy ngwraig, Minnie, ddiagnosis o ddementia Alzheimer cynnar ym mis Tachwedd 1996, a hithau'n 59 mlwydd oed. Tua 1992 y dechreuodd ei hymddygiad rhyfedd, ac ar y dechrau, cafodd ddiagnosis o iselder, a chael Prozac i'w gymryd ato. Ond roedd rhywbeth o'i le, a phan ymddeolodd ein hen feddyg teulu, cyfeiriodd ein meddyg teulu newydd – yr oedd ei fam hefyd â dementia – Minnie at yr arbenigwr niwrolegol.

Eglurais y sefyllfa wrth ein tri mab, a oedd yn 24, 22 ac 19 ar y pryd, y diwrnod hwnnw, a dweud wrth frodyr, chwiorydd a modrybedd Minnie wythnos yn ddiweddarach. Cynnwys ein meibion yn y sefyllfa o'r cychwyn cyntaf oedd fy nilema cyntaf: fel tad, ro'n i eisiau eu hamddiffyn nhw rhag gwewyr meddwl, ond roedd ganddyn nhw'r hawl i wybod am ddiagnosis eu mam. Maen nhw wedi bod yn gefnogol ac yn gymorth mawr i Minnie a minnau byth ers hynny. Mae hyn yn lleihau'r baich o ofalu yn ogystal â'r straen. Mae'r teimlad cynnes o wybod bod cefnogaeth y teulu yno'n gefn i mi yn ôl y galw yn gysur parhaus, ac yn f'annog i roi'r gofal cariadus gorau i Minnie. Mae partneriaid fy meibion hefyd yn gefnogol ac yn barod iawn i helpu.

Fe ddechreuon ni ymchwilio i ddementia, gan feddwl sut i baratoi a bwrw ymlaen â'n bywydau ein hunain ac fel teulu. Daethon ni'n ymwybodol y byddai gofalu am Minnie yn gofyn am amynedd, dyfalbarhad a dealltwriaeth, ac y gallai fod yn broses hir a fyddai'n para am flynyddoedd lawer.

Daw Minnie o Ewrasia, wedi'i geni yn Myanmar (Burma) i Wyddel o dad a mam o'r grŵp ethnig Shan. Cawson nhw eu symud o Myanmar yn ystod yr Ail Ryfel Byd ac fe fuon nhw'n byw yn Bangalore a Kashmir am rai blynyddoedd cyn symud i Belfast ddiwedd yr 1950au; wedyn fe ymsefydlodd y teulu yn Northampton. Cyfarfod yn Llundain yn 1965 wnaethon ni, pan o'n i'n gweithio i gwmni llongau cenedlaethol Myanmar, a phriodi yn 1971. Gweinyddwyd y gwasanaeth priodas gan lysgennad Myanmar a chafodd ein huniad ei fendithio gan fynachod Bwdhaidd.

Un ddidwyll oedd Minnie, bob amser yn barod i leisio'i barn, ond eto'n gwrtais, yn gynnes, yn swynol ac yn hwyl. Roedd hi'n garedig ac yn ofalgar, yn caru ei thri mab yn gyfartal ac yn barod i wneud unrhyw beth iddyn nhw. Roedd hi'n gadarn ac yn deg gyda'r bechgyn a chyda phlant yr ysgol feithrin leol lle roedd hi'n gweithio fel goruchwylwraig cinio. Byddai'n coginio ac yn ein bwydo ni, yn smwddio ein dillad ac yn glanhau'r tŷ, ac yn gwneud ymarfer corff yn ddi-ffael bob nos.

Wedyn, newidiodd personoliaeth Minnie; dechreuodd alw ein meibion wrth eu henwau anghywir, syrthio i gysgu amser swper, dechrau dadlau â chyd-weithwyr (rhywbeth nad oedd hi erioed wedi ei wneud cyn hynny), a methu cwblhau tasgau; collodd ddiddordeb mewn coginio a gwneud tasgau bob dydd; newidiodd ei defnydd o iaith a daeth yr ymarfer corff i ben. Gan fod Minnie yn gofalu am blant, bu'n rhaid i ni drefnu ei bod hi'n ymddiswyddo o'r ysgol.

Wrth i'w gallu ddirywio'n raddol, ro'n i'n teimlo fel petai fy nghalon yn cael ei tholcio, a minnau'n cynhyrfu fwyfwy. Doedd hynny ddim yn llesol i'm hiechyd i. Ond nawr, wrth sylwi ar rai o'r pethau y mae'n dal i allu eu gwneud, er mor fach ydyn nhw, rwy'n fwy penderfynol o ofalu amdani. Mae'r meibion yn cadw llygad agos ar fy iechyd i, ac yn fy annog i gymryd gofal er mwyn i mi allu gofalu'n iawn am Minnie.

Heriau a thrallodion

Yn dilyn y diagnosis, cytunodd y tri mab a minnau y byddai'n rhaid i ni, o hynny allan, ddeall bod gweithredoedd ac ymddygiad Minnie'n cael eu gyrru gan y clefyd, yn hytrach nag unrhyw fwriad ar ei rhan i wneud cam â ni neu rywun arall o'n cwmpas, mewn unrhyw ffordd. Felly, er bod y pethau yma'n codi cywilydd ac yn achosi rhai anawsterau ar y dechrau, derbyn ei hymddygiad wnaethon ni. Wedyn, fe ddechreuon ni sylweddoli nad oes angen i ni esgusodi ei hymddygiad i'r cyhoedd.

Ar adegau, mae rhai aelodau o'r cyhoedd yn cael eu synnu wrth dystio i ffrwydradau achlysurol Minnie gan ystyried bod yr ymddygiad hwnnw'n cael ei gyfeirio atyn nhw'n bersonol. Dydyn nhw ddim yn dangos unrhyw gydymdeimlad, ac maen nhw'n ymateb mewn modd anghwrtais a dilornus. Ar y dechrau, ro'n i'n arfer trio egluro cyflwr Minnie i'r bobl hynny – mae rhai'n barod i wrando a deall, ac eraill yn fwy cyndyn. Awgrymodd y meibion mai eu hanwybyddu nhw fyddai orau.

Oherwydd ein bod ni'n awyddus i Minnie fwynhau bywyd teuluol normal, ry'n ni'n mynd i siopa gyda'n gilydd, yn mynd i gerdded mewn mannau cyhoeddus ac yn y parciau – yn enwedig Parc Regent gyda'i ardd rosynnau, er mwyn gallu mwynhau'r môr o liwiau a'r amrywiol arogleuon ag ansawdd gwahanol y ddaear. Fe fyddwn ni'n mynd i ambell siop goffi ac yn cymryd rhan mewn digwyddiadau cymdeithasol a diwylliannol, cyn belled â'n bod ni ddim yn amharu ar bobl eraill.

Roedd mynd â hi i'r tŷ bach yn sialens newydd i mi. Er mwyn osgoi achosi i'r merched sgrechian, ro'n i'n arfer mynd â Minnie i dŷ bach y dynion gyda mi. Byddai golwg amheus ac ambell wên fach ar wynebau'r dynion eraill wrth i ni ddod allan o'r tŷ bach. Wedyn fe ges i allwedd RADAR er mwyn gallu defnyddio toiledau'r anabl mewn mannau cyhoeddus, ond fe fyddai pobl yn dal i edrych braidd yn rhyfedd arnon ni wrth inni ddod allan. Unwaith, pan ddefnyddion ni doiledau'r anabl ym Mharc Regent, pwyntiodd ceidwad y toiledau at yr arwydd cadair olwyn, gan nodi mai dim ond at ddefnydd rhai a chanddyn nhw anabledd corfforol o'n nhw.

Fyddai Minnie byth yn amharchus tuag at neb, a fyddai hi byth yn rhegi nac yn defnyddio iaith anweddus. Dechreuodd hi gyfeirio ata i fel yr 'hen ddyn,' ond newidiodd hyn i 'b****rd' a 'b**sh'. Ar y dechrau ro'n i'n flin â hi ac yn ei dwrdio'n chwyrn, ond doedd hynny'n cael dim effaith arni. Pan fyddwn i'n ymateb yn anffafriol iddi, byddai wyneb Minnie'n disgyn a byddai'n edrych arna i â llygaid llo. Byddwn yn f'atgoffa fy hun wedyn nad oedd hi'n trio fy mrifo na 'mhryfocio i. Dechreuais anwybyddu'r sefyllfa, ac ymateb trwy wenu, a dod â heddwch fel hyn.

Un diwrnod ro'n ni'n barod i dalu wrth y til pan ddechreuodd hi alw enwau arna i. O 'mlaen i roedd dyn hoyw o Awstralia, a gyhuddodd Minnie o fod yn anghwrtais wrtho. Droeon, mae hen wragedd wedi trio'n hosgoi ni wrth iddi ddefnyddio iaith liwgar. O gael ei beirniadu am ei hymddygiad, byddai Minnie'n dweud nad hi ond y fenyw arall

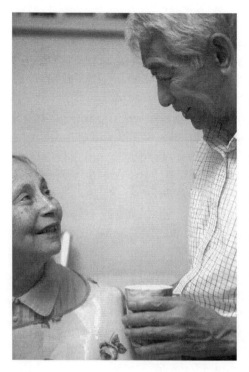

U Hla Htay a'i wraig Minnie Htay
© Alzheimer's Society

oedd ar fai! (Mae'n wir, o'i safbwynt hi, mai'r clefyd oedd ar fai, nid hi.)

Yn ystod haf 2003, fe aethon ni i briodas ac roedd Minnie wrth ei bodd yng nghanol y miri ac yn ymuno yn y canu. Dechreuais deimlo cywilydd a dweud wrthi na fyddwn i'n mynd â hi i unrhyw achlysur o'r fath byth eto. Serch hynny, rwy'n dal i fynd â hi i bob man ry'n ni'n cael gwahoddiad, yn cynnwys partïon dyweddïo, angladdau a digwyddiadau yn y llysgenhadaeth. Mae'n rhaid i mi wneud yn siŵr fod dwbl yr amser gennyf i gael Minnie'n barod.

Mae dementia Minnie wedi effeithio ar ei lleferydd a'i dewis o eiriau. Mae'n dweud pethau fel 'Cer o dy ffordd di!' yn lle 'Cadw draw!' Mae'n sgwrsio â'r neges sydd wedi'i recordio ar beiriant ateb y ffôn. Mae'n siarad â'r portread o'i mam fel tasai hi'n cael sgwrs go iawn â hi. O gael ei hannog i wneud rhywbeth, bydd Minnie'n ateb trwy ddweud, 'Na, na, na,' er ei bod hi'n golygu 'Ie, ie, ie,' fel cymeriad Jim ar *The Vicar of Dibley*.

Pan o'n ni allan am dro gyda'n gilydd unwaith, cwynodd Minnie wrth ddyn ar y stryd 'mod i'n ei dilyn hi. Doedd y dyn, druan, ddim yn gwybod beth i'w wneud – doedd e ddim wedi'i argyhoeddi o gwbl mai fi oedd ei gŵr hi. Ro'n i'n gallu chwerthin am y peth wedyn, ond roedd yn gyfnod digon anodd ar y pryd.

Sicrhau'r driniaeth a'r gofal iawn

Cynyddu wnaeth y problemau ymddygiad yn 2001. Pan oedd gofalwraig ifanc gartref gyda hi ac wedi cael llond bol ar Minnie'n mynnu gwrando ar Elvis a Dean Martin, cafwyd ffrwgwd, a honnwyd bod Minnie wedi ymosod arni. Wedi ymchwiliad trylwyr gan reolwr gofal y gwasanaethau cymdeithasol a minnau, gollyngwyd yr honiadau.

Yr haf hwnnw, oherwydd y problemau cynyddol gyda'i hymddygiad, cafodd Minnie bresgripsiwn ar gyfer tabledi bedair gwaith cryfach na'r dogn cychwynnol o'r niwroleptig haloperidol gan seiciatrydd ymgynghorol dros dro. O fewn deuddeg awr, roedd Minnie yn swp yn ei chadair, heb fwyta nac yfed; ar ôl deunaw awr roedd ei llygaid yn farwaidd a doedd hi ddim yn gallu ein hadnabod ni: roedd hi fel rhyw sombi ac ochr chwith ei hwyneb ar dro. Fe ofynnon ni i'r meddyg ymgynghorol ddod â'r driniaeth i ben ond mynnodd ei fod eisiau ei harsylwi am bedwar neu bum diwrnod. Fe fynnon ni ei fod yn rhoi stop ar y cyffuriau. Rhoddodd y nyrs Admiral wybodaeth i mi gan y British National Formulary (canllaw proffesiynol ynglŷn â rhagnodi cyffuriau) a'r Alzheimer's Society,[1] a'n helpodd ni i herio'r meddyg ymgynghorol. Dywedodd y byddai cleifion fel Minnie'n cael therapi sioc drydanol yn ei wlad enedigol. Awgrymodd y nyrs iechyd meddwl oedd yn gweithio gyda'r meddyg ymgynghorol y gallen nhw anfon Minnie i ysbyty'r meddwl i barhau â'r driniaeth, awgrym a gafodd ei wrthod yn llwyr. Fe ddywedon ni y bydden ni'n gwneud her gyfreithiol, am nad oedd Minnie'n berygl i'r cyhoedd nac iddi hi ei hun. Yn y pen draw, cytunodd i leihau'r dogn yn raddol dros gyfnod o dri diwrnod, gan ychwanegu Aricept. Pan ddychwelodd y seiciatrydd ymgynghorol parhaol, rhoddodd Minnie mewn uned asesu ac atal yr haloperidol.

Yn ddiweddarach yn y flwyddyn argymhellodd y meddyg ymgynghorol y dylai Minnie symud i gartref gofal y GIG, rhywbeth y cytunais iddo ar y dechrau. Wedi trafodaeth gyda'r teulu, newidiais fy meddwl gan awgrymu gofalu am Minnie gartref am wythnos am yn ail â'r cartref gofal, gan adolygu'r sefyllfa bob chwe mis. Gwnaed y trefniadau, ond dros y blynyddoedd, roedd y meibion wedi bod yn pryderu am gyflwr fy iechyd a'm lles i, felly mae'r trefniadau seibiant wedi eu haddasu i un mis gartref a mis arall i mewn. Mae ansawdd ein bywyd yn well pan fydd Minnie gartref ac mae'n fwy cyfleus i'n meibion a'n ffrindiau ymweld a sgwrsio â hi. Rwy'n fwy pryderus, ac mae fy mhwysedd gwaed yn uwch pan fydd Minnie yn y ganolfan gofal seibiant, er ei bod hi'n heriol yn gorfforol ac yn feddyliol pan fydd hi gartref. Yn ystod y mis o ofal seibiant rwy'n ymlacio, yn ymgryfhau ac yn adfywio. Weithiau, rwy'n ymweld â 'mrawd a'm chwaer dramor, neu'n gwirfoddoli.

Pan fydd hi'n cael gofal yn y ganolfan seibiant, ry'n ni mewn cysylltiad agos o hyd gyda'r staff er mwyn sicrhau gofal o'r ansawdd gorau. Ry'n ni wedi dod ar draws cynorthwywyr gofal iechyd sydd wedi gwisgo'i hesgidiau ar y traed anghywir; wedi gadael menig yn ei dillad isaf; ac wedi eillio'i haeliau a'i blew cedor. Ymosododd claf arall yn rhywiol ar Minnie a rhoddwyd gor-ddos o gyffuriau iddi. Bu'n rhaid i ni wneud cwyn swyddogol. Fel arfer ry'n ni'n gyndyn o gwyno ac yn trio setlo materion trwy drafod â rheolwyr y ganolfan, ond pan fydd y rheini'n gwrthod mynd at wraidd y broblem, does dim dewis. Yn y cartrefi gofal ceir sefyllfa lle mae gweithwyr proffesiynol yn barod – i ryw raddau – i dderbyn a goddef camweddau rhywiol y naill glaf yn erbyn y llall. Ceir heriau diwylliannol hefyd a phroblemau ieithyddol ambell waith, gyda'r cynorthwywyr gofal iechyd yn dod o amrywiol gefndiroedd. Mae cadw staff yn broblem arall, a phrin yw'r hyfforddiant sy'n cael ei gynnig mewn gofal dementia. Weithiau, bydd aelodau'r staff yn anwybyddu anghenion gofal sylfaenol cleifion bregus sydd â dementia, rhai ohonyn nhw heb gefnogaeth gan eu teuluoedd. Ry'n ni'n sylweddoli bod staff gofal yn trio gwneud eu gorau dan amgylchiadau anodd iawn, ond yn teimlo'n gryf fod angen newidiadau sylweddol a brys o safbwynt agwedd a diwylliant.

Cael gafael ar gefnogaeth

Pan gynigiodd Gwasanaethau Nyrsys Admiral ymweliadau misol i'n cefnogi ni yn 1997, ro'n ni'n credu bod hynny'n rhy aml, felly doedd gennym ddim help ar y dechrau. Yn ddiweddarach, roedd gallu trafod strategaethau gofal a dulliau ymdopi a sut i gael gafael ar wasanaethau gofal iechyd yn ddefnyddiol dros ben. Cyn hynny, ro'n i'n arfer trefnu i un o'r tri mab eistedd gyda Minnie er mwyn i mi allu mynd allan, ac yn eu hannog nhw i ymgymryd â'i gofal personol hi. Yn ddiweddarach, wrth iddyn nhw fynd yn fwy prysur a methu helpu cymaint, sylweddolais (gyda thipyn bach o anogaeth) y gallwn i gael help gan y gwasanaethau cymdeithasol a'r gwasanaethau seibiant gwirfoddol, a dyna a ddigwyddodd yn y flwyddyn 2000.

Ymunais â'r Alzheimer's Society ar unwaith. Mae'r cyngor a'r erthyglau gan ofalwyr ynglŷn â'u profiadau nhw yn y cylchgrawn misol wedi fy helpu i ofalu am Minnie gartref, gyda chefnogaeth taflenni gwybodaeth y gymdeithas. Rwy'n rhoi'r rhain i'r meibion ar ôl i mi eu darllen.

Rwyf hefyd yn mynd i siarad am fy mhrofiadau fel gofalwr yn *for dementia* ac ar gyrsiau nyrsys iechyd meddwl yng Ngholeg y Brenin. Mae nyrsys Admiral yn rhedeg grwpiau cefnogi gofalwyr lle ry'n ni'n rhannu ein profiadau am ofalu am anwyliaid yn y cartref, strategaethau gofal, sicrhau gwasanaethau eraill, effeithiau da a drwg meddyginiaethau dementia, pa mor hawdd ydy cael gafael ar gyffuriau dementia ac ati. Yn sgil hyn, fe sefydlais i grŵp Caffi Alzheimer Westminster yn 2000 – grŵp ar gyfer pobl â dementia a'u gofalwyr sy'n cyfarfod unwaith y mis gyda chymorth nyrs Admiral. Gan fod cerddoriaeth yn ffordd ardderchog o symbylu pobl sydd â dementia, mae cerddorion yn cael eu gwahodd i'r cyfarfodydd bob yn ail fis. Mae dysgu gan ofalwyr o deuluoedd eraill yn ysbrydoliaeth ac yn helpu gyda fy strategaeth ymdopi ddyddiol.

Y ffordd gywir o fwyta hwyaden Peking

Mae'n rhaid i ofalwyr dementia wynebu heriau moesegol o hyd. Allwn ni ddim ond gweithredu ar sail ffydd a chariad, ond dydyn ni byth yn gwybod a wnaethon ni'r peth iawn. Rhaid i ni gysuro'n hunain â'r ffaith ein bod ni wedi trio gweithredu er lles y person sydd â dementia (a chydnabod efallai fod rhyw elfen o'n dewis personol ein hunain yn rhan o'r cyfan hefyd).

Pan fydd Minnie'n dweud ei bod hi eisiau mynd at ei mam, fydd hi ddim yn barod i dderbyn y ffaith ei bod hi wedi marw ryw 40 mlynedd yn ôl. Wedyn byddwn ni'n rhoi'r llun o'i mam yn yr ystafell a phryd bynnag y bydd Minnie'n gofyn amdani, ry'n ni'n ei chyfeirio at y llun, ac mae hynny'n tawelu ei meddwl hi. Ar adegau, mae Minnie'n fy ngalw wrth enw ei brawd hŷn, ac yn ypsetio pan fydda i'n ei chywiro.

Yn ystod haf 2001, ymgasglodd ffrindiau at ei gilydd mewn bwyty Tsieineaidd yn dilyn angladd ffrind a chawson ni hwyaden Peking i'w fwyta. Aeth y bobl wrth y bwrdd ati i weini'r bwyd yn y ffordd draddodiadol, ond gwrthododd Minnie â derbyn hyn. Bu'n rhaid i ni gymysgu holl gynhwysion y pryd bwyd gyda'i gilydd – dim ond wedyn yr oedd Minnie'n barod i'w fwyta.

Drwy gyfrwng y profiadau gofalgar yma ry'n ni'n dysgu sut i fynd i mewn i'w byd hi, yn hytrach na mynnu ei bod hi'n ymuno â'n byd ni. Mae dilyn trywydd Minnie'n llai o her i'r ddau ohonom, ac felly does neb yn cael cam. Weithiau, yn achos person sydd â dementia, gall mynnu'r gwirionedd o hyd gael effaith wael ar y gofalwr a'r un y mae'n gofalu amdano.

Ysbrydolrwydd

Rwy'n Fwdhydd ac yn myfyrio'n gyson. Yn ystod y dyddiau cynnar, byddai Minnie'n cadw'i hun yn brysur drwy olchi'r llestri neu lanhau. Wedyn dechreuodd y gweiddi. Pan oeddwn i'n gofyn iddi fod yn dawel, byddai'n gwneud hynny am ychydig funudau, ond yna, byddai'r cyfan yn dechrau eto. Wedyn, dechreuodd Minnie eistedd wrth f'ochr, naill ai'n siarad neu'n syrthio i gysgu. Ar un adeg, roedd gan Minnie gymaint o ddiddordeb mewn hetiau nes iddi roi un ar fy mhen i, rhoi ei llaw ar f'ysgwydd, a dweud, 'Rwyt ti'n edrych mor dda, rwy'n dy hoffi di.' Neu byddai'n rhoi ei llaw ar f'ysgwydd ac yn gofyn i mi o'n i'n ei charu hi, ac os felly, fod angen i mi nodio 'mhen. Roedd hyn yn mynd dan fy nghroen i'n sobor ar y dechrau, am ei fod yn tynnu fy sylw oddi ar fy myfyrdod. Yn ddiweddarach, chwerthin lond fy mol fyddwn i'n ei wneud ac yn ei chofleidio hi yn y pen draw.

Rwy'n ystyried y da a'r drwg o safbwynt gofal dyddiol fel heriau, ac wrth eu hystyried, maen nhw'n dod yn llai o faich. Mae'n dod yn bleser dal ati i ofalu am Minnie a dysgu strategaethau ymdopi newydd.

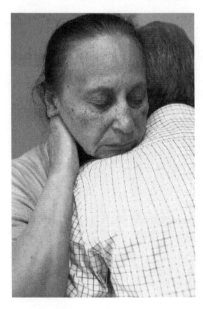

Pan fydd un math o ymyrraeth gofal yn gweithio a Minnie'n gwenu arna i neu'n dweud gair o werthfawrogiad, mae'r holl rwystredigaethau a'r teimladau drwg yn diflannu ac rwyf wrth fy modd.

Minnie Htay gyda'i gŵr, U Hla Htay
© Alzheimer's Society

Gobaith a dymuniadau

Gan mai prin y gall Minnie gyfathrebu ar lafar erbyn hyn, mae'n rhaid i ni fod yn fwy sylwgar, a bod yn ymwybodol o bob gweithred o'i heiddo fel y gallwn ni ddehongli ei hanghenion er mwyn canfod ffyrdd o symbylu ei synhwyrau. Pan fydd Minnie'n ein gweld ni, daw gwên fach gynnil i oleuo'i llygaid ac weithiau bydd hi'n cynnig ambell air o gyfarchiad. Mae hi wedi dod i gyffwrdd mwy, ac fe fydd hi bob amser yn gwerthfawrogi coflaid a chusan ar ei boch. Arferai ein meibion ei chyfarch fel 'Mam' ond nawr dim ond i'w henw y bydd hi'n ateb, felly maen nhw'n defnyddio'i henw nawr wrth ei chyfarch, fel minnau.

Yn ystod y flwyddyn neu ddwy ddiwethaf, mae dau o'n meibion wedi priodi ac mae gennym wyrion. Fe ddaeth Minnie i'r priodasau gyda ni, am na allen ni adael iddi fod yn absennol o ddathliadau teuluol mor hapus. Ry'n ni'n gwerthfawrogi dealltwriaeth a chefnogaeth garedig ein teulu yng nghyfraith a'n ffrindiau. Roedd yr achlysuron yma'n hynod bleserus ac roedd hi'n hyfryd gweld Minnie'n dawnsio drwy'r nos.

Pan fydda i'n gweld cyplau oedrannus, rwy'n dyheu am gael bod yn debyg iddyn nhw gyda Minnie – rhannu ambell jôc, materion teuluol, mwynhau'r pethau ro'n ni'n arfer eu mwynhau. Y cysur sydd gennyf yw ein bod ni'n rhoi ein cariad a'n gofal i gyd iddi hi, a bod Minnie'n gwybod ac yn gwerthfawrogi hynny. Ry'n ni'n benderfynol o ofalu am Minnie mor hir ag y gallwn ni, i'w gwneud hi'n hapus a'i chysuro yn ystod y blynyddoedd sydd i ddod.

Nodiadau

[1] Ewch i www.alzheimers.org.uk/about-dementia/treatments/drugs/drugs-used-relieve-behavioural-and-psychological-symptoms, gwelwyd 1 Ebrill 2019.

7

Hanner byd i ffwrdd

Anna Young

Hydref 2007: Aqua Calientes, Periw

Alla i ddim credu'r holl bethau rwyf wedi eu gwneud yn ystod y dyddiau diwethaf. Dringo, sgrialu, cael fy llusgo i fyny ac i lawr i weld rhai o'r lleoliadau mwyaf cysegredig ym Mheriw, gwlad rwyf wedi bod yn dyheu am ymweld â hi fyth ers i ffrind anfon cerdyn post du a gwyn aneglur ataf ugain mlynedd yn ôl, bron. Dair blynedd yn ôl, pan drefnais i'r daith hon, fe dorrais fy nghoes. Wedyn, ddwy flynedd yn ôl, cafodd taith arall ei chanslo. Ond rwyf yma nawr. Ry'n ni wedi bod yn brysur iawn ond, yn rhyfeddol, does gen i ddim poen yn unman. Bydd fy nghorff yn brifo mwy ar ôl diwrnod yn yr ardd! Mae'r cyfan yn gwneud i mi sylweddoli cymaint o ymdrech yw gofalu am Crispian. Rwyf wedi dyheu am ei weld yn gwella. Rwyf wedi gobeithio y byddai'n sefydlogi dan fy ngofal i. Rwyf wedi wylo dagrau hallt, wedi gweiddi yng nghlustiau'r gwynt, wedi'i ddychryn gyda fy rhegfeydd am dri o'r gloch y bore, wrth newid y dillad gwely am yr eildro'r noson honno.

Ond yn ofer. Bob dydd, pa faint bynnag rwy'n gofalu amdano, na beth bynnag rwy'n ei wneud, mae e wedi llithro, neu wedi disgyn hyd yn oed. (Yn llythrennol, weithiau, fel y tro hwnnw pan syrthiodd ar bot blodyn mawr yn llawn mynawyd y bugail, a chael clwyf ar ei law.) Mae'n ymbellhau. Dydw i ddim yn gwybod i ble mae'n mynd, a dydw i ddim yn deall yr iaith, na'r wlad y mae'n byw ynddi bellach. Er cymaint rwy'n brwydro i'w dynnu yn ôl o ochr dibyn dementia, mae'n fy ngadael i beth bynnag.

Rwy'n ei ddal am ychydig, weithiau am gymaint ag awr, gydag ambell gwis, croesair, gemau cof. Yn ystod yr adegau hynny pan mae ei feddwl yn glir, mae'n gofyn, 'Pam mae hyn yn digwydd? Beth sy'n bod? Pam nad ydw i'n gallu meddwl yn glir, pam ydw i'n colli fy ffordd?'

Rwy'n egluro mai'r afiechyd sy'n gyfrifol. Mae hyn bob amser yn ei dawelu. Nid fe sydd ar fai, egluraf wrtho, ond ei ymennydd. Unwaith, yn rhyfeddol iawn, ar ôl i mi sgrechian arno am gamymddwyn mewn rhyw ffordd, dywedais wrtho nad colli fy nhymer ag e o'n i, ond â'r salwch. Bedair awr ar hugain yn ddiweddarach, dywedodd, 'Ti'n gwybod pan ddywedaist ti nad colli dy dymer â fi wnest ti, ond â'r afiechyd?'

'Ie,' atebais, gan ddisgwyl beirniadaeth.

'Wel,' aeth yn ei flaen, 'roedd hynny'n gysur mawr i mi.'

Ionawr 2008

Ffoniodd y cartref bore 'ma. Roedd ei drwyn wedi bod yn gwaedu (y pedwerydd tro'r wythnos hon) ac roedd e wedi syrthio am 3 o'r gloch y bore. Diolch byth na wnaethon nhw ffonio bryd hynny. Roedd wedi bod yn anymwybodol am rai munudau. Fe alwon nhw am y parafeddygon a heddiw roedd ei asennau'n brifo. Dywedodd y rheolwr nad oedd yn meddwl bod Crispian wedi torri unrhyw esgyrn ond yn hytrach wedi cleisio'i asennau ac y byddai'n cadw llygad arno. Pam wnaeth e syrthio am 3 o'r gloch y bore? Pam nad oedd e'n cysgu'n drwm? Mae staff y cartref wedi dweud wrtha i ei fod yn tueddu i grwydro yn ystod y nos, a chan ei fod yn mynd i'w ystafell fin nos am 7.15 (am ei fod wedi blino'n lân erbyn hynny ac yn syrthio i gysgu yn ei gadair, felly maen nhw'n mynd ag e i'r gwely), mae'n siŵr ei fod yn deffro tua 2 neu 3 y bore, wedi cael digon o gwsg.

Beth fydd yn digwydd? Beth fydd pen draw hyn oll – achos dod i ben wnaiff pethau: sawl diwrnod fydd yna eto cyn i rywun fy ffonio a dweud ei fod wedi cael trawiad ar y galon, wedi syrthio'n ddrwg, neu â niwmonia? A fyddai gwybod yn help? Mae'r teulu i gyd yn cytuno bod ansawdd ei fywyd yn weddol dda; mae'n ein caru ni a'i deulu, yn enwedig ei wyrion, ac mae wrth ei fodd ac yn teimlo'n falch iawn pan fyddwn ni'n mynd i'w weld. Mae'n mwynhau gweld ymwelwyr, ac mae'n hapus iawn yn eu cwmni. Mae wrth ei fodd yn mynd allan am dro, ac fe fydd weithiau'n cerdded heb help, cyn dechrau plygu ymlaen, a gwegian, ac yna'n mynd i'w gadair olwyn. Weithiau, pan fydd yn simsanu ac yn methu cerdded o gwbl, ymweld ag e yn un o lolfeydd y cartref fyddwn ni, lle bydd y staff yn dod â the a bisgedi i ni.

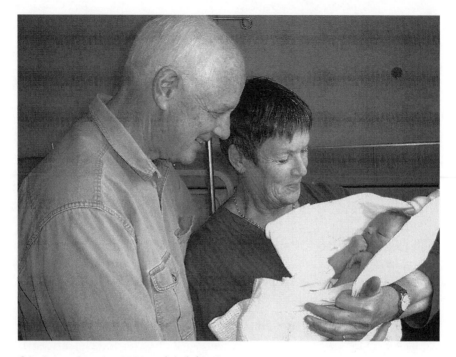

Crispian ac Anna yn 2003 gyda'u hŵyr, Lev

Ry'n ni'n siarad, neu'n hytrach fe fydd e'n siarad, ac fe fyddwn ni'n trio dyfalu cyd-destun ei sgwrs. Dim ond y rhai sy'n agos ato ac yn gwybod hanes ei fywyd sy'n gallu dechrau dyfalu am beth mae e'n sôn. Er enghraifft, un diwrnod sylwodd y staff arno'n nôl ei gês o'i ystafell, yn ei lusgo i mewn i'r lolfa ac yn eistedd ar gadair. Pan ofynnwyd iddo beth roedd e'n ei wneud, atebodd, 'Disgwyl y trên, ac alla i ddim gadael y platfform tan i'r trên gyrraedd.' Dechreuodd anesmwytho pan drion nhw newid y sefyllfa. Mae'n debyg iddo eistedd yno am oriau.

Pan es i'w weld yn ddiweddarach y diwrnod hwnnw, soniais wrtho'n dyner am bryderon y staff, a'i atgoffa o'r hyn oedd wedi digwydd. Atebodd, 'Disgwyl am y trên o'n i.' Gofynnais iddo i ble roedd e'n mynd ar y trên, ac atebodd, 'I'r ysgol.' Roedd hynny'n gwneud synnwyr. Ers pan oedd yn naw mlwydd oed, bu'n ddisgybl mewn ysgol breswyl. Byddai weithiau'n gorfod mynd yn ôl i'r ysgol ar ei liwt ei hun ar ddiwedd y gwyliau. Byddai ei fam yn ei yrru i'r orsaf leol, yn ei hebrwng i'r platfform ac yn dweud wrtho am beidio â symud, ac yna byddai gard yn gwneud yn siŵr ei fod yn mynd ar y trên cywir, ac aelod o staff yr ysgol yn ei nôl y pen arall. Roedd y cyfan yn gwneud synnwyr (o wybod y cyd-destun). Mae'n anffodus nad oes digon o staff yn y cartref i allu treulio amser yn eistedd ac yn siarad ag e. Gallen nhw fod wedi cael sgwrs ddiddorol a gallai'r aelod hwnnw o staff fod wedi cael clywed am blant naw a deg oed yn cael eu gadael yng ngofal swyddogion y rheilffyrdd ar ddiwedd yr 1940au!

Ionawr 2008

Rwy'n treulio hanner f'amser yn teimlo'n hynod amddiffynnol ohono, yn dyheu am fod gydag e drwy'r amser, fel rhyw angel gwarcheidiol, yn ei wylio, yn gwneud yn siŵr bod y rhai sy'n gofalu amdano'n gwneud hynny mewn modd tosturiol a deallusol; yr hanner arall ohona i eisiau iddo fe farw. Am beth ofnadwy i'w ddweud, neu ysgrifennu, a'i weld mewn print!

Fe fues i'n siarad â ffrind ychydig ddyddiau yn ôl. Bu farw ei gŵr hi'n sydyn; roedd e'n sâl am wythnos ac roedd hi a'i theulu'n gwybod yn ystod yr wythnos honno y byddai'n marw. Dywedodd ei bod hi a'i phlant wedi cael cyfle i'w gofleidio a ffarwelio ag e. Cyfeiriodd at afiechyd Crispian, gan ddweud ei fod yn marw'n araf a 'mod i'n ffarwelio ag e'n emosiynol bob dydd. Yn y grŵp rwy'n ei fynychu, mae un o'r gwragedd yno'n cyfeirio at ddementia fel 'taith'. Rwy'n cyfeirio ato fel dedfryd oes. Dydych chi ddim yn gwella; ry'ch chi'n marw o'r clefyd. Dydy hi ddim yn daith ry'ch chi'n dewis ei chymryd – ac os mai taith yw hi, yna mae'n un y mae e wedi cael ei herwgipio arni, fel tasai coets ddu wedi ymddangos ar ras o dywyllwch y nos a lleidr pen ffordd wedi gafael ynddo a'i glymu i do'r goets wrth i'r ceffylau garlamu i ffwrdd ag e.

Petai wedi marw, fe allen ni gau'r llyfr a symud ymlaen, symud i ffwrdd. Byddwn i'n prynu fflat stiwdio yn Marrakech. Fe fyddai gennym atgofion melys a chariadus ohono. Nawr, ry'n ni'n teimlo dicter, chwerwder, gofid, tristwch wrth gofio amdano – a rhwystredigaeth â'r system nad yw yn ein helpu, ac na all ein helpu. Dyn gofalus a chariadus fu e erioed, yn cynilo ac yn rhoi arian i gadw ar gyfer y dyfodol ac ar gyfer y plant. Fydden ni ddim yn mynd ar wyliau drud; mynd â'r garafán i Ffrainc fydden ni, neu, yn rhyfeddol iawn un flwyddyn, i Sbaen. Gwario arian ar ei ofal e rydyn ni bellach, gan hyd yn oed dalu treth ar y fraint. Nid fe sydd ar fai am hynny. Dyna ddigwyddodd. Digwyddodd dementia.

Hyd yn oed pan fyddwn ni'n siarad, mae pellter cynyddol rhyngon ni, fel tasai'n llithro ymhellach ac ymhellach oddi wrtha i a'n perthynas ni – sy'n wir, wrth gwrs. Bellach, dydw i ddim yn adnabod y dyn sydd o 'mlaen i. Ai dyma'r dyn rwy wedi rhannu 40 mlynedd ddiwethaf fy mywyd gydag e? Fe wnaeth gweld y ffilm *Malcolm a Barbara*[1] fy helpu i ddod i'r casgliad na allwn i wneud yr hyn wnaeth Barbara a gofalu am fy ngŵr tan y diwedd. Does dim digon ohona i. Mae angen chwech ohona i i wneud y swydd yma.

Fe gollais i bum stôn o bwysau'r llynedd. Roedd yr amseru'n ffafriol ond dydw i ddim wedi gallu gweithio allan yn iawn pam hynny. Ar adeg pan mae angen mwy ohona i, yn bendant o safbwynt ysbrydol, lleihau'n gorfforol wnes i, yn fwriadol. Llwyddais i ddod o hyd i ddeiet oedd yn gweithio i mi, am y tro cyntaf yn fy mywyd. Pan o'n i'n pwyso 16 stôn, ac yntau wedi syrthio, o leiaf ro'n i'n gallu ei droi e â 'nhroed. Nawr 'mod i'n 11 stôn, prin ydw i'n gallu ei symud, ac rwy'n gorfod ei adael yn y man a'r lle, a cheisio help i'w symud. Efallai mai dyna a wnaeth i mi sylweddoli bod angen help arna i. Allwn i byth wneud y cyfan ar fy mhen fy hun. A minnau wedi bod yn abl, yn gryf, yn wydn ac yn drefnus drwy f'oes, dyma fi nawr yn gorfod cyfaddef 'mod i wedi fy llorio. Roedd y person ro'n i'n ei garu fwyaf wedi fy llorio i.

Chwefror 2008

Fe es i i edrych ar fflat heddiw. Mae meddwl am symud yn fy nychryn yn ogystal â 'nghyffroi i. Ry'n ni wedi bod yn byw yma ers 25 mlynedd, ond mae cynnal a chadw'r tŷ yn mynd yn drech na mi. Mae rhywbeth i'w wneud o hyd: y coed, yr ardd, y cwteri. Bron bob tro y bydda i'n camu'r tu allan, rwy'n sylwi ar rywbeth arall sydd angen ei wneud. Er bod gen i deulu gerllaw, rwy hefyd yn gwybod eu bod nhw'n brysur gyda'u teuluoedd ifanc eu hunain.

Rwy'n credu bod Crispian wedi mwynhau cael mynd am dro yn ei gadair olwyn ar hyd glan y môr. Mae'n anodd dweud. Roedd yn rhaid i mi fynd i nôl rhywbeth o gist y car, felly fe wnes i ei adael yn eistedd yn y sedd flaen, ac yn sydyn roedd y car yn symud. Neidiais i sedd y gyrrwr, ac erbyn hynny roedd e wedi codi'r brêc unwaith eto! Pwysais fy mhen yn erbyn yr olwyn lywio a chrio. 'Fe wnes ti ollwng y brêc!' ysgyrnygais arno.

'Do,' meddai, 'ond fe wnes i ei godi eto!'

Pan gyrhaeddon ni'r llofft, roedd yna stryffaglu eto wrth i mi drio tynnu ei siaced, ei freichiau'n sythu wrth i mi lithro'r siaced oddi arnyn nhw. Rwy'n gwybod beth ddylwn ei wneud. Fe ddylwn i egluro'n araf a gofalus beth rwy'n bwriadu ei wneud, wedyn ei helpu i wneud hynny'n dyner. O ystyried beth oedd newydd ddigwydd ac o feddwl y gallen ni fod wedi llithro'n araf i ganol y briffordd, neu'r wal, mae'n hawdd anghofio beth ddylid ei wneud ar adegau fel hyn.

Mae gofalu am Crispian yn torri fy nghalon ac yn ei chaledu yr un pryd. Rwy'n teimlo cymaint o dosturi drosto a'i gyflwr. Mae rhan ohono'n ymwybodol o'r hyn sy'n digwydd iddo. Wedi'r digwyddiad gyda'r brêc, pan o'n i'n gadael, dywedodd, 'Dyw hyn ddim yn gweithio, ydy e?' Ailadroddais ei eiriau'n uchel wrtho a gofyn beth oedd ddim yn gweithio. 'Ti, fi a'r plant, eu plant nhw ...' atebodd, a'i lais yn tawelu. Rwy'n credu ei fod yn ymwybodol o'r ffaith ei fod e wedi 'nghorddi a'm siomi i, ac rwy'n amau bod y sefyllfa'n ei atgoffa o'i briodas flaenorol a'i ysgariad (40 mlynedd yn ôl). Yn ei ben, mae amser a lle wedi'u hasio at ei gilydd, a dydy meddyliau a syniadau ddim yn dilyn trefn resymegol. Eglurodd y niwrolegydd fod clystyrau o gelloedd yn marw yn ei ymennydd, felly pan fydd e'n cael syniad neu'n cofio am rywbeth, mae'n rhaid i'r syniad neu'r atgof neidio dros y clwstwr, a phwy a ŵyr ble fydd yn disgyn wedyn. Weithiau, mae'n ymwybodol fod y naid yn un afresymol, gan chwerthin a dweud, 'Dydw i ddim yn siŵr ble rwy'n mynd gyda hyn!' Pan fydd e'n dweud rhywbeth fel hyn, mae'n ingol. Mae'r dyn deallus yma'n ymwybodol o'r ffaith fod ei ddeallusrwydd yn dadfeilio.

Chwefror 2008

Pan ddeffrois i'r bore 'ma, ro'n i'n dyheu am gael bod yn rhywle arall. Ond, fel arfer, stryffaglu gyda'r gadair olwyn fydda i unwaith eto, yn ei gwthio a'i chodi i gist y car, ynghyd â'r sedd, y bag, yr het a'r menig, y bag clytiau a'r padiau sbâr a'r hancesi gwlyb, a mynd i'w nôl o'r cartref. Mynd i lawr i lan y môr wnawn ni, ac fe fydd e'n baglu ac yn syrthio neu'n cerdded i ffwrdd i gyfeiriad arall, heb weld y gadair olwyn, a phan fydd yn gweld y gadair olwyn fydd e ddim yn gallu eistedd ar y sedd. Mae fy merch a minnau'n ei annog i blygu ei bengliniau er mwyn ei gwneud hi'n haws iddo eistedd i lawr, ond mae e'n gwrthod yn bendant, a dyna lle byddwn ni'n ailadrodd y geiriau, 'Plyga dy bengliniau, plyga dy bengliniau,' nes ei fod yn deall. Ry'n ni'n mynd i gael bwyd mewn bwyty lle mae'r staff yn oddefgar iawn; ry'n ni'n bwnglera'n ffordd i mewn, yn goetsys, yn blantos bach, plant pedair blwydd oed, y gadair olwyn, yr anorac a'r blancedi ac ati i gyd, a phopeth arall sydd ei angen arnom ar gyfer diwrnod oer ym mis Chwefror. Mae'n dipyn o ymdrech i'w gael allan o'r gadair olwyn er mwyn gallu eistedd ar gadair wrth y bwrdd. Rwy'n gweddïo ei fod wedi bod yn y tŷ bach cyn gadael y cartref, achos alla i ddim goddef y syniad o fynd ag e i'r toiled sydd ddim yn doiled ar gyfer yr anabl, am na fydd digon o le i mi allu ei helpu. Os ydy hyn yn swnio'n galon-galed a chwerw, mae hynny oherwydd nad ydw i'n gwybod ble mae fy nghalon yn fy mherthynas i ag e wedi mynd. Bellach dydw i ddim yn adnabod y dyn yma rwy wedi'i garu mor angerddol ers cymaint o amser, wedi magu pump o blant gydag ef.

Dydy hon ddim yn swydd y buaswn i'n dewis ei gwneud o wirfodd. Rwy'n ddig – yn ddig am mai dyma ein hymddeoliad, 'mod i'n disgwyl am lawdriniaeth fawr, a bod popeth mor wahanol i'r hyn ro'n i wedi'i ddisgwyl.

Hydref 2007: Machu Picchu

Mae'n ddiwedd mis Hydref ac mae'n boethach yma yn yr haul nag y buodd hi drwy'r haf yn y Deyrnas Unedig. Mae Crispian mewn cartref gofal. Rwyf innau yma ym Mheriw. Mae'n rhyfedd. Yr wythnos diwethaf, roedd yn argyhoeddedig 'mod i'n mynd i ofyn am ysgariad ac fe ddywedodd hynny wrth y gofalwyr. Felly, pan gyrhaeddais i, fe ddywedon nhw wrtha i am fynd ag ef adref am y diwrnod. Er cymaint ro'n i'n trio'i argyhoeddi nad oedd gen i unrhyw fwriad o ofyn am ysgariad ar ôl 38 mlynedd o briodas, roedd e'n dal i gredu hynny ac yn pryderu ynglŷn â 'beth i'w ddweud wrth y plant'. Pan ofynnais iddo beth oedd e'n feddwl, fe ddywedodd, 'Wel, dyna'r peth mwyaf rhesymegol, yntê? Rwyf yma yn y gwesty a thithau yn rhywle arall. Ry'n ni wedi gwahanu. Dyna'r cam nesaf.' Roedd y gofalwyr wedi gwrando arno'n cwyno nad oedd unrhyw ystafelloedd dwbl yn y cartref, felly doedd hi ddim yn bosib i mi fynd i fyw yno hefyd. Mae'n poeni y bydd yn rhaid i ni werthu'r tŷ er mwyn i ni allu talu am y 'gwesty'. Pan fydd e'n siarad, mae'n rhaid i mi geisio dehongli'r ystyr. Mae fel tasai'r geiriau a'r ystyr yno i gyd, ond wedi eu cymysgu'n llwyr. Gyda thipyn bach o bwyll, fe alla i ddirnad y cyd-destun posibl: dyfalu ydw i, fel taswn i'n trio datrys croesair cryptig. Ry'ch chi'n trio dangos eich bod yn dilyn y cyd-destun posib, a'i hwyliau – gorbryderus, hapus, digyffro, chwareus ac ati. Hanner ffordd drwy'r broses wedyn, wrth gynnig ymateb i brofi fy namcaniaeth, yn sydyn fe fydd yn edrych yn flinedig a rhwystredig ac yn dweud, 'Na, ddim hynny.' Rwy'n dal ati (mae angen cryn amynedd i barhau â'r broses datgodio yma) gan roi cynnig ar gyd-destun posibl arall. Gall hyn gymryd hyd at deirgwaith yn hwy na'r amser a gymerodd iddo ddweud ei frawddeg wreiddiol. Ond os digwydd iddo wenu a dweud, 'Ie, dyna ni,' mae hynny'n hwb, a galla i ddal ati i ddehongli. Os ydw i'n 'gywir', mae wrth ei fodd, ac am eiliad werthfawr, ry'n ni ar yr un donfedd. Dydw i ddim yn meddwl gormod am hyn, oherwydd bod goblygiadau bod ar yr un donfedd, a'r dyfalbarhad, yr egni a'r amynedd angenrheidiol i gyflawni hyn, yn gyferbyniad llwyr i'r berthynas oedd gennym am bron 38 mlynedd. Canolbwyntio ar fagu pump o blant wnaethon ni; bydden ni'n cwblhau brawddegau'n gilydd, a byddai un edrychiad neu ochenaid yn ddigon i gyfleu llu o ystyron ac emosiynau i'r llall. Wrth i fi ysgrifennu hwn, rwyf ar lan yr Amazon a'r bysiau'n mynd i fyny ac i lawr o Machu Picchu, ieir yn clwcian o gwmpas fy nhraed, mewn gwrthgyferbyniad llwyr â'r gwestai crand ar draws y ffordd, hanner byd i ffwrdd.

Mae hynny'n fy nharo i fel teitl addas i'r darn hwn, am ein bod ni hanner byd i ffwrdd o safbwynt ein perthynas, a'r ddau ohonom yn stryffaglu â'r afiechyd yma sy'n ein hamddifadu ni o gymaint. Efallai fod treulio cyfnod hanner byd i ffwrdd yn gorfforol yn fodd i mi sicrhau annibyniaeth emosiynol. Gan 'mod i'n teithio ar fy mhen fy hun, gallaf ysgrifennu'n ddiduedd ac â meddwl rhesymegol ynglŷn â phroses dementia yn ein perthynas.

Mae ymennydd y gofalwr yn cael ei sbarduno gan fod angen ffordd newydd o feddwl i ymdopi â baich dementia o fewn y berthynas. Ceir rhyw unoliaeth o brofi symbiosis gyda'r dioddefwr. Os yw'r ofalwraig yn cyflenwi holl anghenion yr un sydd â dementia, mae'n rhaid iddi wedyn wthio'i gofynion ei hun i gefn ei meddwl. Dydy hi ddim yn bosib i ddau oroesi o fewn y berthynas hon heb ailosod y ffiniau'n sylweddol iawn. Mae angen nerth i ailfeddwl ac ailddiffinio perthynas, gan fod anghenion y claf yn cymryd blaenoriaeth dros anghenion y gofalwr. Hyd yn oed os yw'r berthynas wedi bod yn gyfartal, y gofalwr sy'n rheoli'r claf bellach: mae hynny'n angenrheidiol, oherwydd heblaw hynny, *y dementia sy'n rheoli*. Nid y dementia yw'r person.

Felly mae gwahanu'n bod, ac ymdrech gan yr un sydd heb ei

effeithio i weld yr unigolyn, ei hanfod, ac nid ei reolwr: ei ymennydd sy'n crebachu. Mae angen i ni gofio ein bod ni'n perthyn i'r un byd, ein bod ni'n rhannu'r un lle. Ac mae'n frwydr ddyddiol i gofio pwy yw e, a phwy ydw i, a phwy o'n ni, a phwy ydyn ni nawr.[2]

Nodiadau

[1] Ffilm Paul Watson, *Malcolm and Barbara: Love's Farewell*, a ddangoswyd ar ITV yn 2007. Gweler hefyd Bennod 28 o'r llyfr hwn, 'Pan fydd Geiriau'n Methu'.

[2] Bu farw Crispian yn dawel ar 22 Ebrill 2009.

8

Ble mae fy Pat i?

Pat Hill

MAE GAN FY ngŵr fath anghyffredin o ddementia ac mae'r meddygon yn yr Ysbyty Cenedlaethol ar gyfer Niwroleg a Niwrolawdrinaeth yn Queen Square, Llundain, wedi methu rhoi diagnosis llawn iddo. Mae'n bosib ei fod yn gysylltiedig â chlefyd Alzheimer, ond dydy e ddim yn cydymffurfio â'r patrwm arferol. Cyfeiriodd y seiciatrydd ymgynghorol at rywbeth o'r enw prosopagnosia: methu adnabod wynebau a lleoedd. Bydden nhw'n hoffi gweld ymennydd Derrick yn cael ei adael i Queen Square wedi iddo farw.

Priododd Derrick a minnau yn 1957 a bellach ry'n ni wedi dathlu ein priodas aur. Cafodd ei eni yn Bootle yn 1930, ond symudodd ei deulu i Southport ar ôl i bob ffenest a drws yn eu cartref gael eu chwalu gan y bomio. Gwnaeth ei wasanaeth cenedlaethol yn y llynges, gan fynd ymlaen wedyn i hyfforddi fel llywiwr gyda'r Llu Awyr, a mynd i wasanaethu fel rheolwr amddiffyn y glannau. Ar ôl gadael y Llu Awyr, gweithiodd am 34 mlynedd fel swyddog gwerthiant i Rowntree Mackintosh. Yn ystod y cyfnod hwnnw, astudiodd gyda'r Brifysgol Agored, gan ennill gradd Anrhydedd ail ddosbarth uwch. Roedd wrth ei fodd yn darllen, ac roedd ein hystafelloedd gwely'n llawn llyfrau.

Dechreuodd Derrick gael cyfnodau o deimlo'n sâl ac yn benysgafn yn 1996, pan oedd e'n 66 mlwydd oed. Byddai hyn yn digwydd bob rhyw wyth wythnos. Byddai'n teimlo'n sâl sawl gwaith yn ystod cyfnod o 24 awr, a'i drwyn a'i geg yn teimlo ac yn blasu'n rhyfedd. Dangosodd profion mai rhyw fath o epilepsi oedd arno, yn ôl pob tebyg. Ond, dydw i erioed wedi gweld Derrick yn cael ffit. Fe drawodd yn erbyn cefn car rhywun arall heb unrhyw reswm, tua'r un adeg, felly gorfu iddo ildio'i drwydded yrru. Dros y blynyddoedd nesaf, cafodd Derrick nifer o gyffuriau i'w cymryd ar gyfer ei epilepsi; aeth i grynu, glafoerio

Derrick, tua 1989

a throi'n gorff esgyrnog wrth iddyn nhw roi pob cyffur posib iddo – rhai am wythnosau ar y tro, eraill am ddyddiau. Doedd dim yn helpu.

Cafodd Derrick ei gyfeirio at ein tîm gofal iechyd cymunedol lleol ar gyfer pobl hŷn. Gwelai'r seiciatrydd ymgynghorol a nyrsys yr uned Derrick a minnau'n gyson, ond gwrthododd Derrick fynd i unrhyw ganolfan gofal dydd. Byddai'n codi ac yn cerdded allan. Ro'n i'n gallu mynd â Derrick am gyfnod i de parti yn Maidstone i rai â chlefyd Alzheimer, ac mae'r gymdeithas yno wedi parhau i fod yn gefn i mi dros y blynyddoedd.

Pan wnaeth ymddygiad Derrick fynd yn anodd iawn, byddai nyrs Admiral yn galw bob mis gyda mi hefyd gan roi llawer o gefnogaeth a chyngor bob tro. Helpodd fi i lenwi ffurflenni a dod i edrych ar gartrefi gofal gyda mi. Awgrymodd y dylwn fynd â Derrick i'r ystafelloedd newid teuluol pan fydden ni'n mynd i nofio, rhag i mi ei golli. Anogodd fi hefyd i brynu allwedd ar gyfer toiledau'r anabl, er mwyn i mi allu mynd i mewn gyda Derrick a'i newid os oedd angen. Maen nhw yno bob amser i wrando ar fy mhroblemau. Rwyf wedi bod yn lwcus iawn.

Dros y blynyddoedd, roedd Derrick yn mynd yn fwy dryslyd, ac yn dechrau meddwl fy mod i'n rhyw bymtheg o bobl wahanol. Byddwn yn newid i fod yn berson gwahanol sawl gwaith y dydd. Rwyf wedi bod yn Ffrances, yn wraig o Japan a China, yn ddynion, yn ferched, yn berthnasau benywaidd amrywiol ac yn nyrsys – ond yna, yn daer am ddod o hyd i'r fi go iawn, byddai'n galw gyda'r cymdogion yn ystod y nos, yn holi, 'Ble mae fy Pat i?' Byddai'n ffonio'r heddlu bob awr o'r dydd, yn dweud fy mod i wedi fy herwgipio. Gwnaeth hyn ar bum achlysur. Roedd e'n hynod o ofidus, wrth iddo honni 'mod i wedi rhedeg i ffwrdd gyda 'mrawd yng nghyfraith, yn ôl y sôn. Roedd yn sgrechian i lawr y ffôn ar imi gael fy anfon adref. Allai ddim derbyn y ffaith 'mod i reit wrth ei ymyl – ro'dd e'n credu mai ei chwaer, Dorothy, o'n i. Roedd yn cael llond bol ar yr holl bobl 'ddieithr' oedd yn y tŷ.

Un diwrnod, sylwais ar forthwyl roedd Derrick wedi'i roi wrth ochr y gwely i'w amddiffyn ei hun. Bu'n rhaid i mi ei guddio, ac o hynny allan, bu'n rhaid i mi addo i'r seiciatrydd y byddwn yn gadael y tŷ tasai Derrick yn meddwl mai rhywun dieithr o'n i ac yn gorchymyn i mi adael. Un noson, gwrthodais adael, ac fe roddodd ei fraich o gwmpas fy ngwddf a'm llusgo drwy'r glaw i fyny'r ffordd yn fy sliperi. 'Fe wnaiff gwraig garedig iawn ofalu amdanat ti,' meddai. 'Dwyt ti ddim yn cael aros gyda fi!' Cnociodd ar ddrws tŷ un o'm ffrindiau, ac ar ôl inni gael paned o de, llwyddodd hi i'w argyhoeddi mai fi oedd Pat.

Rywbryd arall, tua 2.30 y bore, wedi iddo dreulio oriau'n ffonio pawb yn trio dod o hyd i mi, sylwodd ar y fodrwy emrallt ar fy mys (anrheg ar achlysur ein hugeinfed pen-blwydd priodas), a chan nad oedd yn f'adnabod ar y pryd, dywedodd mai wedi dwyn y fodrwy oddi ar Pat yr o'n i. Aeth i nôl siswrn, cyllell gaws a sgiwer o'r drôr yn y gegin, gan ddweud ei fod eisiau modrwy Pat 'nôl. Ro'n i'n disgwyl colli fy mys! Roedd y fodrwy'n dynn iawn am fy mys, ond yn ffodus fe lwyddais i'w thynnu gyda help tipyn bach o sebon golchi llestri. Dywedodd fod yn rhaid i mi adael, cyn sylwi ar fy mag llaw, a dweud, 'Rwyt ti wedi dwyn ei bag hi hefyd!' a'i gymryd oddi arna i. Golygai hynny nad oedd gen i allweddi, arian, na ffôn symudol – ro'n nhw yn y bag. Allan â fi i'r nos, yn pendroni beth allwn i ei wneud. Yn sydyn, sylwais fod golau yn ffenest tŷ un o'r cymdogion. Roedd hi wedi codi i gael paned a chacen am 2.45, ac fe wahoddodd fi i mewn yn hapus ddigon. Rwyf mor ddiolchgar bod gen i ffrindiau. Roedd gweld bod rhywun ar ddi-hun a minnau'n wynebu'r fath argyfwng yn wyrth.

Bron bob dydd, byddai Derrick yn gofyn i mi adael. Arferwn gadw ambell flows a sgarff bert yn nhai cymdogion er mwyn newid f'ymddangosiad. Mi fyddwn yn gadael trwy'r drws cefn, ac yna'n ffonio ar y ffôn symudol a dweud mai fi oedd Pat, ei wraig, a gofyn a oedd am i mi ddod adref. 'Wrth gwrs!' fyddai ei ateb. 'Mae rhyw fenyw ofnadwy wedi bod yma!' Byddwn yn newid fy nillad, yn gwisgo minlliw ac ymddangos yn y drws ffrynt. Sylweddolais yn gynnar, o adael trwy'r drws cefn heb ffarwelio, ac ymddangos yn y drws ffrynt yn ddiweddarach, y byddai weithiau'n dechrau chwilio am y fi 'arall', a oedd yn dal yn y tŷ, er mwyn fy nghyflwyno iddi! Roedd e hefyd yn credu bod ymwelwyr yn bobl ddigywilydd iawn, yn dod i'w weld ac yn gadael heb ffarwelio. Mi fyddwn yn ffarwelio ag e bob tro ar ôl hynny, a'i sicrhau y byddai'n gweld Pat cyn bo hir. Roedd hynny'n gweithio'n well.

Un Nadolig ofnadwy, gyrrodd Jon, ein mab, ei wraig a'u merch fach, Jessica, allan o'r tŷ. Doedd e ddim yn eu hadnabod nhw. Gorfu i fi ffonio gwesty, a thrwy lwc, roedd ganddyn nhw ystafell sbâr. Roedd hi'n bwrw'n drwm ac yn dywyll, a Jessica fach yn crio. Ro'n innau'n crio hefyd, wrth sefyll yno yn y glaw yn eu gwylio nhw'n mynd. Y bore canlynol, dyma nhw'n ffonio a gofyn a allen nhw ddod 'nôl am ychydig oriau. Dywedais wrth Derrick eu bod nhw'n dod i ymweld â ni, a phan gyrhaeddon nhw, roedd e wrth ei fodd yn eu gweld! Doedd e'n cofio dim am y noson gynt.

Gwrthododd Derrick aros gyda'r amrywiol grwpiau oedd wedi eu trefnu i roi seibiant i mi. Yn y diwedd, llwyddais i gael ambell sesiwn dwy awr gyda rhywun o Crossroads yn eistedd gyda Derrick er mwyn rhoi cyfle i mi fynd i siopa a nofio. Weithiau, fyddai e ddim yn gadael i mi yrru'r car pan nad oedd yn f'adnabod. Byddai'n dweud nad oedd yswiriant gen i. Roedd y sefyllfa honno'n anodd iawn os oedd gen i apwyntiad. Mae'n gryf iawn, felly do'n i ddim eisiau ymrafael ag e. Doedd Derrick erioed wedi bod yn berson ymosodol, ac roedd ein priodas ni'n un hapus iawn, felly byddwn yn teimlo'n ddagreuol iawn pan fyddai'n dechrau taflu ei ddyrnau tuag ata i.

Un tro, dywedodd Derrick wrth nyrs a ddaeth i'n gweld ei fod yn dod o hyd i ferched dieithr yn ei wely o hyd, ac unwaith neu ddwy fe ddywedodd wrtha i efallai y byddai'n syniad i mi gysgu yn rhywle arall, am mai Pat roedd e ei heisiau, yn hytrach na rhywun nad oedd yn ei hadnabod.

Ymhen hir a hwyr, doedd Derrick ddim yn adnabod ein cartref. Byddai'n swatio wrth y drws ffrynt, yn ymbil am gael mynd adref. Mi fyddwn yn ei yrru o gwmpas Maidstone, yn y gobaith y byddai'n adnabod ein cartref pan fydden ni'n cyrraedd 'nôl. Weithiau, fyddai Derrick ddim yn gallu dod o hyd i'n hystafell wely. Byddai'n cyrlio'n belen ar lawr, neu i lawr staer, ar goll. Rhoddais labeli ar y drysau i gyd. Ond wnaeth hynny ddim helpu. Newidiais gloeon y drysau allanol: dringodd allan drwy'r ffenest, dros y sinc, gan rwygo'r llenni net a dymchwel y potiau blodau a phopeth o'u cwmpas. Yn ystod yr wythnosau olaf cyn iddo fynd i ffwrdd, golchodd ei wyneb yn y toiled a baeddu'r carped; yna cerddodd yn y baw a'i gario dan ei draed drwy'r tŷ.

Roedd y cyffuriau'n gwneud Derrick yn gysglyd iawn gyda'r nos a phetai'n gorwedd ar y llawr, byddwn i'n methu ei godi. Bu'n rhaid i mi ffonio'r ambiwlans ddwy noson ar ôl ei gilydd. Felly trefnwyd iddo gael

Pat gyda Derrick ar ei ben-blwydd, 2004

gofal seibiant, ond tra oedd e yno syrthiodd a malu asgwrn yn ei gefn. Treuliodd ddeg wythnos yn yr ysbyty, a dywedwyd wrtha i na fyddai byth yn cerdded eto. Ym mis Mehefin 2004 felly, cafodd fynd i gartref nyrsio arbennig o dda ar gyfer henoed eiddil eu meddwl.

Weithiau, byddai'n brathu ac yn dyrnu'r staff pan fydden nhw'n ei newid. Ond roedd e'n iawn gyda mi, fel arfer, pan oedd yn meddwl mai Pat o'n i. Mae'n anodd iawn ei ddeall yn siarad erbyn hyn. Weithiau, mae brawddeg yn dod allan yn iawn – fel petai'r gwifrau rhydd wedi ailgysylltu am eiliad.

Mae e'n baeddu a gwlychu ei hun yn aml. Roedd e'n arfer teimlo na ddylai wlychu ei hun, ond bellach, allai e ddim dweud wrth neb beth oedd y broblem. Oni bai fod rhywun yn ei wylio bob munud, ar adegau gwahanol, byddai'n tynnu ei badiau i lawr ac yn piso mewn potiau blodau, ar y bwrdd, mewn basged teganau meddal o eiddo rhywun, yn erbyn wal, ac yn fwy peryglus fyth, yn erbyn sgrin y teledu. Cafodd ei droi'n sydyn iawn i wynebu cyfeiriad arall rhag ofn iddo gael sioc drydanol! Mae e wedi mynd heibio'r cyfnod hwn bellach, ac yn cael ei newid yn aml.

Mae'n ffidlan â rhywbeth byth a hefyd. Rhwygodd y drws oddi ar ei gwpwrdd dillad newydd. Yn ffodus, mae dyn yn dod i'r cartref yn gyson i drwsio amrywiol bethau. Y tro nesaf y ceisiodd Derrick rwygo'r drws oddi ar y cwpwrdd dillad, tynnodd y cyfan am ei ben. Disgynnodd popeth oedd ar silff uchaf ac ar dop y cwpwrdd a tharo'r nyrs ar ei phen, a'i gwasgu hi o dan y cwpwrdd dillad. Chwerthin wnaeth Derrick. Drwy lwc, roedd e wedi cael ei wthio i'r ochr wrth i'r dodrefnyn ddisgyn. Mae'r cwpwrdd dillad bellach yn sownd wrth y wal.

Cafodd Derrick glun newydd yn 2006. Roedd yn rhaid i mi atgoffa staff y ward orthopaedig yn gyson o'i ddementia. Byddai tabledi parasetamol toddadwy, yn dal mewn ffoil, yn cael eu gosod o'i flaen, ac fe fydden nhw'n dal yno awr yn ddiweddarach. Cafodd foddion i drin ei rwymedd mewn cynhwysydd bychan; rhwbiodd hwn ar ei ben. Roedd e'n ludiog iawn, a wnaeth e ddim lles i'w rwymedd! Roedd yn methu tynnu caeadau ffoil oddi ar sudd oren, nac ymdopi â menyn wedi'i lapio mewn ffoil. Pan gafodd bryd bwyd tri chwrs ar hambwrdd, arllwysodd Derrick y cawl yn hapus dros ei brif gwrs gan ychwanegu'r gacen gaws geirios dros y top. Roedd fel petai'n mwynhau gwneud hynny. Gofynnais a allai gael ychydig o urddas, a chael gwisgo pants, am ei fod e'n gorwedd yno heb ddim amdano o'i ganol i lawr mewn ward gymysg, gydag ymwelwyr yn bresennol.

Synnodd Derrick bawb, oherwydd fe ddysgodd gerdded eto ymhen hir a hwyr ar ôl dychwelyd i'r cartref, er ei fod yn ei ddyblau, ac yn gafael yn dynn yn y dodrefn wrth fynd. Mae'n gorfod cael morffin hyd at bedair gwaith y dydd i helpu gyda'r boen yn ei gefn a'i glun. Dydy e ddim yn cymryd unrhyw gyffuriau ar gyfer yr epilepsi mwyach, ac mae'n ymddangos ei fod yn well o beidio â'u cymryd nhw, gan ei fod wedi peidio â glafoerio.

Rwy'n mynd â hen gatalogau gyda fi i'r cartref, er mwyn i Derrick allu troi'r tudalennau a rhwygo rhai ohonyn nhw allan yn fodlon. Mae hynny'n ei gadw'n brysur am ychydig. Sylwais fod Derrick yn edrych ar lyfr yn ddiweddar, ond bod hwnnw ben i waered ganddo. Wedyn, dechreuodd gnoi cornel y llyfr. Ac i feddwl bod Derrick yn arfer gwylltio, slawer dydd, pan fyddai'n gweld rhywun yn plygu cornel tudalen mewn llyfr.

Mae'r Brifysgol Agored yn dal i anfon llythyrau at Derrick. Roedd yr un diwethaf yn holi a oedd diddordeb ganddo mewn dilyn cwrs ôl-radd a allai roi hwb i'w yrfa.

Mae Derrick yn bwyta'n dda. Mae'n edrych yn ddigon hapus. Does gen i ddim syniad faint o amser sydd gennym ar ôl. Rwy'n hynod ddiolchgar fod gennym deulu a ffrindiau da. Rwy'n caru Derrick o hyd, ac am funud neu ddwy bob dydd, mae e'n gwybod mai fi yw ei Pat e.

9

Cariad cadarn

Maria Smith

Mae 'na ladrad wedi bod,
y lladrad mwyaf echrydus a llwfr.
Yn dawel, yn anweladwy a dideimlad,
dihangodd y lleidr o'n bywydau,
gan adael dinistr o'i ôl,
llygredigaeth,
anobaith ac anhrefn,
yn ddi-hid o bob poen,
yn ddiysgog yn wyneb ein galar.

Ei enw yw Alzheimer,
ond chafodd yr eiddo a ddygwyd
mo'i ddychwelyd,
na'r difrod fyth ei drwsio.

Cododd y lleidr hwn
gof ac amgyffred Lonnie
o'i fywyd.
Yna cafodd ei sgiliau eu datgymalu
yn raddol a llechwraidd.
Diflannu wnaeth ei sgwrs ystyrlon.
Arafu wnaeth ei gydsymudiad,
simsanodd ei gydbwysedd.
I'r wyneb daeth paranoia rhyfedd.
Y gallu i ddewis
Yn perthyn i'r gorffennol.
Dryswyd
achos ac effaith.

Lonnie yn Efrog Newydd, 2000

Ac felly
y bu'n rhaid i ni i gyd
ddioddef
digwyddiad tebyg i 9/11.

Iddo ef,
chwalwyd a malwyd
oes o atgofion
gan glefyd Alzheimer.
I ni, y teulu,
cydberthnasau tameidiog,
cyfarfyddiadau prin a brysiog
oedd realiti
ein bywydau bob dydd.
Diflannodd pleser
yn sgil colli achlysuron allweddol
ym mywydau'r plant
a'r wyrion.

Peidiodd cyfeillgarwch â thyfu,
o gael ei amddifadu
o brofiadau i'w rhannu.

Ddeng mlynedd wedyn,
mae Lonnie'n eistedd yn ei gadair
beunydd beunos,
yn sôn dim wrtha i am y byd y mae'n byw ynddo.

Rwyf i, fy hunan, yn teimlo'n glaf
o serch,
sylw a chyfeillach.
Edrychaf yn ôl a gweld
blynyddoedd o ymdrech
heb unrhyw ymateb;
yr eiliad hon
yn llawn ymsonau,
nid rhai Shakespearaidd:
does dim cynulleidfa, dim cymeradwyaeth.
Mae'r enaid yn ddrylliedig;
blinder a gorbryder yw'r cwmni cyson.

Dim ond f'ysbryd sy'n adlamu yn erbyn craig galed anobaith
ac yn codi
bob bore
i wynebu'r diwrnod newydd,
yn benderfynol o wneud gwahaniaeth.
Hoffwn greu gardd goffa
lle safai ein bywydau gyda'n gilydd unwaith:
dathlu'r dyddiau da
â gwely llachar o diwlipau coch;
anghofio pob gwrthdaro nas datryswyd
a'r cwestiynau nas atebwyd
ar ddarn trwchus
o lafant sy'n llonyddu.

Mae pob galar
yn marw yma.
Dim ond cariad cadarn
sy'n goroesi'n ddewr.

10

Cip ar fawredd
ar ffordd hir, lwyd

Helen Robinson

PAN SYLWEDDOLAIS FOD Chris, fy ngŵr, â chlefyd Alzheimer, roedd hi fel petai yna bwysau mawr yn gwasgu ar fy nghalon ac ro'n i'n teimlo'n unig ac yn ddiymadferth. Nyrs o'n i ac am rai blynyddoedd ro'n i wedi bod yn ymwneud â chlefyd Alzheimer, felly ro'n i'n ymwybodol o'r hyn oedd yn ein hwynebu ni.

Ro'n ni wedi bod yn briod ers dros 40 mlynedd ac yn caru'n gilydd yn fawr iawn. Ro'n ni wedi cefnogi'n gilydd drwy amserau da a drwg bywyd, ond erbyn hyn roedd fel pe bai'n llithro i'w fyd rhyfedd ei hun, yn bell oddi wrtha i. Pregethwr oedd e, ac roedd ei ddull grymus o bregethu a'i feddwl clir yn golygu bod pobl o bob cefndir yn dod i wrando arno'n pregethu a dysgu am y Beibl dan ei arweiniad. Ro'n i'n ei chael hi'n anodd iawn meddwl y byddai'n colli'r gallu hwn. Wrth i'r dyddiau fynd heibio, disgynnodd llen o dristwch dros bopeth yn fy mywyd wrth i mi wylio'r dyn ro'n i'n ei garu'n newid yn raddol.

Trwy gydol chwe blynedd ei afiechyd, cawsom lawer o help gan bobl broffesiynol yn ogystal â theulu a ffrindiau. Dyma ambell gip ar fawredd ar hyd y ffordd hir, lwyd, ac ro'n i'n ddiolchgar iawn amdanyn nhw.

Sylweddolais am y tro cyntaf fod rhywbeth yn bod pan oedd e'n 65. Un diwrnod pan o'n ni'n ymweld â'r ganolfan siopa arferol dechreuodd ffwndro'n lân. Doedd e ddim yn gwybod ble roedd e na pha ffordd i fynd, a ddaeth e ddim ato'i hun nes ein bod ni 'nôl yn y car ar y ffordd adref. Roedd e wedi bod yn anghofus am ychydig cyn hynny, ac roedd ei duedd i golli pethau'n ein poeni ni'n dau, ond gan ei fod yn cymryd tabledi ar gyfer epilepsi ysgafn, ro'n i'n meddwl mai dyna oedd wrth wraidd y broblem. Roedd e wedi bod yn gaplan mewn sawl carchar a byddai'n ailadrodd yr un stori am y carchar wrth unrhyw un oedd yn barod i wrando arno. Roedd ceisio dygymod â'r duedd ailadroddus hon yn anodd a diflas, ond do'n i ddim wedi sylweddoli y gallai hyn fod yn un o symptomau dementia. Efallai mai ceisio gwadu'r peth o'n i.

Ond roedd y diwrnod hwnnw yn y ganolfan siopa'n wahanol, ac ro'n i'n gwybod nad oedd modd anwybyddu'r clychau oedd yn canu yn fy mhen.

Cafodd Chris a minnau ein geni yng Ngogledd Iwerddon; roedd e'n dod o Belfast a minnau'n ferch o'r wlad o Swydd Down. Symudon ni i dde Iwerddon ar ôl priodi, am fod Chris yn credu bod Duw wedi'i alw i bregethu yno. Fe gawson ni bedwar o blant, dau fachgen a dwy ferch, ac ro'n i'n falch eu bod nhw o gwmpas y lle ac yn oedolion pan oedd Chris yn sâl.

Roedd ffydd Chris yn Nuw yn gadarn, a phan oedd f'un i'n simsanu, byddai'n dweud, 'Dydy Duw ddim yn gwneud camgymeriadau.' Trwy gydol ei afiechyd, wnaeth e erioed gwestiynu Duw na chwyno amdano, er y byddai'n teimlo'n hynod rwystredig weithiau pan na fyddai'n gallu cofio rhannau o'r Beibl, a oedd yn arfer bod mor gyfarwydd iddo. Dim ond gwneud iddo deimlo'n fwy rhwystredig fyddwn i o gynnig help iddo. Rwy'n credu mai teimlo'n ddryslyd ynglŷn â beth yn union roedd e'n trio'i gofio yr oedd e.

Ar ôl y digwyddiad hwnnw yn y ganolfan siopa, fe aethon ni i weld ein meddyg teulu. Siaradodd yn onest iawn â ni a threfnwyd i Chris fynd i weld arbenigwr mewn dementia geriatrig. Symudodd pethau ymlaen yn gyflym iawn ac ro'n i'n teimlo cryn ryddhad pan gafodd Chris ei gyfeirio at yr 'ysbyty ar gyfer yr henoed'. Yno cafodd ei asesu a'i archwilio'n llawn. Cadarnhaodd y sgan ar ei ymennydd yr hyn ro'n i'n ofni, gyda'r meddyg ymgynghorol yn egluro wrtha i mai clefyd Alzheimer oedd y broblem. Dywedodd hefyd mai un o symptomau mwyaf arwyddocaol clefyd Alzheimer yw gallu'r claf i 'dwyllo', gan esgus bod popeth yn normal.

A dyna'r gwir am Chris! Byddai'n esgus ei fod yn adnabod pobl er nad oedd ganddo syniad pwy o'n nhw. Pan fyddai rhywun yn canu cloch y tŷ byddai'n mynnu mynd i agor y drws. Pwy bynnag fyddai yno, byddai'n galw arna i gan ddweud, 'Mae dy ffrind wrth y drws,' ac wedyn doedd e ddim fel petai'n gwybod beth i'w wneud nesaf. Roedd yn union fel petai rhywbeth wedi torri ar draws ei feddyliau gan wneud iddo golli'i ffordd, ac ro'n i'n gallu synhwyro'r clymau bach yn ei feddwl yn gwneud eu gwaethaf.

Helpodd yr ymweliadau ag ysbyty'r henoed i leddfu rhywfaint ar yr ofn a'r ansicrwydd oedd yn fy meddwl. Bob pedwar mis, byddem yn treulio'r bore yno ac yn cael y gofal gorau gan dîm o weithwyr proffesiynol amrywiol. Yn well na dim, roedd y cleifion yn cael cinio hyfryd. Bryd hynny, byddwn i'n mynd i'r dafarn leol i gael cinio a seibiant. Roedd hi'n braf cael teimlo'n rhan o dîm.

Pan briodon ni, cytunodd Chris a minnau y bydden ni bob amser yn onest gyda'n gilydd, ac felly ro'n i'n credu bod gonestrwydd yn bwysig wrth sôn am ei afiechyd. Pan ofynnodd pam nad oedd e'n gallu gwneud y pethau symlaf, a pham roedd ei feddwl 'yn mynd i'r gwellt', fe ddywedais i'r gwir wrtho, mor ofalus ag y gallwn, ei fod â chlefyd Alzheimer ond bod help ar gael iddo. Derbyniodd hyn a wnes i ddim sôn llawer am y peth wedyn.

Am wn i fod dyddiau cynnar afiechyd Chris yn fwy anodd na phan oedd clefyd Alzheimer wedi gafael ynddo o ddifri. Mae fy nyddiadur yn f'atgoffa o'r dyddiau trist. Dyma un cyfeiriad: 'Cyhoeddodd Chris heddiw, "Mae fy mywyd yn anodd iawn".' Do'n i ddim wedi'i glywed yn dweud hyn o'r blaen a phan ofynnais iddo ddweud pam, doedd e ddim yn gallu dweud dim byd pellach. Yn sydyn iawn, edrychai'n hynod o fregus, fel plentyn oedd angen ei warchod, a minnau'n teimlo mor ddiymadferth o safbwynt gallu ei helpu. Roedd yna ddicter hefyd yn ystod y dyddiau cynnar hynny, pan fyddai'n mynnu yng nghanol y nos y dylen ni fynd i'r siop leol. Fe fyddwn yn trio rhesymu ag e, a chanlyniad hynny fel arfer fyddai ein bod ein dau'n gweiddi mor uchel ar ein gilydd nes 'mod i'n ofni y bydden ni'n deffro'r cymdogion.

Roedd ei godi i mewn ac allan o'r gwely ar fy mhen fy hun yn waith blinedig ac roedd hi fel petawn i'n gorfod ei helpu i fynd i'r tŷ bach byth a hefyd. Fel y dywed fy nyddiadur, 'Rwy mor flinedig, drylliedig ac euog.'

Roedd hi'n anodd ei gael yn barod i fynd i'r eglwys a mynd ag ef yno ar fore dydd Sul. Dyma oedd patrwm ei fywyd ac roedd yn bwysig iddo. Roedd gweld dyn oedd wedi bod unwaith yn bregethwr grymus nawr yn eistedd yn y rhes gefn yn tynnu edau o'i het yn fy mrifo. Ro'n i'n teimlo'n grac fod cyn lleied o bobl yn siarad ag e neu hyd yn oed yn cydnabod ei bresenoldeb. Cefais gysur gan yr ychydig rai a siaradodd

Helen a Chris, pan oedd Helen yn gofalu amdano gartref

ag e'n urddasol ac yn ddidwyll. Trefnodd arweinydd y côr yn ein heglwys ni i aelodau o'r côr ddod i ganu i Chris gartref ac yn y cartref gofal wedi hynny. Roedd wrth ei fodd â hynny ac er na allai ddilyn y geiriau i gyd, byddai'n cydganu'n awchus â nhw bob hyn a hyn.

Yn gynnar un bore dydd Sul, cefais fy neffro'n gynnar gan Chris yn dweud yn frwd, 'Dere glou, neu byddwn ni'n hwyr.'

Gan feddwl mai rhywbeth mympwyol oedd ei eiriau, dyma fi'n ateb, 'Iawn, bydda i'n barod nawr. I ble ry'n ni'n mynd?'

Roedd yn daer iawn. 'I bregethu i'r ffermwyr. Nawr paid â'n gwneud ni'n hwyr.'

Gofynnais iddo egluro pa ffermwyr, ond allai e ddim dweud wrtha i ac roedd e'n cynhyrfu ac yn mynd yn fwy rhwystredig am nad o'n i'n symud yn ddigon cyflym. Codais a gwisgo'r ddau ohonom. Roedd hi'n amlwg fod Chris yn mynd i rywle a'i fod ar frys. Roedd fel pe bai'n ymwybodol ei bod hi'n ddydd Sul cyn gynted ag yr agorodd ei lygaid, ond fel arfer doedd ganddo ddim syniad pa ddiwrnod oedd hi. Gwnaeth fôr a mynydd o'n cael ni allan i'r car ac fe'i helpais i'w sedd.

'I ble ry'n ni'n mynd?' gofynnais, ond ei unig ateb oedd, 'I bregethu i'r ffermwyr. Tua'r de amdani.'

Dechreuais yrru tua'r arfordir ac roedd e'n ymddangos yn ddigon hapus cyn belled nad o'n i'n gofyn gormod o gwestiynau iddo. Pan ofynnais iddo am beth roedd e'n mynd i bregethu neu a oedd am i mi ganu unawd, fe wylltiodd, felly ddywedais i ddim gair wedyn. Pan awgrymais y dylen ni ddewis emyn ar gyfer y gwasanaeth, cytunodd yn ddigon bodlon. Fe ddewison ni un o'i hoff emynau a dyma fi'n dechrau canu:

Y maglau wedi eu torri, a'm traed yn gwbl rydd:
os gwelir fi fel hynny, tragwyddol foli a fydd.

Roedd fy nghalon yn llawn tristwch a hapusrwydd y bore hwnnw. Yng nghanol holl rwystredigaeth ei feddwl dryslyd, oedd ei galon yn rhydd yng nghariad Duw? Buaswn yn hoffi meddwl ei bod.

Chyrhaeddon ni fyth y ffermwyr hynny, er i ni yrru am filltiroedd lawer. Rywsut fe lwyddon ni i weithio'n ffordd 'nôl tuag at ein cartref yn Nulyn, ac meddai, 'Rwy'n gweld ein bod ni 'nôl yn Nulyn 'te.'

Wrth feddwl am y digwyddiad hwn, cofiais fod yr eglwys gyntaf lle roedd e'n arfer pregethu ar ôl i ni briodi yn y wlad, a bod y rhan fwyaf o'r gynulleidfa'n ffermwyr. Roedd e'n ymweld â'i atgofion am y gorffennol yn yr unig ffordd y gallai wneud hynny.

Roedd teithio ymhell yn anodd ac yn achosi cryn dipyn o helbul. Yn aml, mewn meysydd awyr a gorsafoedd byddai'n crwydro o gwmpas y lle oni bai 'mod i'n dal ei law'n barhaus. Roedd gennym bump o wyrion ac roedd e'n eu caru nhw'n fawr, ond gan eu bod nhw i gyd yn byw yn Lloegr do'n ni ddim yn eu gweld nhw mor aml ag y bydden ni'n dymuno. Roedd plant fel tasen nhw'n gallu derbyn ei ymddygiad rhyfedd yn haws ac roedd bod yn eu cwmni'n ei wneud yn hapus ac iddo ymlacio mwy. Ro'n i wedi creu sach ffa fach iddo'i thaflu ac roedd yn dal i allu gwneud hynny'n dda, a thwyllo rhywfaint hefyd. Roedd e'n cael sbort wrth wneud hynny!

Fferrodd fy ysgwydd ac yn sgil codi Chris o hyd ro'n i mewn cryn dipyn o boen. Es i at y meddyg teulu ac fe wnaeth yntau f'achub i'n syth! Trefnodd i nyrs iechyd y cyhoedd alw gyda ni i asesu'r sefyllfa. Roedd hi'n help mawr ac am flynyddoedd lawer bu'n gefn i ni. Trefnodd bob math o offer angenrheidiol i ofalu am rywun â dementia, yn ogystal â'n helpu i lenwi ffurflenni cais am ofal cartref. Roedd bod yn unig ofalwr am Chris yn mynd yn fwy anodd i mi, hyd yn oed gyda chymorth teulu a ffrindiau.

Byddai Chris yn mynychu sawl canolfan gofal dydd bob wythnos. Roedd wrth ei fodd yng nghwmni pobl ond gallai fod yn benstiff iawn ac, ar y dechrau, roedd e'n gwrthod dod allan o'r car a mynd i mewn.

'Cer di i mewn os wyt ti eisiau,' gwaeddai arna i. 'Dwi ddim yn mynd i mewn.'

Ar ôl tri ymweliad, ildiodd yn y diwedd ac wedi hynny roedd e wrth ei fodd yn y ganolfan ddydd a gyda'r holl sylw a'r gofal arbenigol. Ro'n i'n gwerthfawrogi'r dyddiau hynny o ryddid a seibiant, a gafodd eu hymestyn wedyn i gyfnodau o aros dros nos.

Trodd ein cartref yn rhyw fath o gartref nyrsio, yn llawn gweithgaredd. Yng nghanol y cyfan roedd dau berson oedd yn trio cynnal rhyw fath o normalrwydd. Roedd cannwyll ar fwrdd y gegin a napcynau pert hefyd. Roedd cerddoriaeth ysgafn yn chwarae yn y cefndir, ond prin oedd y sgwrs. Roedd byd y ddau ohonom yn wahanol iawn i'w gilydd. Oedd e'n unig, tybed? Roedd yna adegau pan o'n i'n cael fy llethu gan deimlad o unigrwydd.

Byddai gofalwyr cartref yn galw hefyd. Rwy'n cofio'r cyntaf i alw'n glir iawn.

Milfeddyg o Zimbabwe oedd Eric, ac roedd yn astudio yma. Roedd yn gweithio fel gofalwr i dalu am ei ffioedd ac yn bopeth y dylai gofalwr fod. Roedd Chris yn dwlu arno, ac ro'n nhw'n ffrindiau mawr. Yn fy nyddiadur, ysgrifennais, 'Diwrnod pwysig dros ben. Gadawodd Chris i Eric roi cawod iddo.' Symudodd Eric wedyn, ac fe deimlon ni ei golli'n fawr iawn.

Byddai gofalwyr yn mynd a dod, ac roedd y ffordd ymlaen yn ymddangos yn ddiddiwedd ac yn llwyd dros ben. Doedd gennym ddim digon o arian i dalu am ofal yn ystod y nos ac roedd y nosweithiau'n troi'n hunllef! Ro'n i'n ei chael hi'n anodd cysgu ac er bod gennym wely trydan â chanllawiau ar yr ochr, byddai Chris yn llwyddo i sleifio at droed y gwely a chodi ohono. Roedd e'n gwlychu ac yn baeddu ac roedd ei gyflwr cyffredinol yn gwaethygu. Roedd wedi datblygu'r arfer o boeri, ac roedd amser bwyd wedi dechrau mynd yn faich ar amynedd y ddau ohonom.

Weithiau, byddwn i'n mynd â'r ci am dro o gwmpas gerddi ysbyty cyfagos a oedd yn adnabyddus am y gofal arbennig y byddai'n ei gynnig i'r henoed a chleifion anabl, yn cynnwys y rheini oedd â chlefyd Alzheimer. Rhoddais enw Chris ar y rhestr aros hir, gan feddwl efallai y byddai'n cyrraedd pen y rhestr honno ryw ddiwrnod. Ro'n i'n gwybod y byddai'n cael y gofal gorau yno, a chan ei fod yn berson cyfeillgar iawn, ro'n i'n siŵr y byddai wrth ei fodd yn cael cwmni yno.

Wrth fynd â'r ci am dro, byddwn yn gweddïo, 'Arglwydd, efallai y bydd gen ti le yma i Chris ryw ddiwrnod.' Do'n i ddim yn gwthio'r peth, a do'n i ddim yn gobeithio gormod wrth feddwl am y rhestr hir honno. Chwe mis yn ddiweddarach, canodd y ffôn. Roedd meddyg o'r ysbyty yn mynd i ddod i asesu Chris ac ystyried cynnig lle iddo yno.

Pan ddarganfuwyd mai prin y gallai gerdded erbyn hynny, cyhoeddodd y bydden nhw'n rhoi gwely iddo ar y ward gofal tymor hir cyn gynted â phosib. Rwy'n siŵr fod fy nghalon wedi stopio am eiliad! Bythefnos yn ddiweddarach, cafodd le. Rwy'n ei chael hi'n anodd disgrifio 'nheimladau fan hyn. Yr unig beth rwy'n ei wybod yw bod dagrau'n llifo i lawr fy mochau wrth i mi ysgrifennu hyn o eiriau.

Beth o'n i wedi'i wneud? Ac o'n i'n anfon fy annwyl ŵr oddi wrtha i pan oedd arno fy angen i fwyaf? Ond ro'n i'n gwybod bod angen mwy o ofal arno nag y gallwn i ei roi iddo, a bod angen i mi wynebu'r ffaith drist ei fod wedi ein gadael ni gryn amser yn ôl. Roedd bellach yn perthyn i fyd rhyfedd claf â chlefyd Alzheimer.

Ar 15 Mai 2004 aeth Chris i aros yn y ward gofal tymor hir. Bydd y diwrnod hwnnw wedi'i gerfio ar fy nghof am flynyddoedd lawer. Fe yrron ni i'r ysbyty ac roedd y daith honno'n ymddangos yn un hir ofnadwy. Doedd Chris ddim yn ymwybodol o arwyddocâd y daith honno, na'i fod ar ei ffordd i'w gartref olaf ar y ddaear.

Roedd staff y ward yn disgwyl amdanom a chafodd groeso cynnes iawn.

Roedd ei fyd wedi mynd yn gyfyng iawn ac roedd wrth ei fodd â'r cyfarchion cynnes a'r sylw caredig. Roedd y ffaith ei fod yn derbyn y newid hwn, heb gwyno, yn gwneud y llwybr yn fwy llyfn o'm safbwynt

Chris a Helen a'u ci, Sally, yn Donegal

i, er i mi deimlo'n chwith yn sgil ei ddiffyg pryder am fy sefyllfa na 'nheimladau i. Roedd yn rhaid i mi atgoffa fy hun yn aml nad oedd ei feddwl yn gallu ymdopi, druan. Felly cyfeiriais fy nhristwch at Dduw.

Ar y diwrnod hwn, flwyddyn yn ddiweddarach, dyma'r geiriau a ysgrifennais yn fy nyddiadur: 'Y diwrnod hwn, flwyddyn yn ôl, peidiais â bod yn ofalwr i Chris a dod yn wraig iddo unwaith eto.'

Roedd y rhyddhad yn enfawr ac ro'n ni bellach yn rhydd i fwynhau bywyd ychydig. Bydden ni'n mynd am dro o gwmpas y gerddi hardd ac wrth i mi ei wthio o gwmpas y lle yn ei gadair olwyn, fe fyddwn i'n canu iddo. Arferai fwynhau canu'r hen emynau cyfarwydd ond bellach mae'r rheini wedi mynd o'i feddwl a dim ond canu ambell linell ailadroddus y mae'n ei wneud. Rwy'n meddwl weithiau mai canu i mi fy hun yn gymaint ag iddo fe o'n i'n ei wneud.

> Arglwydd, arwain trwy'r anialwch,
> Fi bererin gwael ei wedd,
> Nad oes ynof nerth na bywyd
> Fel yn gorwedd yn y bedd.

Roedd y tir yn ymddangos yn anial iawn bellach. Ro'n i'n gweld eisiau Chris ac yn teimlo 'mod i ar fy mhen fy hun. Ro'n i'n bendant yn wan, 'heb nerth na bywyd', ac felly'n gofyn i Dduw fy nal yn ei ddwylo yn gyson iawn.

Roedd pethau'n well nawr ac yntau yn ei gartref newydd, ac roedd Chris, ar y cyfan, yn ddigon bodlon. Roedd y gofal nyrsio heb ei ail, felly gallwn ymlacio gan wybod ei fod yn cael y gofal gorau. Trefnid llawer o weithgareddau yn yr ysbyty ond gan nad oedd y rhain yn orfodol, roedd gan y cleifion a'u teuluoedd ddewis. Roedd yna siop goffi hyfryd y bydden ni'n ymweld â hi ac roedd yna gapel bach wrth ymyl y ward hefyd. Roedd wrth ei fodd â'r llonyddwch yno ac roedd y lle'n tawelu ei feddwl. Byddai gweinidogion o'r eglwys yn ymweld a byddai ffrind yn galw'n gyson i ddarllen y Beibl a gweddïo gyda Chris, gan ddod â chysur mawr iddo.

Ond doedd pethau ddim yn fêl i gyd. Un diwrnod, gwthiodd Terry ei hun i fyny ataf yn ei gadair olwyn a gweiddi: 'Diawl o'r IRA yw dy ŵr di. Fe driodd e ddod i mewn i 'ngwely i neithiwr.'

'Rwy'n siŵr eich bod chi wedi camgymryd,' atebais.

Roedd Terry yn aml yn ddig ac yn uchel iawn ei gloch. Doedd e ddim wedi camgymryd, mynnodd. Pan holais y nyrs ynglŷn â hyn, dywedodd fod halibalŵ wedi bod yn ystod y nos pan oedd Chris wedi mynd i le Terry ac wedi trio mynd i mewn i'w wely gwag.

Ceisiais resymu gyda Chris, 'Mae'n rhaid i ti beidio â mynd i mewn i welyau pobl eraill.'

Cefais fy synnu gan ei ateb. 'O ie,' meddai. 'Rwy'n mynd i fyny ac i fyny nes i mi gael hyd i wely gwag ac yna rwy'n i mewn iddo.'

Ac fe wnaeth hynny i mi feddwl. Rhaid bod rhyw reswm pam y rhoddodd yr eglurhad yma i mi. Roedd gwely Chris hanner ffordd i fyny'r ward. Roedd yn rhannu'r rhan honno o'r ward â dyn arall.

Fe sylweddolais yn sydyn beth oedd ganddo. Doedd Chris ddim yn gwybod ble roedd ei wely, a chan fod arno angen lle diogel iddo'i hun, roedd yn dod o hyd i'w 'gartref' yn y ffordd orau y gallai. Awgrymais hyn wrth y nyrs oedd yng ngofal y ward a deallodd hithau'r broblem ar unwaith.

'Mae'n rhaid i ni ei symud i rywle gwell,' meddai. 'Ble hoffech chi iddo fe fynd? Mae sawl lle yn rhydd.' Fe allwn i fod wedi'i chofleidio!

Fe ddewison ni gornel ym mhen draw'r ystafell wrth ymyl ffenest, yn edrych i lawr dros y lawnt. Mewn eiliad, ro'n nhw wedi symud gwely a holl eiddo Chris. Bellach, roedd ganddo'i 'gartref' bach cysurus ei hun a fyddai'n eiddo iddo ef weddill ei fywyd ar y ddaear. Roedd Chris a Terry felly'n hapus iawn.

Cododd problemau eraill nad oedd mor hawdd eu datrys. Dywedir bod ysbrydolrwydd a rhywioldeb rhywun sydd â chlefyd Alzheimer yn parhau i fodoli ar ôl i nodweddion eraill ddiflannu. Dyna'r gwir yn achos Chris. Roedd ei ysbrydolrwydd yn gysur iddo, ond roedd ei rywioldeb yn achosi problemau. Wrth i mi ei wthio o gwmpas gerddi'r ysbyty roedd yna ambell gornel a llecyn lle byddai'n mynnu, 'Stopia fan hyn inni gael caru,' a thrwy gyfeirio at 'garu' doedd e ddim yn golygu cusan yn unig! Roedd ei ddyfalbarhad yn achosi cryn wewyr meddwl i mi, ac yn fwy felly am mai problem breifat oedd hon. Yn y pen draw, bu'n rhaid i mi ddweud wrth y meddyg oedd yn gofalu am Chris. Roedd hi'n gwybod beth i'w wneud yn syth, a rhoddodd bresgripsiwn iddo ar gyfer math o dawelyddion fyddai'n datrys y broblem. Doedd e byth yn cael ei lethu'n llwyr gan y cyffur, ond roedd e'n dawel a ninnau'n gallu mwynhau mynd am dro unwaith eto.

Cyn i daith Chris ar y ddaear ddod i ben, cefais strôc fechan a 'ngyrru i'r un ysbyty, lle'r arhosais am bum wythnos. Gwthiodd y nyrsys fi i lawr i'w ward cyn gynted ag yr oedd hi'n bosib gwneud hynny. Wnaeth e fawr o sylw o'r ffaith 'mod i'n sâl ac mewn cadair olwyn. Doedd e ddim yn arfer bod felly, a gwnaeth ei ymateb i mi deimlo'n drist.

Fel yr ysgrifennodd C. S. Lewis, pan oedd salwch terfynol ar ei wraig yntau, 'Ro'n ni'n dechrau taith ar ffyrdd gwahanol. "Ewch chi, Madam, i'r dde – a chithau, Syr, i'r chwith."'[1] Roedd ein cyrff yn cwrdd, y ddau ohonom yn ein cadeiriau olwyn, ond roedd ein calonnau a'n meddyliau ymhell oddi wrth ei gilydd.'

Fe wnes i wella'n dda iawn, ond yn anffodus bu farw Chris o niwmonia ar 2 Ionawr 2006. Roedd byw drwy'r dyddiau hynny fel bod mewn breuddwyd, a hyd yn oed wrth i mi ysgrifennu'r darn hwn rwy'n teimlo rhyw fath o afrealaeth a thristwch. Roedd ein plant yn gefn mawr i mi. Rwy'n sylweddoli nad oedd cael dau riant yn sâl yn hawdd iawn iddyn nhw chwaith.

Rwy'n falch nawr 'mod i wedi gallu cerdded ar hyd y ffordd lwyd honno wrth ochr fy ngŵr pan oedd f'angen i fwyaf arno. Wrth i mi gofio'r holl ddiwrnodau heriol, rwy'n ddiolchgar am gael yr ambell gip ar fawredd a helpodd i oleuo'r llwybr.

Nodiadau

[1]   C. S. Lewis (1966) *A Grief Observed.* Llundain: Faber and Faber, t.14.

11

Mam oedd nawr yn gwisgo'r trowsus

Y teulu Malik: Sania Malik a'i merched – Ayesha, Aliyah a Fariha

Fel yr adroddwyd wrth Lucy Whitman

Sania: Dod i Loegr yn 1984 wnes i, pan briodais i. Ro'n i'n rhyw bedair ar bymtheg a 'ngŵr i tua 70. Roedd e wedi bod yn byw yn Lloegr am flynyddoedd lawer. Roedd wedi bod yn briod o'r blaen ac roedd ei wraig wedi marw. Roedd ganddo ddau fab a merch o'i briodas gyntaf. Mae ei ferch yn byw yng Nghanada a dydyn ni ddim yn ei gweld hi'n aml ond mae gennym berthynas agos â'i feibion.

Fe gefais i dair merch gydag e. Mae Ayesha yn ugain oed, yn briod bellach ac yn gweithio. Mae Aliyah yn ddwy ar bymtheg ac mae hi yn y coleg yn astudio ar gyfer ei Lefel A. Mae Fariha yn bedair ar ddeg ac fe fydd hi'n dilyn cwrs TGAU cyn bo hir.

Dechreuodd fy ngŵr i fynd yn sâl ar ôl i ni fod yn briod am ryw wyth mlynedd. Ar y dechrau, dywedwyd mai colli ei gof yr oedd e, ond wedi i bethau waethygu fe ddywedon nhw mai dementia oedd y broblem.

Ayesha: Roedd e'n gwneud pethau fel mynd allan o'r fflat a gadael y drws ar agor, troi'r nwy ymlaen heb gynnau'r fflam. Roedd yna adegau pan fyddai'n mynd allan am dro heb wybod yn iawn ble roedd e. Ar un achlysur, pan oedd y meddygon yn meddwl bod salwch meddwl arno, cafodd ei roi mewn ysbyty'r meddwl. Wedi hynny sylweddolon nhw mai dementia oedd ganddo.

Sania: Pan oedd Fariha'n ddwy a hanner, cefais strôc a bu'n rhaid i mi fynd i'r ysbyty am bythefnos. Daeth gweithiwr cymdeithasol i aros i ofalu am y plant yn ystod y cyfnod hwn, ac ar ôl i mi ddod allan o'r ysbyty, fe ddywedon nhw wrtha i y byddai'n rhaid i 'ngŵr i gael gofal preswyl. Ro'n nhw'n gallu gweld na allwn i ymdopi â gofalu am fy mhlant a 'ngŵr i yr un pryd. Fe ddywedon nhw y byddai'n ormod i mi, yn enwedig gan 'mod innau'n sâl hefyd. Treuliodd ryw bedair neu bum mlynedd yn y cartref preswyl, nes iddyn nhw fethu gofalu amdano mwyach a dyna pryd y cafodd ei anfon i'r ysbyty am y blynyddoedd nesaf nes iddo farw, ryw ddeunaw mis yn ôl. Erbyn hynny, roedd e yn ei nawdegau.

Ayesha: Ro'n i tua wyth oed pan aeth e i'r cartref gofal. Rwy'n gallu cofio fy nhad cyn i'r salwch ddechrau. Roedd e'n gweithio'n galed iawn. Roedd yn gorfforol gryf, achos byddai'n arfer gwneud llawer o chwaraeon, reslo, a llawer o bethau gwrywaidd felly. Ro'n i'n cael llawer o hwyl yn ei gwmni. Rwy'n gweld ei eisiau'n fawr adeg fy mhen-blwydd, am 'mod i'n agos iawn ato. Mae e wedi mynd nawr. Rwy'n teimlo 'mod i wedi colli ffrind agos iawn.

Aliyah: Rwy'n ei gofio'n mynd â ni i'r ysgol feithrin, ond mae Fariha a minnau'n rhy ifanc i gofio sut un oedd e go iawn.

Ayesha: Ond rwy'n ei gofio. Rwy'n ei gofio'n glir iawn. Rwy'n gwybod sut roedd e cyn iddo fynd yn sâl ac rwy'n gwybod sut roedd pethau yn ystod ei salwch, tan y diwedd. Roedd y cyfan yn dorcalonnus iawn.

Aliyah: Ro'n i'n ifanc iawn, a dydw i ddim yn meddwl 'mod i'n sylweddoli'n llawn ei fod yn sâl. Mam fagodd ni. Nawr 'mod i'n hŷn, yn ystod y blynyddoedd diwethaf rwy wedi dod i sylweddoli pa mor ddifrifol roedd pethau.

Ayesha: Roedd hi'n wahanol iawn i mi, o'i gymharu â'r lleill. Ro'n i'n gwybod beth oedd yn digwydd, ac fe welais i fy mam yn sâl yr un pryd â 'nhad. Roedd y cyfan yn faich ofnadwy; mae colli rhywun sy'n agos iawn atoch yn brifo.

Aliyah: Hi oedd fwyaf trist, am ei bod hi'n hŷn, ac roedd hi gyda Dad yn amlach. Fe wnaeth hi grio llawer.

Sania: Pan oedd e yn y cartref gofal, byddai'n mynd unwaith yr wythnos i grŵp gofal dementia yn y ganolfan ddydd rownd y gornel o ble ry'n ni'n byw. Weithiau byddai'n dod gartref fan hyn i aros am ychydig ddyddiau.

Aliyah: Roedd y ganolfan ddydd yn arbennig o dda. Bydden ni'n arfer galw i mewn i'w weld e yno. Ro'n ni'n arfer mwynhau mynd i'w weld e. Byddai'n ein hadnabod ni weithiau, ond roedd yna adegau pan na fyddai'n ein cofio ni.

Ayesha: Roedd pethau'n ocê ar y dechrau, roedd e'n ein hadnabod ni, ond wedyn fe wnaeth y sefyllfa waethygu. Weithiau byddai'n drysu ac yn meddwl mai Mam oedd ei ferch e.

Sania: I fi, y peth anoddaf oedd cael plant ifanc i ofalu amdanyn nhw wrth ofalu am fy ngŵr. Roedd y cartref gofal a'r ysbyty'n eithaf pell i ffwrdd a byddai'n rhaid i mi fynd ar ddau fws i ymweld ag e. Byddwn i'n mynd i'w weld ryw ddwywaith yr wythnos a byddai'n rhaid i mi fynd i nifer o apwyntiadau gyda'r meddygon a gweithwyr cymdeithasol a gofalwyr yn ychwanegol at hynny. Doedd hynny ddim yn rhwydd i mi – teithio reit ar draws Llundain, yn newid bysiau – ac yna dod yn ôl i nôl y plant o'r ysgol, siopa a phopeth arall.

Roedd brodyr a chwiorydd fy ngŵr yn holi pam oedd fy ngŵr mewn cartref gofal?

Aliyah: Wnaethon nhw ddim gofalu amdano o gwbl. Mam oedd yn gofalu amdano. Ac wedyn, fe fydden nhw'n beio Mam.

Sania: Doedd dim dewis! Dywedais wrth fy chwaer yng nghyfraith a 'mrawd yng nghyfraith, 'Ewch chi â'ch brawd; cewch chi ofalu amdano am wythnos.'

Aliyah: Y gwir yw, tasen ni'n hŷn, efallai y bydden ni wedi gallu gofalu amdano fe ein hunain, efallai y byddai Mam wedi gallu gofalu amdano. Ond ro'n ni i gyd yn ifanc.

Ayesha: Eu meddylfryd nhw oedd, 'Mae'r cyfan o'th achos di,' fel tasai Dad yn sâl o achos Mam. 'Dwyt ti ddim yn gofalu amdano. Allet ti ofalu amdano gartref taset ti'n dewis gwneud!' Na, allai hi ddim. Roedd pethau'n anodd.

Aliyah: Dydw i ddim yn meddwl eu bod nhw wedi gweld yn iawn sut roedd Dad yn ymddwyn. Prin o'n nhw'n ymweld ag e yn yr ysbyty. Do'n nhw ddim yn gweld pa mor wael oedd ei sefyllfa, na'i ymddygiad. Roedd hyd yn oed y meddygon a'r gweithwyr cymdeithasol yn dweud: 'Allwch chi ddim gofalu amdano.' Wedi'r cwbl, doedd Mam ddim yn gorfforol iach ei hunan.

Ayesha: Ro'n nhw'n gwybod bod Mam wedi bod yn yr ysbyty, ond do'n nhw ddim yn fodlon derbyn hynny.

Sania: Un diwrnod, fe gerddodd e allan o'r cartref gofal, dal bws a dod 'nôl fan hyn i'r fflat. Do'n ni ddim yma. Ro'n i wedi mynd â'r merched ar wyliau i Pakistan.

Aliyah: Ro'n nhw'n chwilio amdano ym mhob twll a chornel ac yn y diwedd fe ddaethon nhw o hyd iddo'n eistedd ar risiau'r fflatiau yma.

Ayesha: Digwyddodd hynny pan oedd e'n dal i allu symud o gwmpas y lle. Dechreuodd cerdded fynd yn her iddo wedyn, ac yn y diwedd doedd e ddim yn gallu sefyll ar ei draed. Gwaethygodd yn sylweddol yn ystod y ddwy neu dair blynedd olaf. Prin oedd e'n gallu symud a doedd e ddim yn gallu bwyta.

Anghofiodd sut i siarad. Roedd e'n arfer gallu siarad Saesneg yn dda iawn, ond diflannodd hynny'n llwyr. Fe aeth yn ddirybudd. Wedyn ddechreuodd ei Wrdw ddirywio. Do'n nhw ddim yn gallu deall beth oedd e'n ei ddweud yn y cartref. Bydden nhw'n holi, 'Allwch chi gyfieithu i ni?' Ond dim ond am ychydig o wythnosau oedd hynny, pan oedd e ddim ond yn gallu siarad Wrdw, ac yna daeth stop ar hynny hefyd. Digwyddodd popeth mor sydyn. Un diwrnod, roedd e'n siarad a'r diwrnod nesaf, doedd e ddim yn gallu dweud gair. Aeth pethau o ddrwg i waeth.

Rwy'n agos iawn at Mam, ond ro'n i'n agosach fyth at Dad. Ro'n i'n arfer dweud popeth wrtho. Pan o'n i'n drist, fyddwn i ddim yn dweud wrth Mam yn syth, ond yn mynd i siarad â Dad yn gyntaf, hyd yn oed pan nad o'dd e'n gallu siarad. Ro'n i'n arfer pwyso 'mhen yn ei erbyn, er mwyn ymdawelu. Ddwywaith cefais ymateb ganddo, ac ro'n i'n teimlo'n dawel iawn fy meddwl wedyn. Ro'n i'n crio, a dyma fe'n dweud, 'Gweddïa!'

Aliyah: Roedd e'n ddyn duwiol iawn. Roedd e'n grefyddol iawn ac yn arfer dysgu'r Qur'an. Hyd yn oed pan nad oedd e'n gallu siarad llawer, byddai bob amser yn defnyddio geiriau crefyddol. Weithiau, byddai ddim ond yn dweud 'Allah!' Weithiau bydden ni'n adrodd y Qur'an wrth ymyl ei wely neu'n gadael tâp o'r Qur'an yn chwarae iddo. Roedd e'n arfer hoffi gwrando arno.

Sania: Pan oedd e yn y cartref, byddai weithiau'n cyffwrdd â'r nyrsys mewn ffordd rywiol, neu'n gollwng ei drowsus yn sydyn.

Ayesha: Cyn ei afiechyd, fyddai e byth, bythoedd wedi gwneud rhywbeth felly.

Aliyah: Roedd e'n ddyn duwiol, yn wylaidd iawn, ac yn parchu merched bob amser. Roedd yn rhaid i ni ymddiheuro wrth y nyrsys, a dweud nad un felly oedd e mewn gwirionedd. Drwy lwc, ro'n nhw'n deall mai'r afiechyd oedd ar fai a wnaethon nhw ddim gwylltio gydag e.

Ayesha: Pan fu farw yn y diwedd, roedd yn sioc fawr i mi. Do'n i ddim yn barod. Ro'n nhw wedi dweud wrtha i unwaith neu ddwy nad oedd ganddo lawer o amser ar ôl. Ro'n i wedi eu clywed nhw'n dweud, 'Mae'r diwedd yn agos, mae'r diwedd yn agos.' Ond goroesi wnaeth e, felly yn y pen draw, do'n i ddim yn disgwyl i ddim byd ddigwydd iddo. Ac yna'n sydyn, un diwrnod, daeth galwad ffôn i ddweud ei fod wedi marw.

Ro'n i mewn cyflwr gwael fy hun bryd hynny. Ro'n i'n disgwyl. Ro'n i bron wyth mis yn feichiog ac yn teimlo'n eithaf sâl a gwan. Ro'n i'n pryderu'n fawr am bopeth arall, a'r peth olaf ro'n i eisiau ei glywed oedd bod Dad wedi marw. Roedd pawb yn trio tawelu fy meddwl.

Wedi iddo farw, wnes i ddim crio llawer, tan ar ôl yr enedigaeth, ac yna fe dorrais i 'nghalon. Ro'n i'n teimlo'n isel iawn ar ôl i'r babi gael ei eni.

Sania: Wedi iddo farw, fe wnaethon ni gweryla gyda theulu fy ngŵr ynglŷn â ble roedd e'n mynd i gael ei gladdu.

Ayesha: Daeth y teulu ynghyd. Dyma'r tro cyntaf i bawb gwrdd.

Aliyah: Do'n i ddim wedi cwrdd â'n hanner chwaer, am ei bod hi'n byw yng Nghanada, ond ar ôl i Dad farw, fe ddaeth hi draw.

Ayesha: Ro'n nhw'n dweud mai yn Pakistan y dylen ni gladdu Dad. Dywedodd Mam ei bod hi eisiau ei anfon yno, ond doedd neb i'w hebrwng draw ar wahân i'w frawd, ac roedd e'n bod yn rhy styfnig.

Sania: Dywedodd fy mrawd yng nghyfraith, 'Cer di ag e!' Atebais innau, 'Alla i ddim mynd ag e – mae Ayesha'n disgwyl, a dydy hi ddim yn dda. Cer di ag e.' Ei ateb oedd, 'Os ei di, fe ddof innau.' 'Pwy fydd yn gofalu am Ayesha?' holais.

Aliyah: Yn y diwedd, cafodd ei gladdu yma. Roedd e eisiau cael ei gladdu yn Pakistan, ond doedd hynny ddim yn bosib. Ond tasen ni wedi'i gladdu yn Pakistan, prin fydden ni'n gallu ymweld ag e. Dim ond unwaith bob tair blynedd fydden ni'n gallu mynd yno. Gan ei fod wedi'i gladdu yma nawr, gallwn ni fynd i weld ei fedd.

Ayesha: Fy neges i bobl eraill a chanddyn nhw aelod o'r teulu â dementia yw: gofalwch am y genhedlaeth hŷn, a pheidiwch ag anghofio am eich anwyliaid. Hyd yn oed os oes raid iddyn nhw gael gofal preswyl, cofiwch fynd i'w gweld.

Aliyah: Ro'n ni'n arfer gweld rhai pobl yn y cartref a'r ysbyty nad oedden nhw byth yn cael unrhyw ymwelwyr. Mae hynny'n drist iawn.

Ayesha: Peidiwch ag anghofio amdanyn nhw. Dangoswch eich bod yn dal i'w caru.

Aliyah: Rwy'n credu mai'r hyn rwy wedi'i ddysgu o hyn i gyd yw bod eisiau i mi weithio'n galed a chael addysg dda er mwyn i mi allu bod yn annibynnol. Roedd yn rhaid i Mam ein magu ni ar ei phen ei hun.

Ayesha: Roedd yn rhaid iddi hi fod yn bopeth i ni. Roedd hi'n fam ac yn dad. Roedd hi'n anodd iawn iddi.

Aliyah: Mae hi'n gofidio amdanon ni yn fwy na dim byd arall. Mae hi'n dal i'n deffro ni yn y bore. 'Amser codi – amser mynd i'r ysgol a'r gwaith.'

Ayesha: Rwy'n gweithio nawr fel cynorthwyydd dysgu. Rwy'n helpu plant ag anghenion arbennig, fel awtistiaeth. Rwy'n amau 'mod i wedi cael f'effeithio gan yr hyn ddigwyddodd i'n teulu ni, 'mod i eisiau helpu eraill sydd angen cefnogaeth ychwanegol.

Aliyah: Mae Mam yn gofalu am ferch Ayesha!

Ayesha: Dyna fi wedi creu mwy o waith ar ei chyfer eto!

Sania: Rwy'n hapus! Gyda phlentyn ifanc, rwy'n hapus.

Aliyah: Hyd yn oed pan fu farw Dad, y babi oedd un o'r pethau gorau. Roedd yn gymaint o help i ni! Mae wedi newid popeth a'n gwneud ni'n hapusach!

12

I'r gwrthwyneb

Lucy Whitman

DECHREUODD FY MAM ddisgyn i uffern pan syrthiodd a thorri ei choes, ychydig o dan y glun, a hithau'n 88 mlwydd oed. Fe wnaeth y goes wella'n iawn, ond roedd rhywbeth arall y tu mewn iddi wedi torri. Roedd y ffisiotherapydd yn cwyno nad oedd hi'n ymddangos yn 'awyddus' iawn i fod 'nôl ar ei thraed eto.

Pan oedd hi yn yr ysbyty llwyddodd fy nhad i ymdopi'n eithaf da ar ei ben ei hun, er ei fod yntau hefyd wedi bod yn ddifrifol wael yn ystod y blynyddoedd diwethaf. Ond unwaith y daeth Mam adref, llewygodd yn sgil un o'r heintiau roedd e'n tueddu i'w cael. Cafwyd hyd iddo'n gorwedd ar lawr yr ystafell wely, yn methu codi, ei wres yn uchel, yn mynnu ei fod yn berffaith iawn ac yn rhwystro pawb rhag ffonio'r meddyg. Doedd Mam ddim yn teimlo y gallai hi fynd yn erbyn ei ddymuniadau, ond penderfynodd fy chwaer a minnau fod yn rhaid gwneud rhywbeth a mynd at wraidd yr hyn oedd wedi digwydd. Rhoddodd y meddyg bresgripsiwn ar gyfer gwrthfiotig hynod o gryf iddo, a'r ddwy ohonom yn aros y nos yno am yn ail nes i'r gwres uchel a'r deliriwm leddfu.

A hithau'n dal i deimlo'n fregus yn dilyn ei hanffawd hi, roedd Mam yn arswydo oherwydd bod fy nhad yn sâl ac yn ddiymadferth hefyd. Doedd hi ddim yn teimlo'n ddiogel bellach, a diflannodd ei hyder a'i dewrder unwaith ac am byth. Eglurodd ei bod hi'n teimlo fel pe bai 'bom wedi ffrwydro' yn ei bywyd. Roedd ganddi lais awdurdodol a soniarus, a ddefnyddiwyd yn effeithiol iawn ganddi yn ystod ei blynyddoedd fel athrawes, ac ar hyn o bryd roedd hi'n dal i allu mynegi ei hun yn gadarn, gan ddefnyddio iaith liwgar.

Fy mam: Elizabeth Whitman, ganwyd yn 1910, wedi goroesi dau ryfel byd a sawl trychineb teuluol – yn bwysicach fyth, farwolaeth ei

Elizabeth gyda Lucy yn fabi

mab, fy mrawd, Tony, a laddwyd mewn damwain car yn 1967 pan oedd e'n 21. Mam a nain gariadus, modryb a hen fodryb annwyl, bu'n heddychwraig drwy gydol ei hoes, ac yn ymgyrchydd dyfal yn erbyn arfau niwclear. Roedd hi wedi croesawu gwesteion o bedwar ban byd i'w chartref, a bu'n dysgu Saesneg fel ail iaith i oedolion am flynyddoedd lawer. Roedd hi'n gymeriad cynnes, croesawgar, llawn sbort a sbri, yn mwynhau partïon a chanu'r piano, ac yn dda am annog pawb i ymuno a chydganu.

Dyma'r un y dechreuon ni ei cholli ar y diwrnod tyngedfennol hwnnw y syrthiodd am y tro cyntaf. Wrth gwrs, do'n ni ddim yn gwybod hynny ar y pryd. Ar ôl iddi syrthio y tro hwnnw, dechreuodd hi ddirywio yn ystod y ddwy flynedd ganlynol, nid yn raddol, ond mewn hyrddiau bob hyn a hyn.

Yn debyg iawn i Dad, dechreuodd gael heintiau ar y bledren yn gyson, a achosai iddi, mewn termau meddygol, deimlo'n 'ddryslyd'. Doedd y disgrifiad hwnnw ddim yn dod yn agos ati, yn ein golwg ni, am ei bod hi, ar adegau, yn hollol wallgof – ond bryd hyn byddai fel petai'n 'dod at ei choed' rywfaint ar ôl y cyfnodau torcalonnus hyn. Pan oedd yr heintiau yma ar eu gwaethaf, byddai'n hynod ddrwgdybus o bawb o'i chwmpas, gan ddweud wrtha i'n bendant iawn fod y nyrsys yn yr ysbyty 'ddim ond yno oherwydd yr arian'; a chan gyhuddo fy chwaer a minnau o'i thrin hi'n eithriadol o greulon pan geision ni drefnu gofal seibiant ar ei chyfer. Chwyrnodd arnom fel y Brenin Llŷr yn taranu ar ei ferched anniolchgar, Goneril a Regan:

> Lear: How sharper than a serpent's tooth it is
> To have a thankless child!'[1]
> Lear: … you unnatural hags,
> I will have such revenges on you both
> That all the world shall – I will do such things,
> What they are, yet I know not, but they shall be
> The terrors of the earth,'[2]

Treuliodd sawl cyfnod yn yr ysbyty o ganlyniad i'r heintiau hyn, ac yn ystod yr adegau hynny byddai hi'n aml yn gelyniaethu'r staff, gan eu cyhuddo o'u thrin yn anghwrtais ac yn angharedig. Ro'n ni'n teimlo cywilydd oherwydd yr helynt roedd hi'n ei achosi, ac fe wnaethon ni ein gorau i drio esmwytho pethau. Ar y pryd, ro'n ni'n dal i drio'i chael hi i ymddwyn yn 'synhwyrol' er ei lles ei hun. Do'n ni ddim yn sylweddoli ei bod hi wedi cyrraedd rhyw wlad y tu hwnt i reswm, a'r tu hwnt i sgiliau cymdeithasol normal – gwlad yn llawn emosiwn lle roedd hi'n dioddef a phawb arall ar fai.

Wrth edrych yn ôl, rwy'n teimlo'n siomedig iawn nawr am nad oedd staff yr ysbyty wedi'u paratoi'n ddigonol i gyflenwi anghenion eu cleifion oedrannus, a chymaint ohonyn nhw â dementia. Ro'n nhw'n ymateb i'w galwadau cyson am sylw a'i chyhuddiadau o esgeulustod yn yr un modd ag y bydden nhw'n ymateb i berson hollol resymegol a oedd yn dewis bod yn lletchwith – 'hen wraig flin' – heb unrhyw ddealltwriaeth amlwg o'r ffaith mai symptom o'i hafiechyd oedd ei hymddygiad yn hytrach na gwendid anffodus yn ei phersonoliaeth.

Yn ogystal â'r heintiau ar y bledren, mae'n amlwg erbyn hyn fod Mam hefyd wedi cael sawl strôc fechan, pob un ohonyn nhw'n gwanhau ei chorff a'i meddwl ychydig mwy bob tro. Do'n ni ddim yn ymwybodol bod y rhain yn digwydd mewn gwirionedd, ond ar un achlysur, pan oedd fy chwaer, Rosalind, yn ymweld â hi, gwelodd fod un ochr i wyneb Mam yn ddiffrwyth. Allai hi ddim siarad yn glir, a phan aeth hi i drio canu'r piano, allai hi wneud dim ond creu rhyw sŵn aflafar.

'Ond rwyt ti'n gallu clywed y gerddoriaeth sydd yn fy mhen i, yn 'dwyt ti, cariad?' meddai, er mawr ddryswch i'm chwaer.

Roedd fy rhieni'n ddarllenwyr brwd, ac wrth eu bodd yn darllen nofelau o waith awduron o'r bedwaredd ganrif ar bymtheg – Dickens, er enghraiff. Erbyn y cyfnod hwn, roedd fy nhad wedi'i gofrestru'n rhannol ddall, ond roedd e wedi trefnu bod y llyfrgell symudol yn ymweld â'r tŷ, gan ddod ag amrywiaeth o lyfrau print mawr iddo, yn y gobaith y byddai fy mam yn cael rhyw gysur o'r rheini. Yn anffodus, daeth hi'n amlwg na allai Mam bellach wneud unrhyw synnwyr o eiriau mewn print – yn enwedig y brawddegau hir a chymhleth oedd yn nodweddu gwaith awduron oes Fictoria. Un diwrnod trist, stryffaglodd fy mam i geisio deall paragraff agoriadol un o nofelau Thomas Hardy. Roedd yn llyfr roedd hi wedi'i ddarllen a'i fwynhau yn y gorffennol, ond bellach roedd y testun cymhleth yn ei llorio. 'Mae'n rhaid 'mod i'n mynd yn ddwl,' meddai'n ddigalon, ac fe driodd Dad ei helpu. Ro'n i'n dyst i'r olygfa druenus, wrth i 'nhad – oedd â dirywiad y macwla, a olygai na allai weld mwy nag un neu ddau o eiriau ar y tro petai'n edrych yn gam o gornel ei lygad, drwy chwyddwydr cryf – drio gweld digon o'r frawddeg i helpu Mam i wneud synnwyr ohoni. Erbyn hynny doedd hi ddim yn gallu cadw'r geiriau roedd hi wedi llwyddo i'w hadnabod ychydig eiliadau ynghynt yn ei meddwl. Allen nhw ddim cadw digon o eiriau rhyngddyn nhw ar yr un pryd i wneud unrhyw synnwyr o'r testun.

Aeth Mam i deimlo'n isel iawn. Roedd hi'n gofidio'n fawr y byddai'n syrthio eto, a dechreuodd fynd yn fwyfwy cyndyn o gerdded o gwbl, hyd yn oed llusgo'i hun o un ystafell i'r llall gyda chymorth ffrâm gerdded. Cawsom fenthyg cadair olwyn er mwyn mynd â hi allan am dro, ond roedd yn gas ganddi fod mewn cadair olwyn, ac roedd hi fel petai'n disgwyl cael ei dymchwel o'i sedd unrhyw eiliad. Cafodd ei siomi'n fawr gan feddyg a ddywedodd wrthi fod llun pelydr-x wedi dangos bod asgwrn ei chefn yn 'chwalu'n ddarnau mân' yn sgil osteoporosis. Yn waeth na dim, roedd hi'n boenus ymwybodol fod ei chyflwr meddyliol yn dirywio – fel pe bai ei hymennydd yn ogystal â'i hasgwrn cefn yn chwalu'n ddarnau mân, a doedd dim byd y gallai hi ei wneud ynglŷn â'r sefyllfa.

Byddai fy chwaer a minnau'n mynd i'w gweld sawl gwaith yr wythnos, ond doedd hynny byth yn ddigon. Fe allech chi alw yno, treulio tair neu bedair awr yn ei chwmni, cyrraedd adref, ac wrth i chi gerdded i mewn drwy'r drws, byddai'r ffôn yn canu:

'Pryd wyt ti'n dod i 'ngweld i? Gallet ti fod wedi gwneud tipyn bach mwy o ymdrech ...'

Wedyn fe syrthiodd hi eto. Y tro hwn, roedd yn union fel tasai wedi disgyn dros ochr dibyn. Daliodd ei gafael yn yr ochr am ychydig ddyddiau, cyn colli ei gafael a llithro i lawr y llethr i'r dyfnderoedd.

Arhosais gyda hi'n gwmni ar y ward ddamweiniau'r noson honno wrth iddi aros i gael ei harchwilio. Er gwaetha'r sioc yn sgil y gwymp, roedd hi mewn hwyliau da. Er nad oedd hi'n gallu rhoi'r atebion cywir i'r cwestiynau a ddefnyddir i asesu gweithrediad yr ymennydd, doedd hi ddim mewn poen ac fe dreulion ni amser digon hapus a diddan gyda'n gilydd. Dyma'r noson olaf dreuliodd Mam a minnau gyda'n gilydd, pan oedd yn hi ei hunan go iawn, ac yn gwybod yn iawn pwy o'n i.

Âi fy chwaer a minnau i'w gweld hi bob dydd. Bob tro y bydden ni'n ymweld â hi, byddai hi'n fwy niwlog a dryslyd na'r tro cynt.

'O, mae'n hyfryd dy weld di, cariad,' meddai hi wrtha i rai dyddiau'n ddiweddarach, 'er mai dim ond unwaith yr wythnos rwyt ti'n llwyddo i alw.'

'Mam!' protestiais. 'Rwy yma bob dydd!'

Taswn i'n cyrraedd am 4 o'r gloch, yn ymwybodol fod rhywun arall wedi bod gyda hi tan 3 o'r gloch, byddai'n dweud wrtha i nad oedd hi wedi gweld neb drwy'r dydd.

'A beth wyt ti'n feddwl am y syniad sydd gyda nhw, amdana i'n cael babi arall?' holodd yn annisgwyl.

Cafodd fy chwaer y syniad o drio'i helpu i gadw'n effro drwy wneud ambell 'ymarfer ymenyddol'. Gofynnodd gyfres o gwestiynau iddi ynglŷn â'r teulu, yn cynnwys holi beth oedd ein henwau i gyd, ac er mawr siom iddi gwelwyd nad oedd hi'n gallu ateb unrhyw un ohonyn nhw. Pan ofynnodd, 'Beth yw enw eich gŵr?' ystyriodd Mam yn galed am dipyn cyn ateb yn y pen draw. 'John,' meddai. 'Na, nid John yw ei enw e, ond George, ac ry'ch chi'n gwybod hynny am eich bod chi wastad yn galw'i enw,' meddai fy chwaer yn ofalus. Atebodd Mam yn ddirmygus, 'Ydw, ond nid dyna'i enw *iawn*, dyna fy enw *i* arno.' Gorweddodd Mam yn ôl ar ei gobennydd a dirwyn y sgwrs i ben drwy ddweud, 'Wel, mae'n rhaid dy fod ti wedi blino nawr, achos dwyt ti ddim yn dda, felly fe af i nawr.'

Doedd dim rheswm meddygol iddi aros yn yr ysbyty am gyfnod hir, ond roedd y gwasanaethau cymdeithasol yn araf iawn yn trefnu gofal iddi, a heb fod y trefniadau hynny yn eu lle, allai hi ddim gadael yr ysbyty. Yn y diwedd, bu'n rhaid iddi aros yn yr ysbyty am bum wythnos, ac yn ystod y cyfnod hwnnw, dirywiodd ei chyflwr yn sylweddol iawn. Doedd hi bellach ddim yn gallu ateb y cwestiynau symlaf, megis: 'Ydych chi wedi blino?' Roedd gorffen brawddeg a chwblhau syniad yn ormod iddi. 'I'r gwrthwyneb ...' meddai'n bendant, sawl tro, wrth iddi drio cael gafael ar y syniadau oedd yn hofran o gwmpas ei meddwl. Ddaethon ni byth i wybod at beth roedd hi'n cyfeirio. Ond roedd hi'n gwybod bod rhywbeth mawr o'i le arni, a bod angen gwneud rhywbeth yn ei gylch.

Beth sy'n fy synnu i, wrth edrych 'nôl, yw nad oedd y nyrsys a'r meddygon fel tasen nhw'n ymwybodol o'r ddrama ofnadwy oedd yn digwydd o flaen eu llygaid. Fe wnaethon ni'n gorau i siarad â nhw, gan ddweud, 'Mae cyflwr Mam yn gwaethygu, nid gwella ... Dydy hi ddim fel hyn fel arfer ... Ry'n ni fel tasen ni'n ei cholli hi'n llwyr ...' Ond i ddim diben. Yr unig ymateb gawson ni ganddyn nhw oedd yr eglurhad arferol, sef ei bod hi ychydig bach yn 'ddryslyd', fel tasai dim angen i ni ofidio am ddim byd. Cyn belled â'u bod nhw'n monitro'u phwysedd gwaed a'i gwres, yn rhoi'r feddyginiaeth gywir iddi ac yn gofalu na fyddai'n syrthio eto, ro'n nhw'n ddigon bodlon.

Wnaeth neb gydnabod bod Mam wedi disgyn i gynteddau dyfnaf dementia, wnaeth neb eistedd i lawr gyda ni i drafod beth allai hyn ei olygu i Mam a gweddill y teulu. Wnaeth neb gydnabod y ffaith fod Mam, yn sydyn iawn, wedi'i chipio oddi arnon ni, yn yr un modd â phe bai hi wedi marw'n sydyn yn ei gwely. Pam mae cyn lleied o gydnabyddiaeth amlwg o ddementia, mewn ward ar gyfer yr henoed, o bob man?

Ro'n ni'n pryderu y byddai mwy o niwed yn cael ei wneud i'w hymennydd, yr hiraf y byddai hi'n aros yn yr ysbyty, ac felly y byddai llai o debygrwydd wedyn y byddai hi byth yn gallu adfer ei rheswm eto – ond doedd ein barn ni ddim o unrhyw ddiddordeb i'r staff ar y ward. Do'n nhw ddim fel tasen nhw'n sylweddoli y dylid ystyried dirywiad sydyn yng ngweithrediad y meddwl yr un mor ddifrifol ag unrhyw newid corfforol sydyn. Hyd yn oed os nad oedd dim y gallen nhw ei wneud ynglŷn a'r peth, fe ddylen nhw fod yn barod i drafod yr hyn oedd yn digwydd gyda ni. Roedd angen diagnosis o gyflwr Mam arnon ni, ac yn bendant roedd angen cefnogaeth arnon ni i ddod i delerau â'r diagnosis ac i gynllunio'r ffordd orau o ofalu amdani yn y sefyllfa newydd hon.

Roedd y gweithwyr cymdeithasol hefyd fel tasen nhw'n benderfynol o anwybyddu'r hyn oedd gennym i'w ddweud wrthyn nhw. Ychydig cyn i Mam gael ei rhyddhau o'r ysbyty, siaradais ar y ffôn â'r tîm oedd yn trefnu gofal ar gyfer cleifion oedrannus bregus ar ôl iddyn nhw gyrraedd gartref o'r ysbyty. Fe ddywedon nhw wrtha i y bydden nhw'n cyf-weld Mam i drafod ei hanghenion. Treuliais gryn amser yn egluro'n fanwl iawn nad oedd fy mam bellach yn gallu siarad yn glir, nad oedd hi'n siŵr pwy oedd hi, ac na fyddai hi'n gallu egluro wrthyn nhw beth oedd ei angen arni o safbwynt gofal dyddiol. Gofynnais iddyn nhw am y lefel o ofal ro'n i'n ystyried fyddai'n addas ar ei chyfer. Serch hynny, roedd protocol yn mynnu bod yn rhaid iddyn nhw gynnal cyfarfod personol â hi i'w hasesu hi eu hunain. Digon teg. Ond wedyn, cefais alwad ffôn arall gan y gweithiwr cymdeithasol yn dweud wrtha i, yn ddigon diamynedd, nad oedd hi wedi llwyddo i gael unrhyw synnwyr gan Mam, er mwyn canfod beth oedd ei anghenion gofal am ei bod hi'n 'hollol wallgof!' Trwy gydol ei harhosiad hir yn yr ysbyty, chafodd y gair dementia mo'i grybwyll unwaith gan y nyrsys na'r meddygon, hyd yn oed mewn ymateb i'r holl bryderon ro'n i wedi sôn amdanyn nhw. Roedd clywed y gweithiwr cymdeithasol yn cyfeirio at gyflwr Mam mewn ffordd mor ddidaro a llym fel cael eich trywanu drwy eich calon.

Ein gobaith prin, wedi iddi ddychwelyd adref i'w hamgylchiadau cyfarwydd, oedd y byddai hi'n dechrau teimlo ychydig yn well, ond nid felly y bu. Doedd hi ddim yn adnabod ei chartref pan gyrhaeddodd hi yno, a bron ar unwaith, roedd hi wedi anghofio am y cyfnod hir a dreuliodd yn yr ysbyty. Roedd yn rhaid i ni dderbyn na fyddai hi byth yn gwella.

Mae rhai pobl sydd â dementia'n ymddangos yn ddigon bodlon eu byd. Yn anffodus, nid dyna'r sefyllfa yn achos Mam. Yn ystod misoedd olaf ei bywyd, dioddefai'n ddrwg iawn o alar a dychryn. Roedd wedi'i chaethiwo mewn rhyw uffern mor arteithiol ag y gallai unrhyw un o'r diwinyddion canoloesol fod wedi'i dychmygu. Allai hi ddim goddef cael ei gadael ar ei phen ei hun am eiliad. 'Ofnus!' fyddai hi'n ei ddweud o hyd. 'Wedi dychryn!'

Fel arfer, allai hi ddim egluro beth oedd yn codi'r fath ofn arni, ond pan ofynnais iddi unwaith, atebodd drwy ddweud, 'Am na alla i wneud dim.' Roedd hi'n sobr o ymwybodol ei bod hi'n colli gafael ar bethau. 'Rwy'n mynd yn rhyfedd yn y pen, ti'n gwybod,' meddai wrth fy chwaer.

Doedd dim byd y gallen ni ei wneud na'i ddweud ei chysuro hi na lleddfu ei gofid. Doedd hi ddim eisiau gwrando ar y radio, ac roedd hi'n gwrthod gadael i ni ddarllen iddi, gan ddweud, 'Na, na dwi ddim yn deall.'

Un o'r pethau mwyaf poenus i mi oedd nad oedd hi bellach yn gallu goddef gwrando arna i'n canu. Roedd hi wedi f'annog i i ganu ers pan o'n i'n ferch fach, ac wedi cael pleser mawr yn gwrando ar fy llais. Nawr, pan fyddwn i'n trio canu'n dyner i geisio'u lleddfu hi, byddai'n ymbil arna i i stopio. 'Na! Na! Na!' byddai'n cwyno, fel pe bawn i'n crafu bwrdd du â f'ewinedd.

Dechreuais sôn wrthi am y teulu, yr hen ddyddiau, ond doedd hi ddim yn gallu goddef hynny chwaith. Roedd y gorffennol wastad wedi bod yn bwysig iawn iddi, yn glir iawn yn ei meddwl, ac roedd hi wedi mwynhau sôn am ei mam ar hyd fy oes, a sut roedd pethau'n arfer bod slawer dydd.

'Ydych chi'n cofio pan o'n i'n ferch fach ...' dechreuais.

'Pam? Beth am hynny?' torrodd ar fy nhraws yn finiog, nes ei gwneud hi'n amhosib i mi barhau â'r sgwrs. Rwy'n amau bod ofn arni *na* fyddai'n gallu cofio, a doedd hi ddim eisiau dangos hynny.

Meddyliais efallai y byddai'n gysur iddi tasai hi'n gallu siarad am farwolaeth, a beth oedd hi'n ei ddisgwyl o'r profiad.

'Pa fath o brofiad fydd e, chi'n meddwl?' holais. 'Welwch chi aelodau o'r teulu a ffrindiau eto, falle, fel Tony?'

Edrychodd yn syn arnaf i. 'Dwi ddim yn cofio ...'

Roedd yn beth arswydus sylweddoli nad oedd hi bellach yn cofio bod ei mab wedi marw – y profiad dwysaf iddi orfod ei wynebu trwy gydol ei hoes, siŵr o fod.

Yr unig berson roedd hi'n cofio amdani'n glir iawn, ac yn dyheu am ei chwmni, oedd ei 'hannwyl fam', a fu farw yn 1942.

'Ydy hi'n wir,' meddai'n anghrediniol, 'nad yw Mam yma?'

Dechreuodd galw am fy nhad fynd yn beth cyffredin iawn ganddi, rhyw fath o ymateb awtomatig, ond byddai'n anghofio'i enw gydag amser. Trodd 'George! George!' yn 'Joe! Joe!' ac weithiau hyd yn oed yn 'Jones!' neu 'Joge!' neu 'Jorks!'

Yn fwy na dim, roedd Mam yn dyheu am gael llonydd.

Mam: Rwy eisiau mynd adref.
Lucy: Ond, Mam, hwn *yw* eich cartref chi.
Mam: Rwy eisiau mynd i'r gwely.
Lucy: Ond, Mam, ry'ch chi *yn* y gwely.
Mam: Eisiau *mwy* o wely.

Cawsom ein synnu gan y ffordd yr wynebodd Dad yr her o'i chefnogi yn ystod y cyfnod olaf hwn yn ei hafiechyd. Allai'r gweddill ohonon ni ddim dioddef bod yn ei chwmni am fwy nag awr neu ddwy, a hithau'n brefu'n ddiddiwedd am ei Joe, ond arhosai yntau wrth ei hochr o fore gwyn tan nos, ar wahân i'r adegau hynny y bydden ni'n cymryd ei le er mwyn iddo allu cael seibiant. Roedd e wedi mwynhau ei gwmni ei hun erioed, ac wedi treulio'r rhan fwyaf o'i fywyd priodasol yn cuddio yn ei swyddfa'n gweithio neu'n darllen, ond eto, roedd yn barod i aros wrth ei hymyl, yn garedig ac yn amyneddgar, heb ddangos unrhyw arwydd o ddicter nac anobaith.

Aeth cryn dipyn o amser heibio cyn derbyn na fyddai Mam yn gwella – ac yn wir, mai dim ond gwaethygu y gallai hi ei wneud – ac yn raddol iawn y sylweddolais nad gorbryder neu straen neu flinder yn unig oedd yn fy nghorddi, fel y tybiwn, ond galar.

Roedd fy chwaer a minnau dan bwysau mawr yn sgil popeth roedd yn rhaid i ni ei wneud er mwyn gwneud yn siŵr fod Mam yn iawn. Roedd gan Dad apwyntiadau cyson yn yr ysbyty, roedd angen mynd i'r afael â materion ariannol, trefnu gwaith trwsio brys i'r hen dŷ lle ro'n nhw'n byw – a'r cyfan oll ar ben ein gwaith bob dydd a'n cyfrifoldebau teuluol. Roedd fy ffrindiau a'm cyd-weithwyr yn ymwybodol 'mod i dan straen, ac mor gefnogol ag y gallen nhw fod, ond doedd neb yn sylweddoli – ddim hyd yn oed fi fy hun – mai'r hyn ro'n i wir yn ei ddeimlo oedd galar: ro'n i'n galaru, achos ro'n i eisoes wedi'i cholli hi.

Wedi ychydig o oedi, fe lwyddon ni i gael asesiad gan feddyg ymgynghorol iechyd meddwl y gymuned, a gadarnhaodd fod Mam â dementia fasgwlar. Roedd y diagnosis ei hun yn rhyw fath o gysur – ond wrth gwrs, erbyn hyn, roedd ei dementia wedi gafael yn dynn ynddi ac roedd hi'n gwaethygu'n frawychus o sydyn.

Adeg ymweliad y meddyg ymgynghorol roedd Mam yn eistedd i fyny yn ei gwely. Roedd fy chwaer a minnau'n bresennol, ac roedd gofalwr Mam yn digwydd bod yn yr ystafell yn rhoi trefn ar y dillad budron.

'Allwch chi ddweud wrtha i pwy yw'r bobl yma?' holodd y meddyg.

George ac Elizabeth

'Wel, dyna beth o'n i ar fin gofyn i chi,' atebodd Mam. Wedi meddwl am ychydig, penderfynodd mai ei chwiorydd o'n ni – doedd hwn ddim yn gynnig drwg, a dweud y gwir.

Er nad oedd hi'n siŵr iawn pwy o'n ni, ac yn bendant doedd hi ddim yn gallu cofio'n henwau ni bellach, roedd hi'n dal i allu ein hadnabod ni i ryw raddau fel pobl oedd yn bwysig iddi ac yn gofalu amdani. Pan fyddwn i'n ymweld â hi ar fy mhen fy hun, byddai'n aml yn gofyn i mi am 'y bachgen', gan olygu fy mab. Felly, roedd hi'n dal i wybod mai fi oedd yr un a chanddi fachgen. Er ei bod yn teimlo fel na allen ni wneud dim i leddfu ei dioddefaint, rwy'n bendant fod presenoldeb cyson Dad, a'n hymweliadau mynych ni, wedi gwneud gwahaniaeth.

Roedd archwaeth Mam at fwyd wedi bod yn wael ers tro. Bellach roedd yn anodd ei chael hi i fwyta dim byd o gwbl. Aeth hi'n deneuach ac yn deneuach. Cefais fy synnu o'i gweld hi'n noeth un diwrnod. Roedd ei bronnau – a oedd wedi 'mwydo i flynyddoedd yn ôl – wedi diflannu'n llwyr.

Yn weddol ddiweddar cefais bleser arbennig o weld fy mab yn dysgu bwyta bwyd solet, yn cerdded, yn siarad, ac yn mynd i'r tŷ bach ar ei ben ei hun. Nawr, roedd yn rhaid i mi wynebu'r profiad am yn ôl, wrth i fy mam fy hun anghofio sut i wneud yr holl bethau hyn.

Pan o'n ni'n blant, roedd hi wedi ein dysgu ni i ddweud ein pader, i gredu mewn Duw cariadus a fyddai'n gofalu amdanon ni. Ro'n i wedi colli fy ffydd ers blynyddoedd, ond ro'n i'n dal yn drist o sylweddoli na allai crefydd gynnig unrhyw fath o gymorth iddi wrth iddi wynebu ei marwolaeth a'i hymddatodiad ei hun. Roedd hi wedi anghofio'n llwyr am y syniad o Dduw'r Tad. Dim ond ei Hannwyl Fam oedd yn bwysig iddi bellach.

Fe wnaeth afiechyd fy mam i mi ystyried natur sylfaenol hunaniaeth ddynol. I ble'r aeth Mam, pan gollodd hi ei rheswm? Roedd hi'n ymddangos fel pe bai ei holl atgofion, ei meddyliau, ei chredoau a phopeth arall, bron, oedd yn ei gwneud yn hi ei hun, wedi diflannu. Roedd fel pe bai wedi anghofio pwy o'n *ni* a phwy oedd *hithau* hefyd. A oedd hi'n dal i fod allan yn fan 'na yn rhywle, ymhell o'i gafael ei hun a'n gafael ninnau?

Y diwrnod cyn iddi farw, gorweddais ar y gwely gyda hi, yn dal ei llaw.

'Lucy ydw i. Fi yw eich merch chi, ac rwy'n eich caru chi,' dywedais wrthi, drosodd a thro. Prin y gallai hi siarad. Roedd strôc arall wedi hanner parlysu ei cheg. Ond rwy'n siŵr i mi ei chlywed hi'n dweud, 'Caru merch.'

Y diwrnod canlynol, treuliodd fy chwaer a minnau'r prynhawn a'r nos wrth ei hymyl gyda Dad.

'Mae pawb yma,' medden ni wrthi, 'George a Rosalind a Lucy. Eich teulu chi. Ry'n ni yma gyda chi ac ry'n ni'n eich caru chi ...'

Prin y gallai symud ei cheg, ond dywedodd rywbeth oedd yn swnio fel 'Chi hefyd'.

Wrth iddi nosi, aeth Dad i gysgu ar y gwely wrth ei hymyl hi, a chymerodd fy chwaer a minnau ein tro'n cadw cwmni iddi. Roedd hi'n suddo'n ddyfnach ac yn ddyfnach i gyflwr anymwybodol. Yn sydyn, ochneidiodd yn ddwfn, ac fe welon ni'r arlliw olaf o Mam yn graddol adael ei chorff. Roedd y strôc olaf wedi'i gadael hi'n gam ac ar ogwydd, ac roedd ei phen wedi disgyn cymaint i un ochr nes ei fod bron yn edrych fel pe bai wedi'i gysylltu ben i waered. Edrychai fel cyw bach a oedd wedi disgyn allan o'i nyth. Eto i gyd, roedd hi'n edrych yn gyfforddus, o'r diwedd.

Arhoson ni gyda hi drwy'r nos. Gyda'r wawr fe edrychon ni allan drwy'r ffenest a gweld golau'r haul yn disgleirio drwy'r ywen y tu allan, yn loyw fel angel.

Daeth aelodau o'r côr ro'n i'n aelod ohono, ac y bu Mam hefyd yn perthyn iddo, i ganu yn ei hangladd. Un o'r caneuon a ganwyd ganddyn nhw oedd y gân ysbrydol, 'By and by', â'i halaw lon yn cynnig addewid o seibiant ar gyfer y rhai blinderog a gofidus:

Oh by and by, by and by,
I'm going to lay down my heavy load ...

Geiriau'r pennill sy'n egluro'r dioddefaint sy'n sail i'r fath ddyhead:

> I know my robe's going to fit me well
> (I'm going to lay down my heavy load)
> I tried it on at the gates of hell
> (I'm going to lay down my heavy load).[3]

O'r diwedd roedd fy mam wedi ei rhyddhau o'i huffern. O'r diwedd roedd yn gorffwys mewn hedd.

Nodiadau

[1] Shakespeare, *King Lear*, Act 1, Golygfa 4.

[2] Shakespeare, *King Lear*, Act 2, Golygfa 4.

[3] Cân ysbrydol draddodiadol, wedi'i threfnu gan Michael Tippet ar gyfer ei oratorio, *A Child of Our Time*, Tippet, M. (1994) *A Child of Our Time*, Llundain: Schott and Co., tt. 74–76.

13

Materion teuluol

Ian McQueen

ROEDD Y BARDD John Donne yn iawn pan ddywedodd nad oes neb yn ynys. Mae afiechyd yn effeithio nid yn unig ar y claf, ond hefyd ar ei gymar ef neu hi, ar blant, teulu a ffrindiau. Dyna'r gwir yn achos fy nheulu fy hun ac yn achos rhai o ffrindiau hynaf fy rhieni.

Cafodd Liz, fy mam, ei geni yn 1926, 'yr un flwyddyn â'r Frenhines!' fel y dywedai'n aml. Roedd John, fy nhad, saith mlynedd yn hŷn, ac roedd y ddau'n wreiddiol o'r un pentref glofaol yn swydd Lanark, sydd bellach wedi'i lyncu gan ddinas Glasgow. Fe briodon nhw ar ddechrau'r 1950au, a symudodd Liz i Lundain lle roedd John yn gweithio ar y pryd. Erbyn iddyn nhw ddychwelyd yn 1959, ro'n i – eu hunig fab – wedi fy ngeni. Treuliais ddyddiau fy mebyd yn yr Alban, gan ddychwelyd i Lundain i astudio ar ddechrau'r saithdegau, ac es i ddim 'nôl i fyw yn Glasgow wedyn.

Cafodd Dad yrfa ddisglair yn y gwasanaeth sifil, hyd at yr 1970au. Pan gafodd ddyrchafiad i'r swyddfa yng Nghaeredin, penderfynodd deithio yn ôl ac ymlaen o Glasgow bob dydd, yn hytrach na symud tŷ. Doedd e ddim eisiau tarfu arnaf a minnau'n astudio ar gyfer fy Lefel O. Dyna'r math o ŵr a thad caredig ac ymroddedig oedd e. Wedyn dechreuodd mam fy nhad fynd yn anghofus ac roedd hi'n ailadrodd ei hun yn gyson: roedd hi wedi mynd yn 'hen ac yn hurt'.

Awgrymodd chwaer fy nhad y dylai eu mam symud yn agosach ati, ac yna ei hanwybyddu'n llwyr. Wedi iddi ddechrau crwydro yn ystod y nos (gan chwilio am ei chartref slawer dydd yng Nghaeredin) penderfynodd ei phlant y dylen nhw ofalu amdani am yn ail. Treuliodd chwe mis gyda John, yna aeth e a Liz ar wyliau ac aeth ei fam i aros at ei chwaer. Ond, pan ddychwelon nhw o'u gwyliau, fe ddeallon nhw fod ei fam bellach mewn seilam mawr, rhyw ugain

Ian gyda'i dad, John, tua 1958

milltir i ffwrdd yng ngogledd swydd Lanark.

Roedd rhywun wedi dod o hyd i Mam-gu allan ar y stryd am 1 o'r gloch y bore, yn gweiddi, 'Nid fy nhŷ i yw hwn! Rwy eisiau mynd adre i 'nhŷ i fy hun!' Felly doedd hi ddim yn bosib iddyn nhw ofalu amdani yno wedi hynny, wrth gwrs.

Roedd hyn yn ysgytwad i Dad, ond allai e ddim cynnig ateb arall.

Sgubor fawr o le oedd y seilam – hanner ffordd rhwng un o blastai'r Ucheldiroedd a charchar o oes Fictoria. Byddai wardiau'n cael eu cloi a'r trigolion yn cael eu cyfarch fel 'Mam-gu' gan staff. Nid y dillad ro'n nhw wedi mynd gyda nhw fydden nhw'n eu gwisgo, a bydden nhw'n eistedd mewn rhyw fath o linell yn wynebu ei gilydd, ar hyd y wal o dan y ffenestri uchel, nes i rywun ddod i ymweld â nhw neu eu bod yn cael eu tywys oddi yno adeg bwyd. Roedd Mam-gu a minnau yn ein dagrau pan ymwelais i â hi am y tro cyntaf. Bu hi farw rai blynyddoedd yn ddiweddarach, yn 1973. Roedd hi'n 84. Doedd hi ddim yn f'adnabod i y tro cyntaf i mi fynd i'w gweld hi. Cyn bo hir, ro'n ni wedi anghofio'r cwbl am yr holl beth, neu o leiaf, wedi trio anghofio.

Roedd fy mam, Liz, yn wraig a oedd yn mwynhau cymdeithasu ond doedd y ffaith fod John yn mynnu gofalu am y biliau ac yn gwneud y penderfyniadau ariannol i gyd yn gwneud dim i'w hyder. Roedd e wedi'i hannog i beidio â gwneud arholiad y gwasanaeth sifil na dysgu gyrru. Mewn rhai ffyrdd felly, roedd John yn ddyn nodweddiadol iawn o'i genhedlaeth – y math o ddyn oedd yn gweithredu'r egwyddor: 'Fi sy'n rheoli'. Ond mewn ffyrdd eraill, diolch byth, roedd yn wahanol iawn. Roedd e'n mwynhau llyfrau ac yn berson tawel a hunanddibynnol. Roedd wedi ymuno â chatrawd yn y fyddin yn Lloegr yn 1939 ac wedi gwasanaethu a chael ei wobrwyo yn Alamein a Monte Cassino. Teulu oedd popeth i John. Mam a minnau oedd ei *raison d'être*.

Erbyn 1980, roedd fy nhad yn rheolwr mewn swyddfa fawr i'r deddwyrain o Glasgow. Ond roedd e dan bwysau. Roedd 60 aelod o staff yno – doedd dim rhyfedd nad oedd yn cofio'u henwau i gyd! 'Wel, rho'r gorau iddi 'te,' meddai Mam wrtho, yn dweud yn union beth oedd fy nhad eisiau ei glywed. 'Rwyt ti'n bwysicach na'r arian.'

Felly pan oedd e'n 60, ymddeolodd i'w ardd, hafau diddiwedd yn chwarae golff a theithau achlysurol i Lundain i 'ngweld i. Ac felly y bu pethau am ugain mlynedd.

Yn 2001, trefnais ddathliad priodas aur i'm rhieni yn Lanzarote. Aeth pethau'n dda i ddechrau, ond ychydig ddyddiau cyn i ni ddychwelyd, dechreuodd Dad gael problemau â'i goluddyn a bu'n rhaid iddo gael llawdriniaeth fach. Roedd hon yn ergyd fawr i'w hyder. Bellach, roedd hi'n ymddangos nad fe oedd 'yn rheoli'.

Yr haf canlynol, dechreuodd anghofio enwau pobl pan fyddai Liz ac yntau'n eu gweld nhw allan ar y stryd neu yn yr archfarchnad. Roedd e'n dda iawn am guddio hynny ar y dechrau: 'O, paid bod yn ddwl!' honnai, gan edrych yn gam ar Liz. 'Wrth gwrs 'mod i'n gwybod pwy ydyn nhw.' Ond doedd e'n dal ddim yn gallu dweud eu henwau.

Yn raddol, aeth yn isel. Roedd e'n ansicr ynglŷn ag arian. ('Wyt ti'n siŵr y gallwn ni fforddio hynny?') Byddai'n tocio'r llwyni yn yr ardd i lawr at y ddaear, yn wyllt. Byddai'n ymweld â'i chwiorydd ac yn dechrau byseddu eu trugareddau a'u teclynnau, fel bachgen bach â'i deganau. Pan ddaeth fy hen ffrind, Paul, gyda mi ar ymweliad â'm rhieni, a Paul yn gadael yr ystafell am ychydig, dyma Dad yn ei gyfarch pan ddaeth e 'nôl i mewn fel tasai newydd gyrraedd!

Datblygodd y math yma o beth i fod yn straen ofnadwy ar Liz. Roedd hi'n pryderu'n fawr ac fe gollodd bwysau. Wedyn dyna'r hunllefau. Byddai Dad yn gwingo ar draws y gwely yn ei gwsg, yn cwyno ac yn ailfyw'r profiadau erchyll a wynebodd yn ystod y rhyfel ond a oedd wedi'u cuddio ar hyd y blynyddoedd. Bu'n rhaid i'w gymydog ddod i mewn un noson a galw am ambiwlans. Roedd y parafeddygon yn garedig iawn, ac fe lwyddon nhw i dawelu John, ond roedd Liz yn mynd yn fwyfwy blinedig. Ac o'n i'n fodlon dod i fyny i aros er mwyn rhoi cyfle iddi hi allu mynd ar ei gwyliau i Ynys Wyth?

Roedd yr wythnos honno'n fendigedig: dyddiau hir o heulwen ddiddiwedd. Aeth Dad a minnau i ymweld â rhai o'i hen ffrindiau yn

John a Liz, 1996

y clwb golff, ond doedd e ddim yn gallu cofio'u henwau. Gyda'r nos, fe fydden ni'n gwrando ar y Proms gyda'n gilydd ar y radio. Ond yn ystod y nos, byddai'n cael yr un hunllefau. Unwaith, gwaeddodd Dad i holi ble roedd ei rieni. Pan eglurais wrtho ei fod yn 82 mlwydd oed a bod ei rieni, yn anffodus, wedi marw, ffrwydrodd mewn pyliau o alar gan ymbil arnaf i fynd ag e i weld eu beddau. Doedd NHS Direct ddim yn gallu cynnig unrhyw gyngor. Rhoddodd y meddyg bresgripsiwn am fwy o dabledi gwrthiselder. Dywedodd Dad wrtha i nad oedd yn siŵr o'i ffordd adref pan fyddai'n mynd allan am dro. Dywedodd wrth rywun oedd yn nofio gydag e yn y pwll nofio, fel jôc, nad oedd e'n cofio ble roedd e wedi rhoi ei ddillad. Ond ro'n i'n gwrando ac yn gwylio. 'Peidiwch â phoeni, Dad, rwy'n gwybod ble maen nhw.' Roedd hi'n amlwg y byddai'n rhaid gwneud rhywbeth unwaith y byddai Mam 'nôl o'i gwyliau.

Roedd syniad arall gan y meddyg teulu: rhaglen asesu iechyd meddwl yn yr ysbyty dydd lleol. Aeth John am gyfweliad cychwynnol. Gofynnwyd iddo pwy oedd y prif weinidog ar y pryd ac i sillafu'r gair 'world' am yn ôl. Llwyddodd gyda'r olaf. Wedyn, dechreuodd fynd i ganolfan ddydd braf ddwywaith yr wythnos. Byddai cloch y drws ffrynt yn canu a John yn mynd yn hapus i'r bws mini gyda dwy ferch ifanc yn ei dywys, gan gyrraedd 'nôl am 4.30. Wnaeth e erioed sôn am beth oedd wedi digwydd yn yr ysbyty, ond roedd yn amlwg wrth ei fodd yn y ganolfan ddydd, lle y gallai ymarfer ei golff, tra byddai Liz yn mwynhau seibiant hyfryd.

Dechreuodd John fynd yn fwy tawedog, a gorwedd yn y gwely ychydig yn hwyrach bob dydd. Roedd Liz yn mynd yn fwy a mwy blinedig wrth gario hambyrddau i fyny ac i lawr o'r llofft o hyd. Collodd fwy o bwysau. Cynghorodd y gerontolegydd Mam a minnau i ddechrau mynd i weld cartrefi nyrsio. 'Dwi ddim yn dweud y bydd angen gwneud hynny ar unwaith,' ychwanegodd yn ddoeth. 'Fyddwch chi'n gwybod pryd ...' Aethon ni i weld pedwar neu bump o gartrefi yn y cyffiniau. Roedd un yn arogli o wrin. Roedd gan un arall ddwy drefn wahanol: y llofft ar gyfer y trigolion mwyaf ymosodol a chorfforol afreolus. Roedd y drysau allanol ar glo. Ar y llawr gwaelod, roedd pethau'n fwy hwyliog. Ond allai Mam na minnau ddim anghofio'r gweiddi o'r llawr uwchben.

Yn fuan ar ôl hyn, cafodd fy nhad ddiagnosis o glefyd Alzheimer.

Adeg Nadolig 2003, es i i fyny i Glasgow. Daeth un o gymdogion fy mam ataf gan ddweud, 'Alli di ddim gweld beth mae hyn yn ei wneud i dy fam? Pryd wyt ti'n mynd i wneud rhywbeth?'

Edrychais ar fy mam o ddifrif. Roedd hi wedi colli bron dwy stôn a hanner. Fe'm symbylwyd i weithredu, ac yn union ar ôl dathliadau'r flwyddyn newydd, aeth Dad i gartref nyrsio am gyfnod prawf o fis o 'seibiant'. Roedd Mam a minnau'n teimlo ein bod wedi'i fradychu. Sut allen ni ei adael yno a gyrru i ffwrdd? Ond doedd dim dewis arall, o ystyried effaith y pedwar mis diwethaf ar Mam, a'n gofid ynglŷn â'r hyn allai ddigwydd wedyn. Erbyn hyn, dim ond chwe stôn a hanner oedd pwysau Liz.

Hwn oedd y cartref roedd Mam wedi'i hoffi fwyaf. Nid sefydliad yn cael ei redeg gan yr awdurdod lleol oedd e ond cartref nyrsio preifat, felly roedd angen talu arian ychwanegol amdano. Ond doedd hi ddim yn hawdd iawn ei gyrraedd ar drafnidiaeth gyhoeddus. Byddai angen dal bws hanner ffordd i gyfeiriad canol dinas Glasgow ac yna bws arall yn ôl eto mewn cyfeiriad arall. Ac fel Albanes ofalus, penderfynodd Liz y byddai hi'n dal tacsi, ond y byddai hi hefyd yn cerdded rhyw filltir o daith yn ôl er mwyn dal yr unig fws allai fynd â hi adref.

Setlodd John yn iawn. Wedi cyfnod prawf cychwynnol, fe ddes i 'nôl ar gyfer cyfarfod gyda Mam, Dad, gweinyddwr y cartref a'r gweithiwr cymdeithasol. Roedd Dad yn siarad yn glir iawn yn ystod y cyfarfod hwnnw. Doedd e ddim eisiau cael ei wahanu oddi wrth ei deulu, meddai, ond os oedd modd cynnal y berthynas, doedd dim ots ganddo aros yno. Aeth Mam i gysgu dan grio'r noson honno.

Felly, dyna ddechrau ar ryw fath o drefn. Bob dydd, yn cynnwys dydd Sadwrn a dydd Sul, byddai Mam yn mynd i weld Dad. Roedd y staff gofal yn amrywio'n fawr. Roedd un nyrs Wyddelig oedd yn cymryd diddordeb mawr yn Dad, ond roedd rhai o'r 'gofalwyr' eraill yn fwy ffwrdd-â-hi. Gallai swyno'r merched o hyd: 'Mae'n bleser helpu John, mae'n ŵr bonheddig iawn!' Bob tro y byddai'n ei adael, roedd Liz wedi'i rhwygo, hyd yn oed yn teimlo'n euog. Byddai'n meddwl am yr hanner cant a mwy o flynyddoedd ro'n nhw wedi eu treulio gyda'i gilydd, wrth iddo sefyll yn wrth ffenest y lolfa, yn codi ei law arni, a hithau'n sefyll ar ei phen ei hun yn y maes parcio. Ac yn raddol ac yn ddi-droi'n-ôl, gwaethygu wnaeth Alzheimer John. Aeth yn fwyfwy diymadferth – gan gau ei feddwl, fe ymddengys, i'w sefyllfa druenus.

Doedd y cartref ddim yn rhy ddrwg. Ychydig yn sefydliadol ac amhersonol, efallai. Roedd popeth yn troi o gwmpas shifftiau, trefn a gweithdrefnau. Doedd dim byd yn ddynol, o safbwynt bod wedi'i deilwra'n arbennig i helpu'r trigolion i dyfu a datblygu fel bodau dynol. Bwydo'r corff a'i gadw'n lân oedd yn cael blaenoriaeth, ac esgus mai cyfrifoldeb rhywun arall oedd y meddwl neu'r ysbryd. Wrth gwrs, roedd yna rai nyrsys ymroddgar a gweinyddwr dymunol, a pherchennog a defnodd ymweliad un diwrnod â'i gwesty hi ar lan y môr. Roedd yna hefyd swyddog gweithgareddau cymdeithasol a oedd yn trefnu i gerddor alw i gydganu â'r trigolion o dro i dro, adeg pen-blwydd neu rywbeth tebyg. Ond anaml oedd Dad yn dod allan.

Aeth rhai eitemau o'i eiddo ar goll, yn cynnwys peiriant eillio drud roedd Liz wedi'i roi'n anrheg iddo ar ei ben-blwydd, a byddai'n aml yn gwisgo dillad rhywun arall. Roedd Liz yn gandryll! Roedd ganddo ambell glais a briw na ellid eu hegluro. Yna, tua diwedd un haf, dechreuodd agor drysau'r allanfeydd brys er mwyn trio dianc. Yn y pen draw, syrthiodd a chael nifer o gleisiau a briwiau drwg, wrth drio mynd i lawr yr allanfa dân fewnol o'r ystafell roedd yn ei rhannu ar y llawr cyntaf.

Yn y diwedd, llwyddodd i ddianc a mynd rownd y gornel (ar y briffordd!) i stad fach o dai gyferbyn, ac i mewn i gartref rhywun. Yn ffodus, roedd perchennog y tŷ yn un o staff y cartref oedd yn ei adnabod, ac aethpwyd ag e 'nôl i'r cartref.

Yn naturiol, dechreuodd Liz boeni fwyfwy, a blino mwy hefyd. Fe fyddwn i'n mynd i fyny i Glasgow bob hyn a hyn, yn y car o Lundain, ac yn mynd â Mam a Dad am dro i'r llynnoedd lleol, lle ro'n nhw'n arfer mwynhau mynd am dro, neu i'r ganolfan arddio ar y llwybr twristaidd yn nyffryn Clyde. Byddai Liz hefyd yn dod i lawr i Lundain yn achlysurol am wyliau bach. Ond byddai'n ffonio'r cartref nyrsio bob dydd, a bob dydd roedd hi i ffwrdd, teimlai'n euog.

Ddechrau 2005, stopiodd John siarad. Byddai weithiau'n yngan ambell air annealladwy, cyn llithro i siarad rwtsh-ratsh ac yna dim byd. Erbyn hyn roedd yn gwlychu ac yn baeddu. Byddai Liz yn mynd â melysion a diodydd iddo, a byddai'n bwyta'r rheini wrth iddi hi gynnal rhyw fath o fonolog y byddai e'n mynd yn gynyddol ddi-hid ohoni.

Erbyn hyn, Mam, yn hytrach na Dad, oedd canolbwynt fy sylw a 'mhryderon i, wrth i Liz wanychu. Bellach doedd hi ddim yn gallu cerdded y filltir i fyny'r rhiw rhwng un llwybr bws a'r llall. Byrhau wnaeth hyd yr ymweliadau wrth i allu Dad i ymateb ac ymwneud â hi leihau. Yn amlach na pheidio, pan fyddai rhywun yn ymweld ag e, edrychai fel tasai'n cysgu. Roedd Liz yn argyhoeddedig mai'r cyffuriau oedd yn achosi hyn gan mai eu bwriad oedd ei gadw'n dawel. Cynhaliodd aelod o'r tîm gerontoleg ambell arbrawf i brofi ymateb rheoledig ac anrheoledig John i symbyliadau allanol megis lleisiau neu ystumiau corfforol. Daeth i'r casgliad *nad* oedd John yn cael ei reoli gan dawelyddion. Roedd ei gorff rywsut yn *gwrthod* y symbyliadau ac yn *dewis* eu hanwybyddu. Roedd y cyffuriau gwrthiselder wedi eu haddasu yn dilyn y cyfnod ymosodol. Cafodd Aricept hefyd ei ddefnyddio dros dro yn y gobaith y byddai'n rhwystro neu'n arafu datblygiad Alzheimer John am dipyn. Prin iawn oedd effaith hwnnw, os o gwbl.

Ym mis Chwefror 2006, cafodd Mam drawiad ar ei chalon. Treuliodd gyfnod yn yr ysbyty, ac am dipyn, bu'n rhaid i mi gymryd amser i ffwrdd o'r gwaith er mwyn gallu ymweld â'm rhieni mewn gwahanol sefydliadau mewn gwahanol rannau o Glasgow. Ychydig wythnosau'n ddiweddarach, roedd Dad yn methu yfed na bwyta, ond mae'n debyg nad oedd hynny'n ddigon o reswm i'w anfon i'r ysbyty. Ddigwyddodd hynny ddim nes iddo ddechrau gwaedu o'i rectwm. A dyna ddechrau ar ryw ras cath-a-llygoden rhwng bywyd a marwolaeth. 'Mae'n bosib y daw drwyddi,' meddai'r meddygon. ('Ond dydy e ddim yn gallu yfed na bwyta!') 'Gallai fynd i ysbyty am gyfnod hir,' meddai'r meddygon. ('Ond dydy e ddim yn gallu agor ei lygaid.') Beth oedd answdd bywyd Dad ar y pryd? Roedd ei gorff yn dawel, ac yn protestio, mewn ffordd oedd prin yn amlwg, i ddangos nad oedd ganddo unrhyw ansawdd bywyd o gwbl.

Byddai Mam a minnau'n ei wylio, yn gwlychu ei wefusau â rhyw fath o lolipop coch o beth gan ddisgwyl yr anorfod. Pan ddigwyddodd hynny, roedd yn rhyddhad bendigedig. Roedd Dad yn 86 oed.

Yn rhyfedd iawn, wrth i hyn i gyd ddigwydd, roedd ffrind gorau Mam hefyd wedi dechrau dangos arwyddion dementia. Roedd Mam a Janet wedi bod yn ffrindiau ers pan o'n nhw'n ferched ifanc, ac er gwaethaf ambell her dros y blynyddoedd, roedd eu cyfeillgarwch wedi goroesi hyd at flynyddoedd eu henaint.

Cafodd ei fagwraeth ddosbarth gweithiol gryn ddylanwad ar William, gŵr Janet. Saer coed yn ardal glannau'r Clyde oedd e – ac mae'n debyg iddo adeiladu'r QEII ar ei ben ei hun, bron! Yn 2001, dechreuodd effaith ei ymwneud ag asbestos yng nghwrs ei waith dros y blynyddoedd, gael gafael arno, a bu farw o ganser yn fuan iawn ar ôl iddo ymddeol.

Ddaeth Janet fyth dros y peth. Gwaethygodd yn raddol, gan gwyno na allai ymdopi ar ei phen ei hun. Bu'n rhaid i Rob, ei mab ieuengaf, gwtogi ei oriau gwaith fel darlithydd prifysgol i ofalu amdani. Roedd e wedi ailhyfforddi'n ddiweddar fel gweinidog yn Eglwys yr Alban, ond gohiriodd wneud cais i ymuno â'r weinidogaeth am ei fod yn teimlo'r rheidrwydd i fod yno'n gefn i'w fam.

Roedd trefn ofalu Rob yn un llym. Byddai'n diffodd y teledu gyda'r nos, ac yn gwrthod caniatáu'r gwydraid arferol o chwisgi (gyda thipyn go lew o Irn-Bru) roedd Janet a William yn arfer mwynhau ei yfed bob nos. Aeth Janet yn fwy mewnblyg. Byddai'n cwyno'n gyson am boenau a doluriau. Tueddai i gael cystitis, mae'n debyg, a byddai Rob yn ei hannog yn gyson: 'Yfwch eich te, Mam.'

Unwaith, cafodd Mam alwad ffôn gan gwpl oedd yn byw yn y tŷ lle roedd diweddar fam Janet yn arfer byw. Mae'n debyg bod Janet wedi cerdded yr hanner milltir o'i chartref ei hun i guro ar eu drws nhw i holi. 'Ble mae Mam?!' Cafodd y cwpl hyd i enw Liz ym mhwrs Janet. Felly aeth Liz draw ac eistedd gyda Janet nes i'w hwyres gyrraedd i fynd â Janet adref. Ffoniais Craig, mab hynaf Janet, ac egluro wrtho'n blwmp ac yn blaen fod gan fy mam ddigon ar ei phlât heb bryderu am ofalu am Janet hefyd!

Yn y pen draw, ddiwedd 2007, cafodd y ddau frawd le i Janet mewn cartref nyrsio Cristnogol mewn lleoliad hyfryd yn ne swydd Lanark.

Setlodd Janet yn dda: roedd y lle'n debycach i westy. Eto i gyd, roedd e ugain milltir i ffwrdd o'r dref lle ro'n nhw'n byw a dim ond unwaith yr wythnos y bydden nhw'n mynd i weld eu mam.

Bu farw Janet ddechrau 2008. Roedd Liz yn falch ei bod hi wedi gweld ei ffrind eto, am ychydig, am y tro olaf rai wythnosau cyn hynny, er ei bod hi'n ddryslyd iawn ar y pryd. 'Nid Liz wyt ti,' oedd y cyfan ddywedodd hi.

Allai Rob, mab Janet, ddim goddef y syniad o fynd i'r angladd. Yn fuan wedyn, aeth yn glaf gwirfoddol i ysbyty'r meddwl yn Glasgow. Darganfu, drwy roi'r gorau i'w waith llawn amser er mwyn gofalu am Janet, ei fod wedi colli dyddiad cau pum mlynedd, ac felly doedd dim modd iddo wneud cais am swyddi yn y weinidogaeth, dan reolau Eglwys yr Alban. Doedd hynny ddim y math o beth y dylai clerigwyr oedd newydd eu hordeinio ei anghofio. Ond efallai, dan yr amgylchiadau, doedd hynny'n fawr o syndod.

Wedi'r holl dristwch yma, mae fy mam, Liz, bellach wedi dechrau ar fywyd newydd rhyfedd fel perchennog tŷ ac aelod o urdd yr eglwys. Ar y dechrau, a hithau wedi colli ei gŵr a'i ffrind gorau, teimlai fod ei rôl – ei lle yn y gymuned – wedi cael ei disodli, ond mae hi'n dechrau gwneud ffrindiau newydd nawr.

Gofynnais iddi symud i Lundain, ond a hithau'n 82, mae hi'n dechrau mwynhau ei hannibyniaeth newydd. Pe bai cael fflat fel rhan o'r tŷ neu dŷ mwy o faint yn Llundain yn opsiwn, efallai y byddai'n barod i ystyried hynny, ond yn y cyfamser, mae ganddi gymdogion hyfryd. Mae'n gallu fforddio talu rhywun i wneud yr ardd iddi a chwyno amdano. Ac mae ei nithoedd hyfryd yn ymweld â hi mor aml â phosib, ac mae'r gwyliau gyda mi yn Ffrainc a'r Eidal yn wych, cyhyd ag y mae ei hiechyd yn caniatáu hynny …

Ydy, ar y cyfan, mae hi'n gwneud yn iawn.[1]

Nodiadau

[1] Mae rhai enwau wedi eu newid.

14

'Nôl a 'mlaen

Geraldine McCarthy

Fel yr adroddwyd wrth Lucy Whitman

Y TRO CYNTAF i mi sylweddoli nad oedd Dad yn dda oedd tua 1995. Ro'n i wedi mynd â Mam a Dad am dro i orllewin Cork am y penwythnos. Prin iawn y bydden nhw'n cael cyfle i fynd i ffwrdd. Fu ganddyn nhw ddim car erioed. Fydden ni fyth yn mynd ar wyliau pan o'n ni'n blant. Felly, iddyn nhw, roedd mynd ar wyliau fel hyn yn brofiad anarferol. Ar y nos Wener, aethon ni i gael swper a chwarae cardiau gyda'n gilydd, cyn mynd i'r gwely. Roedd ystafell wely fy rhieni ar y llawr gwaelod, ac ro'n i'n cysgu uwch eu pennau mewn rhyw fath o ofod atig hanner agored. Ro'n i i fyny'r grisiau yn fy ngwely, a gallwn glywed Mam a Dad islaw. A dyma fi'n clywed Dad yn dweud wrth Mam, 'Clare, ydy pawb gartref? Ydy'r drws cefn wedi'i gloi?'

A dyma Mam yn ateb, 'Jack, am beth wyt ti'n sôn? Ry'n ni i ffwrdd ar wyliau gyda Geraldine.'

Ac yna, roedd saib byr, cyn iddo ddweud eto, 'Ydy'r plant i gyd gartref, Clare?'

A dyna lle'r o'n i, i fyny'r grisiau, yn meddwl bod hyn i gyd yn od iawn! Roedd y chwech ohonom yn oedolion ers blynyddoedd. Ddywedais i'r un gair wrth Mam na Dad y diwrnod canlynol, yn rhannol am 'mod i'n teimlo 'mod i'n amharu ar eu preifatrwydd, oherwydd cynllun y tŷ. Felly ro'n i'n teimlo braidd yn lletchwith, ac roedd y peth yn chwarae ar fy meddwl. Roedd yna un neu ddwy o adegau eraill oedd braidd yn rhyfedd, ond wnes i ddim meddwl mwy amdanyn nhw.

Symudais i Lundain yn 1997, a thua blwyddyn neu ddwy'n ddiweddarach, fe syrthiodd Dad. Roedd yn arfer mynd ar ei feic i bobman. Roedd e'n beicio pan o'n i'n iau. Arferai gymryd rhan mewn rasys beicio ac ennill cwpanau, ac roedd e'n dal i feicio pan oedd yn ei wythdegau. Ond ar y diwrnod arbennig hwn pan aeth allan a syrthio oddi ar ei feic – yn ffodus, digwyddodd hynny wrth y giât ffrynt. Gwnaeth rywbeth i'w glun, a bu'n rhaid iddo fynd i ysbyty orthopaedig. Heneiddiodd ar ôl gwymp honno. Dyma ddechrau dirywiad yn ei gyflwr nad oedd modd ei anwybyddu. Achosodd i rywbeth gyflymu.

Saer maen oedd Dad wrth ei alwedigaeth. Roedd ganddo ddwylo cadarn adeiladwr, ac roedd yna wir gryfder yn perthyn iddyn nhw, yn ogystal â gwir dynerwch. Ac mewn ffordd, roedd hyn yn adlewyrchu ei bersonoliaeth. Gallai fod yn ddyn digon llym pan fynnai, yn eithaf traddodiadol a cheidwadol ei ffordd. Roedd yn berson tyner, ac yn llawn diawlineb hefyd. Un o'r pethau y byddai pobl yn ei ddweud o hyd ynglŷn â Dad oedd fod ei lygaid yn pefrio. Ond roedd rhan arall ohono – y rhan fwy ystyfnig – weithiau'n heriol, yn enwedig wrth iddo heneiddio oherwydd ei gyndynrwydd i adael i bobl eraill wneud pethau. Fe oedd yr un oedd yn gofalu am y tŷ: os oedd angen peintio, neu os oedd angen gwneud rhywbeth y tu mewn i'r tŷ, fe fyddai'n gyfrifol am wneud hynny. Os na fyddai'n gallu gwneud rhywbeth, byddai'n ei chael hi'n anodd meddwl am rywun arall yn gwneud y gwaith, a byddai hynny'n gwneud pethau braidd yn anodd i Mam, am wn i. Pan oedd yn ei saithdegau a'i wythdegau, fe fydden ni'n cyrraedd adref a'i weld i fyny ar ben y to, yn glanhau'r cafnau neu rywbeth! Ei feddylfryd oedd, 'Mae gen i ysgol, fe af i ben y to …' Roedd rhywbeth ynddo nad oedd modd ei ddeall. Rwy'n cofio trio'i berswadio i fynd i gael prawf clyw. Na, na, na. Dim gobaith.

Roedd Dad yn meddwl y byd o Mam. Roedd yn ei charu o'i chorun i'w sawdl. Ac felly hithau yntau. Gallaf gofio pan o'n i'n blentyn, fe fydden nhw weithiau'n mynd i barti adeg y Nadolig. A phan fyddai Mam yn dod allan o'r ystafell wely ar ôl newid ei dillad, byddai Dad yn dweud, 'Edrych ar dy fam nawr. On'd yw hi'n hardd!' Roedd yna deimlad o hyd ei fod e'n eithriadol falch ohoni. Ond mae'n debyg mai'r elfen honno yn ei bersonoliaeth oedd mor barod i ddweud 'Na!' oedd un o'r heriau mwyaf o fewn eu perthynas, yn enwedig ar y dechrau pan oedden nhw newydd briodi. Ond roedd y ddelwedd a gyflwynwyd i ni bob amser yn eu dangos nhw'n unedig iawn. A gartref, yn yr ystafell fyw, roedd yna ddwy gadair freichiau bob ochr i'r tân, a byddai Dad yn eistedd yn un a Mam yn y llall.

Bywyd tawel iawn oedd ganddyn nhw wedi i Dad ymddeol. Ro'n nhw'n bâr agos iawn, iawn. Rwy'n credu bod hynny'n fantais, er i hynny wneud pethau'n anodd wrth i ddementia Dad ddatblygu. Cyfyngodd ei afiechyd yn fawr ar fywyd Mam. Roedd cyfnod pan fyddai'n ei dilyn hi i bobman. Pan fyddai hi'n codi i fynd i'r gegin, neu'r ystafell ymolchi, byddai yntau wrth ei chynffon. Felly dechreuodd hi eistedd yn ei hunfan, am gyfnodau hir, er mwyn ei gadw'n ddiogel. A bod yn berffaith onest, bywyd o eistedd yn y tŷ oedd ei bywyd hi bellach, fel bod cwmni gan Dad o hyd.

Ro'n i'n teimlo weithiau fel petai fy mrodyr a'm chwiorydd yn feirniadol o Mam, fel petai hi wedi stopio trio, yn enwedig oherwydd i'w symudedd a'i gallu hithau gael eu heffeithio wrth i amser fynd heibio. Rwy'n amau eu bod nhw'n teimlo y dylai hi godi a thrio gwneud mwy. 'Gallai hi fod wedi mynd allan a gwneud pethau, tasai hi eisiau,' fydden nhw'n ei ddweud. Ac rwy'n cofio ateb, 'Ond dy'n ni ddim yn gwybod sut mae hi'n teimlo. Mae e'n dad i ni, ond mae'n ŵr iddi hi – ei chymar oes ers 60 mlynedd.'

Pedair neu bum mlynedd olaf ei afiechyd oedd yr anoddaf, ond rwy'n credu i'r blynyddoedd cynnar fod yn gyfnod heriol iawn i Mam hefyd. Rwy'n amau iddi guddio llawer o'r gwir, ac mai dim ond copa'r mynydd iâ welson ni.

Hi oedd yr un oedd yn treulio'i hamser i gyd yn ei gwmni. Yn ystod y blynyddoedd cynnar, byddai gofalwyr yn galw yn y tŷ. Roedd e'n dal i allu bwyta a mynd i'r tŷ bach ar ei ben ei hun ac ati, felly'r teulu oedd yn gofalu amdano, ac yn bennaf oll Mam. A phan fyddech chi'n ymweld â nhw, byddai hi'n llwyddo i ddod o hyd i ffyrdd gwahanol o'i gynnwys yn y sgwrs tasai hi'n teimlo nad oedd yn ein dilyn. Ond weithiau byddech chi'n sylwi, os oedd hi wedi blino neu dan ychydig o straen, byddai hynny'n rhy anodd iddi, gyda'r holl ymdrech a'r egni oedd eu hangen, a byddai'n cynhyrfu ychydig. Weithiau, fyddai dim byd yn well ganddi nag eistedd a sgwrsio. Roedd hi gydag e 24/7. Yr hyn ro'n ni'n ei brofi yn ystod yr ychydig oriau y bydden ni yno, roedd hi'n ei wynebu drwy'r amser.

Wedi iddo syrthio, llwyddodd Dad i ddod 'nôl ar ei draed yn rhyfeddol. Roedd ganddo ffordd arbennig iawn o gerdded oherwydd na lwyddwyd i sythu'r glun yn iawn, ond roedd yn llwyddo i fynd o gwmpas y lle ac yn gallu symud yn go sydyn pan fyddai'n dymuno! Mae cartref fy rhieni bellach yn un o faestrefi dinas Cork, ond pan o'n i'n ifanc, roedd yr ardal honno'n wledig iawn. Dim ond caeau sydd i'w gweld o ddrws ffrynt cartref Mam a Dad, ond o gerdded rhyw dair munud, mae yna briffordd. Roedd Dad yn dal yn awyddus i reidio'i feic, ond penderfynodd Mam, ar ôl ambell ddigwyddiad braidd yn anffodus, y dylai'r beic gael ei gloi'n saff a'r allwedd yn cael ei rhoi mewn man diogel fel na allai e ddod o hyd iddi. Ac roedd popeth yn iawn am dipyn. Ond un diwrnod, treuliodd Dad oriau'n cerdded 'nôl a 'mlaen, 'nôl a 'mlaen, yn chwilio am allwedd y beic ym mhob twll a chornel. Ac fe ddaeth o hyd i allwedd arall, nad oedd Mam yn gwybod amdani; llwyddo i ddatgloi'r beic a thrio mynd allan arno unwaith eto! Bu'm rhaid i'r biec 'ddiflannu' yn llwyr ar ôl hynny.

Byddai Dad yn gallu fod yn orbryderus iawn. Yn sydyn iawn, gallai fynd o fod wedi ymlacio rywfaint, i fod wedi'i gynhyrfu gan feddwl ei bod yn rhaid iddo fynd i rywle, neu fod rhywbeth roedd yn rhaid iddo'i wneud. 'Awn ni adref nawr? Ydy hi'n bryd i ni fynd adref?'

Bydden ni'n ei ateb drwy ddweud, 'Dad, peidiwch â phoeni, ry'ch chi gartref, a does dim rhaid i chi fynd i unman, mae popeth yn iawn.'

A'i ymateb fyddai, 'O, iawn, iawn, iawn.' A byddai'n eistedd i lawr. Ond fyddai e ddim yn ymlacio'n llawn wedyn am dipyn.

Un diwrnod roedd e'n meddwl nad oedd e gartref, felly dyma fi'n dweud wrtho, '*Ry'ch* chi gartref, Dad. Eich cartref chi yw hwn.'

A'i ateb oedd, 'O, ife?'

A dyma fi'n dweud, 'Ie, wir. A dyna dŷ braf yw e, yntê?'

'Ydw i'n byw yma ers talwm?'

'Ydych, ers talwm iawn – 60 mlynedd a mwy.'

A dyma fi'n mynd ymlaen i sôn am y tŷ, cyn iddo ddweud, 'Rwyt ti'n adnabod y lle 'ma'n dda iawn.'

'Am 'mod i'n arfer byw yma hefyd,' atebais.

'Oeddet ti?'

'Wrth gwrs – am ddeunaw mlynedd.'

'Wir?'

'Wir. A ddweda i rywbeth arall.'

'Beth?'

'Rwy'n ferch i chi.'

A'i ymateb oedd, '*Wyt* ti? Mae'n dda 'da fi gwrdd â ti!' gan ysgwyd fy llaw.

A phan ddywedodd e, 'Mae'n dda 'da fi gwrdd â ti' – fe *oedd* fy nhad. Pan fyddech chi'n dod â rhywun i'r tŷ, ac yn dweud, 'Dad, dyma hwn a hwn,' byddai'n dweud, 'Dda 'da fi gwrdd â chi!' cyn codi ar ei draed ac ysgwyd ei law.

Bryd arall, ro'n i'n eistedd yno'n sgwrsio. Edrychais i fyny ac roedd e'n gwneud rhyw ystumiau â'i ddwylo, felly dyma fi'n gofyn, 'Beth y'ch chi'n 'neud, Dad?' a'i ateb oedd 'Galw ar y gwartheg.' Gwas fferm oedd fy nhad-cu, felly pan oedd 'nhad yn blentyn ifanc yn yr 1920au, byddai weithiau'n mynd i amrywiol ffermydd gyda'i dad. Felly roedd e'n galw ar y gwartheg ...

Ro'n i'n oedolyn pan adewais i Iwerddon. Gwnes benderfyniad ymwybodol i symud oddi wrth fy nheulu a dod yma i Loegr i fyw gyda 'mhartner, Helen. Roedd yn benderfyniad anodd, oherwydd ro'n i'n gwybod 'mod i'n symud oddi wrth fy rhieni oedd eisoes yn heneiddio. Pan ddaeth hi'n amlwg fod Dad â dementia, roedd y sefyllfa'n fwy anodd fyth, oherwydd ro'n i'n teimlo mor bell i ffwrdd.

Os mai chi yw'r un sy'n absennol o hyd, mae eich brodyr a'ch chwiorydd sydd yno bob dydd yn delio â phopeth, a minnau'n cael 'penawdau'r newyddion' yn unig. Dim ond y pethau mwyaf arwyddocaol fydden i'n clywed amdanyn nhw, ac felly ro'n i'n gorfod trio ychwanegu'r manylion fy hun. Ond roedd pethau'n newid byth a hefyd. Ro'n i'n arfer teimlo 'mod i ar ei hôl hi o hyd.

A do'n i byth yn siŵr beth oedd fy rôl i. Ro'n i'n teimlo fel petai gan bawb arall eu rolau gwahanol, ac weithiau ro'n i'n teimlo dan draed braidd. Pan fyddwn i'n dod i ymweld â Dad gartref, doedd dim llawer y gallwn i ei wneud oherwydd bod trefn gan fy mrodyr a'm chwiorydd, ac ro'n i'n teimlo ychydig yn ddi-werth.

Yn ystod tair neu bedair blynedd olaf bywyd fy nhad, dechreuais ddod o hyd i rôl i mi fy hun. Dechreuodd gael gofal seibiant, am wythnos neu ddwy ar y tro, er mwyn rhoi hoe i bawb, a'm rôl i bryd hynny oedd mynd adref i aros gyda Mam a threulio amser gyda hi'n gofalu amdani. Roedd angen rhywfaint o ofal arni hithau, felly pan fyddwn i gyda hi, roedd hynny'n gyfle i 'mrodyr a'm chwiorydd gael seibiant go iawn. Ac mewn ffordd, dyna rôl rwy'n dal i'w gwneud, ers i Dad farw; rwy'n dod adref, ac yn llenwi'r bwlch er mwyn rhoi cyfle i bawb arall wneud beth bynnag y maen nhw'n dymuno'i wneud.

Rwy'n gallu gweld nawr fod dementia Dad wedi cael effaith wahanol ar bob un ohonom. Mae dementia'n effeithio ar bob aelod o'r teulu mewn ffyrdd gwahanol. Ro'n i'n mynd a dod o'r sefyllfa, tra oedd fy mam a 'mrodyr a'm chwiorydd yno drwy'r amser.

Pan fu farw Dad y cafodd y syniad o fynd a dod yr effaith fwyaf arnaf. Cefais neges destun gan fy chwaer yn dweud, 'Mae Dad yn yr ysbyty.' Roedd y meddygon wedi dweud wrth fy chwaer am ddweud wrth y teulu efallai na fyddai'n para'r nos, felly dyma fi'n mynd yn syth i Cork. Bu fy nhad fyw am wythnos arall, yn yr ysbyty, a phawb yn aros gydag e am yn ail.

Mae'n rhaid mai'r wythnos honno, a'r dyddiau'n dilyn yr angladd, oedd y cyfnod mwyaf heriol i mi erioed. Roedd yn amser anodd – mynd i'r ysbyty i weld Dad, yn gwybod na fyddai'n dod drwy hyn, ac yna mynd adref at Mam, a gorfod dweud wrthi na fyddai'n dod drwyddi.

Aethon ni â Mam i'r ysbyty i'w weld y diwrnod cyn iddo farw, ac roedd hynny'n dorcalonnus. Edrychais a gwelais y ddau berson oedd wedi syrthio mewn cariad ac wedi priodi, ac wedi treulio'u holl fywyd gyda'i gilydd, a nawr roedd hi'n ffarwelio ag e.

A phan fu farw, ro'n i'n teimlo nad o'n i'n perthyn i unman. Ro'n i'n aros yn y tŷ lle cefais fy magu, ond nid dyma fy nghartref mwyach, er gwaetha'r holl bethau cyfarwydd o 'nghwmpas i. Ro'n i'n ymwybodol fod fy mrodyr a'm chwiorydd yn gallu dianc o ddwyster y sefyllfa bob hyn a hyn, am eu bod nhw'n gallu mynd adref i'w cartrefi ac at eu teuluoedd eu hunain – ond o'n i'n aros yn y tŷ gyda Mam. Roedd Helen yno hefyd. Buaswn i wedi bod ar goll hebddi.

Wedi i mi ddychwelyd i Lundain, roeddwn yn ôl yn fy lle bach i fy hun – ond yma, ro'n i mewn dinas heb unrhyw gysylltiad â 'nhad. Doedd neb yn ei adnabod. Doedd e ddim yn gwybod dim am fy mywyd i yma. Felly roedd y golled hyd yn oed yn fwy. Rwy'n teimlo'n drist am 'mod i'n teimlo na chafodd gyfle i ddod i adnabod Helen yn iawn. Newydd ddechrau cael argraff ohoni roedd e, ac o 'mywyd i yma yn Llundain, pan ddechreuodd fynd yn sâl.

Roedd yr ymweliadau cyntaf â'm cartref 'nôl yn Iwerddon wedyn yn ofnadwy! Roedd mor anodd! Byddwn i'n mynd i mewn i'r tŷ – a doedd Dad ddim yno mwyach. Do'n i ddim yn gallu setlo. Rwy'n cofio teimlo bron, 'alla i ddim goddef bod yma.'

Pan oedd yn yr ysbyty yn ystod yr wythnos olaf honno, roedd ar ocsigen a drip. Roedd diffyg hylif difrifol arno am nad oedd e'n llyncu bellach. Pan fyddwn i'n ymweld ag e, byddwn yn dal ei law ac yn anwesu ei dalcen, ac yn siarad ag e gan ddweud, 'Mae pawb yn iawn. Byddwn ni i gyd yn iawn. Mae eisiau i chi ofalu amdanoch chi eich hunan nawr, ac os oes angen i chi fynd, mae hynny'n iawn.' Ro'n i'n gwybod mai'r peth gorau *iddo fe*, oedd marwolaeth.

Ond o'm safbwynt *i*, gallai fod wedi aros yn fyw gyhyd ag y mynnai! Mae pobl yn dweud, o wel, roedd wedi eich gadael chi ers blynyddoedd, doedd e ddim yn gwybod eich bod chi yno – does dim ots am hynny, mae'n dal i fod yn dad i chi, ac ry'ch chi am iddo fe fod yno o hyd. Yr hyn nad yw pobl yn dweud wrthoch chi nes ei fod e'n digwydd, pan fyddwch chi'n colli rhiant, yw ei fod yn gadael gofod mawr nad oes dim byd arall yn ei lenwi.

Pan fyddwch chi'n colli rhywun oherwydd dementia, yn raddol bach, gallwch chi estyn eich llaw a chyffwrdd â nhw. Maen nhw yno o hyd. Ry'ch chi'n gallu eu gweld nhw. Mae'n golled, ond maen nhw'n dal i fod yn fyw! Pan fyddan nhw'n marw yn y diwedd, mae'n derfynol, ac mae'n sioc fawr i'r system. Rai misoedd wedi iddo farw, mae'r ddwy golled – colli fy nhad pan fu farw, a'i golli flynyddoedd ynghynt oherwydd dementia – yn dod at ei gilydd yn sydyn. Ac roedd honno'n golled ddwys.

15

Mwstásh pwysig iawn

Steve Jeffery

Bu farw fy mam ar 5 Ionawr 2006, yn 96 a thri chwarter. Cafodd fywyd llawn a phrysur, yn gorfforol ac yn ddeallusol, am 90 o'r blynyddoedd hynny, yn cynnwys bod yn aelod o bwyllgor rheoli'r blaid Gomiwnyddol, yn ymgyrchydd dros CND, yn fam, mam-gu a hen fam-gu. Wedyn fe ddechreuodd hi fynd braidd yn ddryslyd, yna ychydig bach yn fwy dryslyd, ac ar ôl iddi ddisgyn dair gwaith heb unrhyw eglurhad, cafodd ddiagnosis o ddementia amlgnawdnychol (MID – *multi-infarct dementia*). Anhwylder cynyddol yw hwn sy'n arwain at ddirywiad graddol o safbwynt gallu meddyliol a chorfforol yn sgil cyfres o 'fân strociau' (gwaedlifau bach yn yr ymennydd). Ar y dechrau, dydy'r effeithiau ddim yn amlwg: ychydig o ddryswch efallai, neu deimlo braidd yn ffwndrus wrth ddilyn llwybrau cyfarwydd. Ac ar y dechrau fe wnes i anwybyddu diagnosis fy chwaer mai arwyddion cynnar o ryw fath o ddementia oedd y rhain, gan gysuro fy hun mai problemau oedd yn dod gyda henaint o'n nhw. Ond roedd barn fy chwaer o bellter yn fwy clir, a phan fu'n rhaid i Mam gael ei thywys adref o'r stryd fawr gan ryw ddieithryn caredig, roedd yn rhaid i mi gyfaddef y gwir. Yna dechreuodd hi syrthio, a threulio cyfnod yn Ysbyty Lewisham, cyn cael diagnosis yn y diwedd. Wedi rhai misoedd yn yr ysbyty, fe lwyddon ni i drefnu cartref nyrsio i Mam gerllaw.

Mae dementia amlgnawdnychol yn anhwylder nad oes fawr i'w ddweud o'i blaid, wrth i chi wylio'r person ry'ch chi'n ei garu'n colli ei feddwl neu ei meddwl, y gallu i gerdded, ac yn raddol y gallu i siarad a deall, yn ôl pob tebyg. Yn ystod dwy flynedd olaf ei hoes, doedd Mam ddim yn gallu siarad o gwbl. Yr unig beth da yn ei hachos hi, a does gen i ddim syniad a yw hon yn nodwedd gyffredin gyda'r math hwn o ddementia, oedd nad oedd hi'n ymddangos fel tasai hi'n teimlo'n ddigalon iawn, ac yn y diwedd, bu farw'n dawel wedi pythefnos o fod yn hanner-ymwybodol.

Mae dementia'n dwyn cof y rhai sydd â'r clefyd a'u gofalwyr. O safbwynt yr un sydd â dementia, mae hyn yn digwydd gyda'r cof presennol, wedyn cof y gorffennol ac yna'r cof cyfan; yn achos y gofalwyr, y cof pwy oedd y person hwnnw sy'n cael ei erydu'n raddol. Rwy'n cofio trafod cyflwr Nora gyda 'mrawd neu gyda 'ngwraig a'm merch, a ninnau'n dweud, 'Ddim yn ffôl heddiw,' oedd yn golygu y gallai hi fod wedi dweud un gair yn ystod awr o fwmblan, sef un gair yn fwy na'r wythnos cynt. Mae normau ymddygiad yn newid, a lluniau o'r presennol, am ryw reswm, yn dileu'r gorffennol. Er i chi wneud eich gorau i osgoi i hyn ddigwydd, mae'n dal i ddigwydd.

Llwyddais i achub ambell ddarn bach o'r llanast, yn sgil f'arfer obsesiynol o gofnodi popeth ar bapur. Digon digalon oedd y ddwy flynedd olaf hynny, ond tra oedd Mam yn dal i allu siarad, sylweddolais ei bod hi'n anfwriadol ddoniol ar sawl achlysur, ac ar adegau eraill roedd ei hymatebion anarferol yn cyfleu mwy na lleferydd normal. Nid oedd gwybod bod pethau'n anghywir yn tarfu arni o gwbl, ac weithiau byddai'r ddau ohonom yn chwerthin lond ein boliau. Ac wrth gwrs, ro'n i'n chwerthin gyda hi, byth ar ei phen hi.

Nora Jeffery

Rwy'n cofio gofyn iddi unwaith beth oedd wedi digwydd iddi'r diwrnod hwnnw, a chael yr ateb, 'Galwodd dyn â mwstásh pwysig iawn.' Ar achlysur arall ro'n i'n trio egluro rhywbeth iddi, heb fawr o lwc. Pan roddodd hi'r ffidil yn y to o'r diwedd, meddai, 'Rhaid 'mod i'n colli fy ngwallgof!' Wrth drio'i helpu i symud, gofynnais iddi a oedd hi'n gallu cerdded. 'Dwi ddim yn credu y gall unrhyw ran ohona i gerdded,' oedd ei hateb cwrtais.

Roedd Mam yn gallu cofio'i mam hithau ymhell ar ôl iddi anghofio pwy o'n i, ac un diwrnod, dyma hi'n dweud wrtha i, 'Rwy'n becso am Mam.' Do'n i ddim yn siŵr sut i ymateb, am ei bod hi wedi marw ers rhyw 50 mlynedd. Penderfynais fod yn ystyriol.

'Mam, mae hi wedi marw.'

'Felly, beth mae hynny'n ei olygu?'

Do'n i ddim yn gwybod beth i'w ddweud nesaf.

'Wel, rwy'n 50, a phan o'n i'n chwech, bu farw eich mam. Mae hi wedi marw ers blynyddoedd lawer.'

Edrychodd arna i'n hir ac yn bwyllog.

'Mae'n anodd credu hynny.'

'Wel, mae'n wir.'

'Felly, dwed wrtha i, fel un unigolyn wrth un arall, beth wyt ti'n meddwl allwn ni ei wneud drosti?'

O'r dechrau, roedd Mam wedi cael trafferth cofio enwau, yn enwedig f'enw i ac enw Reuben, fy ŵyr – yn gymaint felly nes i Reuben droi'n Riwbob, nes i hwnnw gael ei anghofio hefyd. Ro'n ni'n sôn am Reuben un diwrnod pan ofynnais i Mam pwy oedd ei fam. Ysgwyd ei phen wnaeth hi. 'Ddylwn i wybod?'

Nodiais fy mhen.

'Dim syniad.'

Pwyntiais ataf i, fel cliw i awgrymu Rebecca, fy merch i a mam Reuben. Edrychodd Mam arna i'n fuddugoliaethus.

'Ti!'

'Na, Mam, mae'n rhaid mai merch yw ei fam e.'

Dim lwc o hyd, felly dyma fi'n dweud, 'Rebecca.' Dim smic. 'Fy merch i.' Dim smic eto. Wedyn dyma fi'n dechrau amau a oedd hi'n gwybod pwy o'n i.

'Rwy'n gwybod pwy wyt ti, ond mae gen ti enw anghyffredin, on'd oes e?'

'Wel, chi roddodd e i fi.'

'Na, dwi ddim yn gwybod.'

Ro'n i'n dechrau teimlo ychydig yn bigog erbyn hyn, sy'n dweud mwy amdana i nag am Mam.

'Faint o blant sydd gennych chi?' gofynnais braidd yn swta.

'Tri.'

'A phwy y'n nhw?'

'David ... Jill ... a ti.'

'A phwy ydw i?'

'Asbestos.'

Ton o chwerthin. 'Na, fyddwn i ddim wedi rhoi'r enw yna i ti, fyddwn i?'

Ond Asbestos fues i am wythnosau lawer.

Wrth drafod pwy oedd pwy yn y teulu, cafodd Mam ei synnu o glywed 'mod i'n briod.

'Un o'r priodasau *hynny*, ife?'

'Beth y'ch chi'n feddwl?'

'Priodi'n naw neu'n ddeg oed?'

Eglurais mai priodi pan o'n i'n ddeunaw wnes i.

'Wel, rhaid dy fod ti'n wallgof 'te!'

'Pam?'

'Mae'r rhan fwyaf o bobl yn mynd yn wallgof oherwydd priodi.'

Ddiwrnod neu ddau'n ddiweddarach roedd fy statws priodasol yn dal i fod yn achos pryder.

'Oes rhywun arall yn gwybod am hyn? Bydd Jill wrth ei bodd o glywed.'

'Rwy'n briod ers 32 mlynedd.'

'Oes rhywun arall yn gwybod?'

Wedi mynd i'r drafferth o egluro ei bod hi'n bresennol yn y briodas, dyma Mam yn dweud: 'Ydy dy briodas di ac Iris yn un iawn?'

'Beth y'ch chi'n feddwl?'

'Perthynas â rhyw?'

'Ydy.'

Saib. 'Alla i ddim credu'r peth.'

Weithiau, yn gwbl anfwriadol, ro'n i'n sylweddoli 'mod i'n bod yn nawddoglyd, ac roedd hithau hefyd. Roedd hi eisiau cael bwrdd oedd yn plygu rhag ofn y byddai rhywun yn galw gyda hi i gael te, rhywbeth na fyddai byth yn digwydd, yn anffodus. Felly dyma fi'n dweud wrthi, 'Groeswn ni'r bont honno pan ddown ni ati.' Wrth i mi agor fy ngheg, ro'n i'n gwybod 'mod i'n swnio'n rhwysgfawr, ond rhoddodd Mam fi yn fy lle.

'A phaid ti â bod mor ffroenuchel os nad oes digon o ffroen gen ti!'

Hyd yn oed wrth i mi ysgrifennu hyn rwy'n gallu gweld Mam ar yr amrywiol achlysuron hynny. Roedd hi'n dal i allu gwneud hwyl am ei phen ei hun, ac yn gallu fy rhoi i yn fy lle mewn ffordd na allai rhywun oedd yn meddwl yn rhesymegol – a byddai hynny'n gwneud i'n llygaid ni'n dau lenwi â dagrau.

Arweiniodd y newid yn atgofion Mam, a'r modd y collodd ei hadnabyddiaeth o bawb oedd yn ei charu, at newidiadau yn ei phersonoliaeth drwy gydol yr afiechyd. Felly, mae'n siŵr iddi orffen ei hoes fel rhywun arall, rhywun oedd â'i phrosesau meddwl yn y tywyllwch. Er gwaetha'r newid a'r dirywiad hwn, roedd digon ohoni'n dal yn amlwg bob hyn a hyn, a digon o'r person newydd roedd yn datblygu i fod, i greu atgofion sy'n fwy hapus na thrist. Buaswn yn cynghori unrhyw un arall sy'n gofalu am rywun yn y sefyllfa hon i gofnodi beth allwch chi tra maen nhw'n dal i allu siarad; gall hynny fod yn gysur mawr wrth i chi aros i niwl y gorffennol glirio ac i'r atgofion am sut oedd pobl lifo 'nôl. O leiaf, dyna rwy'n ei obeithio.

Mae angen i chi hefyd fod yn ofalus o'r hyn ry'ch chi'n cael gwared arno. Wrth gwrs, mae ffotograffau'n bwysig, ond hyd yn hyn, dydy'r rheini ddim wedi deffro f'atgofion. Ond buaswn i wedi cael gwared ar un o'r pethau gafodd yr effaith fwyaf arnaf i: pwrs arian Mam, un nad oedd hi wedi'i ddefnyddio ers talwm ac oedd wedi bod ar waelod un o ddroriau'r cwpwrdd wrth y gwely yn y cartref nyrsio.

Tasai fy merch ddim wedi achub hwnnw o'r bin, fydden ni byth wedi dod o hyd i'r cerdyn bach oedd y tu mewn iddo. Ar flaen y cerdyn roedd enw Mam, ei chyfeiriad a'i rhif ffôn; ar y cefn roedd fy enw i, fy ngwraig, fy mab a fy merch. (Ro'n ni'n byw yn y fflat uwch ei phen.) Fy merch oedd wedi ysgrifennu'r cyfan, pan oedd ei mam-gu wedi dweud wrthi nad oedd hi'n gallu cofio pwy oedd hi weithiau, na sut fyddai hi'n llwyddo i gyrraedd adref. Roedd y cerdyn bach hwnnw'n f'atgoffa sut ro'n ni i gyd yn caru'n gilydd ac wedi trio'n gorau i ymdopi â rhywbeth hollol annioddefol.[1]

Nodiadau

[1]   Cyhoeddwyd yr erthygl hon gyntaf yn y *Guardian*, 1 Ebrill 2006.

Gair o faes y gad

16

Yn fwy na Mam

Marylyn Duncan

Fel yr adroddwyd wrth Lucy Whitman

RWYF WEDI BOD yn gofalu am Mam yn llawn amser ers tua phum mlynedd. Mae Mam yn wraig gref a phenderfynol. Weithiau, gall fod yn anodd ei thrin, ond mae'n siŵr mai hynny a'i helpodd i gyrraedd yr oedran teg o 88 mlwydd oed!

Cafodd Mam ei geni yn Tobago, ond symudodd i Trinidad, lle cefais i fy magu. Mae hi wastad wedi bod yn berson gofalgar a gweithgar. Gwraig tŷ oedd hi, a byddai'n ymwneud â llawer o brosiectau o fewn y gymuned, yn cynnwys grŵp merched a chyngor y pentref. Roedd hi'n tyfu llysiau, coed ffrwythau, blodau a pherlysiau meddyginiaethol yn ogystal â chadw ieir. Ac roedd ganddi lais hyfryd. Byddai'n 'bloeddio canu' o'r tŷ, yn ôl fy nhad. Roedd hi'n bosib ei chlywed o bell. Byddai hi'n canu ac yn canu. Emynau fydden nhw bob tro.

Ar ôl i 'nhad farw, yn 1985, byddai'n treulio chwe mis, neu flwyddyn weithiau, gyda ni, ac yn mwynhau hynny gan y byddai wedyn yn mynd 'nôl i ganol ei chymuned ei hun. Yn Trinidad, byddai pobl yn ei phasio ac yn ei chyfarch. Mae rhywrai i siarad â nhw o hyd. Ond yma, mae'n dweud y gallech chi fod gartref drwy'r dydd heb weld neb, a doedd hi ddim wir yn hoffi bod yma o'r herwydd.

Rwy'n tybio i Mam gychwyn ar y daith i fyd dementia pan ddechreuodd hi gyhuddo pobl o fynd â'i phethau hi. Ro'n i'n ei chredu hi ar y dechrau, ond dyma fi'n dechrau meddwl wedyn, 'Ond fydden nhw ddim yn mynd â'i moddion hi! Fydden nhw ddim yn mynd â'i dillad.' Felly roedd y clychau'n dechrau canu. Wedyn, fe ddaeth hi yma, a dechrau ein cyhuddo ni o fynd â'i harian hi, a chyhuddo ffrindiau Anton,

Marylyn Duncan
© Helen Valentine
helen@nakedeyeimages.co.uk

ein mab, o fynd â'i nicyrs. A dyma fi'n meddwl, 'Wel, na – mae Mam yn faint 22. Fydden nhw ddim yn mynd â'i nicyrs hi!'

Gwaethygu'n raddol wnaeth pethau, felly dyma fi'n mynd â hi at y meddyg teulu, a chafodd ei chyfeirio at glinig cof. Eglurodd y meddyg ymgynghorol beth oedd yn digwydd a dechrau trwy roi Aricept iddi. Gwnaeth yn rhyfeddol o dda, a minnau'n tybio y byddai'n ddiogel iddi fynd 'nôl i Trinidad. Ond tra oedd hi yno, cuddiodd ei meddyginiaeth, mae'n debyg, a stopio'i chymryd, felly gwaethygodd ei chyflwr. Bu'n rhaid i mi ofyn i gymydog ei rhoi hi ar awyren a'i hanfon hi 'nôl i Lundain, a dyna ni.

Roedd Anton ar fin symud allan pan ddaeth Mam i fyw gyda ni. Ond dywedais wrtho, 'Edrych, alla i ddim gwneud hyn ar fy mhen fy hun. Plis, paid â symud allan. Rwy'n gofyn i ti aros.' Felly dyna wnaeth e. Rwyf wedi bod yn ffodus.

Rwy'n dal i gredu nad o'n i wedi deall y sefyllfa'n iawn, ond wedyn dyma hi'n dechrau cuddio popeth yn ein tŷ ni. Roedd popeth ar goll. Ro'n i'n arfer gadael biliau ar fwrdd yr ystafell fwyta, er mwyn cofio amdanyn nhw mewn da bryd. Ond do'n ni ddim yn sylweddoli ei bod hi'n eu rhoi nhw 'nôl yn yr amlenni ac yn eu rhoi nhw wedyn mewn drôr. Felly bu'n rhaid i mi dalu llog am dalu biliau'n hwyr.

Roedd hi'n mynnu coginio, nes i Anton ddweud wrtha i un diwrnod, 'Plis, paid gadael i Nain goginio!' Roedd Mam yn gogydd gwych. Daeth draw yma â stôr o gynhwysion yn ei chês i drio ambell rysáit. Pan ddechreuodd y dementia gael gafael ynddi, roedd hi'n dal i fynnu coginio, ond roedd hi'n amhosib bwyta'r bwyd, am na allai gofio sut i goginio. Cyn cyrraedd y pwynt hwn, byddai'n dweud, 'Dwi ddim yn gallu cofio dim byd, mae'n rhaid i ti ysgrifennu popeth i lawr i fi.' Felly byddwn i'n gwneud nodiadau iddi cyn mynd allan i'r gwaith, a byddai hi'n eu dilyn. Wedyn, fe ddaeth hi i'r pwynt, wedi i mi ysgrifennu'r nodiadau, y byddai hi'n plygu'r darn o bapur ac yn ei roi i gadw.

Roedd Mam yn ddarllenwraig frwd. Dyw hi ddim yn dweud hynny gymaint nawr, ond roedd Mam yn ymwybodol ei bod hi wedi colli ei chof. Byddai hi'n arfer dweud wrth y meddygon, 'Pan fydd rhywun yn colli ei gof, mae'n beth *ofnadwy*.' Ond dydy hi ddim yn gallu cofio dim. Dydy hi ddim yn darllen bellach.

Mae Anton a minnau wedi cyrraedd adref, ar adegau gwahanol, a sylweddoli bod y tŷ'n llawn nwy. Ro'n i'n meddwl 'mod i'n mynd i lewygu. Roedd hi'n eistedd yno, yn gwylio'r teledu, yn cweryla ag Anne Robinson, am ei bod hi'n credu ei bod hi'n haerllug. Ac roedd y tŷ'n llawn nwy. A dyma fi'n dweud wrthi, 'Mam, beth y'ch chi'n ei wneud? Mae'r tŷ'n drewi o nwy.'

'Wel, dwi ddim yn gallu arogli unrhyw nwy.'

Dyna pryd y penderfynais na allwn weithio'n llawn amser mwyach. Nyrs iechyd meddwl ydw i, ac ro'n i'n gweithio fel rhan o dîm argyfwng. Es i'n rhan-amser i ddechrau. Fe wnaethon nhw eu gorau i'm helpu yn y gwaith. Ond allwn i ddim ymdopi. Ro'n i'n codi yn y bore, yn ei brysio hi i gymryd ei meddyginiaeth, i fynd i'r tŷ bach, i roi brecwast iddi. Yna un bore, dyma fi'n meddwl: Pam ydw i'n gwneud hyn? Rwy'n ei rhoi hi dan straen, ac rwyf innau dan fwy o straen. A dyma fi'n penderfynu: na. Allwn i ddim ymdopi. Rhoddais y gorau i fy swydd bedair blynedd yn ôl.

Un diwrnod, es i â hi at y meddyg i gael archwiliad. Edrychodd y meddyg arna i a rhoi darn o bapur i mi â rhif ffôn gwasanaeth nyrsys Admiral, a'm hannog i gysylltu â nhw. Felly trefnwyd i nyrs Admiral alw gyda ni, a chysylltodd hithau yn ei thro â'r gwasanaethau cymdeithasol, a rhoi manylion grŵp cymorth lleol yr Alzheimer's Society i mi. Do'n i erioed wedi hawlio unrhyw fudd-daliadau ar gyfer Mam. Am 'mod i'n gweithio, do'n i ddim wedi ystyried y peth. Allwn i ddim trafferthu i wneud cais am ddim byd. Ond fe wnaethon nhw'r cyfan drosta i, ac felly cafodd Lwfans Gweini.

Roedd y nyrs Admiral yn wych. Ro'n i'n amheus iawn ar y dechrau, ond fe wnes i gynhesu ati. Sylweddolais y gallwn siarad â hi am bopeth, heb deimlo'n euog. Rwy'n gallu dweud wrthi beth sy'n digwydd a sut rwy'n teimlo. A dyna sut ro'n i'n teimlo gyda'r grŵp cymorth Alzheimer lleol hefyd. Gallech fynd yno a bod yng nghwmni eraill oedd yn yr un cwch â chi, a siarad a siarad am bopeth sy'n digwydd i chi, gwrando ar brofiadau pobl eraill a chyfnewid awgrymiadau a chefnogaeth.

Roedd Mam yn ddigon iach, yn gorfforol, tan ychydig fisoedd yn ôl pan lewygodd hi yn y gegin a chael trawiad ar y galon. Ro'n ni'n dod â hi 'nôl o'r ystafell ymolchi, pan ddisgynnodd hi, yn llythrennol fel ffrwyth yn disgyn o goeden. Aeth ei llygaid i rolio, aeth ei cheg yn rhyfedd, ac roedd hi'n anymwybodol. Ro'n i wir yn meddwl ei bod hi wedi marw. Dechreuodd Anton grio.

Cafodd fynd i'r ysbyty mewn ambiwlans a'r golau glas yn fflachio. Roedden nhw'n meddwl ein bod ni yn ei cholli hi. Es i eistedd yn ystafell y teulu gydag fy mab, ac wedyn dechreuodd ei ffrindiau gyrraedd, yn chwilio amdanon ni. Ry'n ni'n siarad am bobl ifanc – bechgyn i gyd yn yr achos hwn – ond ymledodd y newyddion yn gyflym. Daeth un o'm ffrindiau i i mewn drwy'r drws, ac aros yn gwmni i mi. Dyna pryd ry'ch chi'n gwybod pwy yw eich ffrindiau.

Roedd rhywbeth tawel y tu mewn i mi'n dweud y byddai Mam yn goroesi. Dywedodd yr arbenigwyr wrtha i, 'Mae eich mam yn ddifrifol wael. Ydy hi wedi dweud wrthoch chi beth fyddai ei dymuniad?'

Camilla, mam Marylyn, neu Queen i'w ffrindiau

A dyma fi'n dweud wrthyn nhw, 'Mae Mam yn 88, ond dydy hi ddim yn hen wraig fregus. Fe ddaw hi drwy hyn; mae hi'n gryf. Mae hi'n dod o deulu sy'n byw ymhell i mewn i'w nawdegau. Beth bynnag sydd angen ei wneud, rwy'n disgwyl i chi wneud hynny, beth bynnag ei hoed.'

Ac fe wnaeth hi eu synnu nhw i gyd, a gwella.

Maes o law, dywedodd y cardiolegwyr eu bod nhw'n argyhoeddedig mai'r atenolol roedd hi wedi bod yn ei gymryd ar gyfer ei phwysedd gwaed uchel oedd wedi'r achosi'r trawiad ar ei chalon. Ro'n i wedi dangos erthygl o'r *Daily Mail* oedd yn dweud y gallai atenolol achosi problemau â'r galon i'w meddyg teulu, ond ei hymateb hi oedd, 'O, mae hi wedi bod yn ei gymryd am amser hir ac mae'n cadw'r pwysedd gwaed yn gyson.' Felly doedd hi ddim yn awyddus i'w newid.

Beth bynnag, gwella wnaeth Mam, a chafodd ei throsglwyddo i ofal ward yr henoed, am brofion pellach, a dyna lle'r aeth popeth o chwith.

Pan gyrhaeddodd hi yno, dechreuodd fynd yn ffwndrus, gan ddechrau pigo'i dillad, rhywbeth nad oedd hi wedi'i wneud erioed o'r blaen. Newidiodd ei hymddygiad yn llwyr, felly soniais wrth nyrs 'mod i'n pryderu am ei chyflwr meddwl. A dyma oedd ei hateb hollol nawddoglyd: 'Mae dementia arni, felly beth y'ch chi'n ei ddisgwyl?'

'Esgusodwch fi,' meddwn i. 'Cyn i Mam gael trawiad ar ei chalon, roedd hi'n gallu gofalu amdani ei hun, dan oruchwyliaeth. Roedd hi'n gallu mynd o gwmpas y lle gyda chymorth ei ffrâm gerdded, ac yn gallu rhoi diferion yn ei llygaid ei hun, mynd i'r tŷ bach, gwneud paned a brechdan. Nid Mam yw'r un ry'ch chi'n ei gweld yma nawr.'

Y ffordd ddywedodd hi hynny oedd gwraidd y broblem, yn union fel tasai hi'n dweud, oherwydd bod dementia arni, dydy hi ddim yn berson! Gwnaeth hynny i mi feddwl – ward gofal yr henoed yw hon, ac os mai dyna'r math o ymateb ry'ch chi'n ei gael ...

Wedyn dyma fi'n gweld rhywbeth ro'n i wedi darllen amdano yn y papur ond heb ddychmygu y byddwn i'n ei weld go iawn. Byddai'r bwyd yn cyrraedd ar gyfer y cleifion, ond yn cael ei adael ar ben y cypyrddau wrth ymyl y gwelyau, a dyna ni. Cerddais i mewn un diwrnod. Roedd Mam yn gorwedd yn fflat yn y gwely, a'r canllawiau i fyny ar hyd ochrau'r gwely, a'i bwyd ar y cwpwrdd wrth ei hymyl. O'r eiliad honno ymlaen, penderfynais y byddai'n rhaid i mi fod yno amser bwyd. Llwyddais i'w chael hi i eistedd ar ymyl y gwely, ac wedyn, pan welodd y nyrsys beth ro'n i'n ei wneud, dyma nhw'n ei rhoi hi i eistedd ar y gadair wrth ymyl y gwely, er mwyn iddi allu bwydo'i hunan.

Roedd gwraig yn y gwely drws nesaf i Mam a oedd yn ddryslyd iawn ac yn siarad rwtsh-ratsh byth a hefyd. 'Beth am fwyta eich swper?' holais hi, a dyma un o'r cleifion eraill yn dweud wrtha i, 'All hi ddim bwydo'i hun. Mae'n rhaid i'r nyrsys ei helpu hi, ac mae hynny'n dibynnu ar faint o amser sydd ganddyn nhw.' Felly dyma fi'n mynd draw ati, ac yn ei hannog i fwyta. 'Cymerwch lond ceg ... da iawn ... ac un bach arall,' nes ei bod hi wedi bwyta'r cyfan.

Ac wedyn, y moddion – oedd yn cael eu rhoi mewn potyn bach, nesaf atyn nhw ar ben y cwpwrdd wrth ochr y gwely, a neb yn dweud dim. Ac eto, ward ar gyfer yr henoed oedd hon. Beth sy'n mynd o'i le yn y GIG?

Es i i mewn i'r ward unwaith, ac roedd Mam yn crio. Roedd hi eisiau mynd i'r toiled, a dywedodd ei bod hi wedi galw, yn aros am rywun i fynd â hi i'r toiled. Roedd hi'n fwy rhwystredig fyth oherwydd ei bod yn gallu gweld y toiled ond yn methu ei gyrraedd ar ei phen ei hun. 'Pan fyddwch chi'n gorfod dibynnu ar rywun arall i'ch helpu i wneud pethau, mae'n beth ofnadwy,' meddai.

Yn ystod ymweliad arall un diwrnod, dywedodd Mam fod ei sodlau'n teimlo fel petai briwiau arnyn nhw. Crybwyllais hynny wrth un o'r nyrsys, a roddodd rhyw fath o ddresin ar bob sawdl. Roedd y rheini ganddi am ryw ddau ddiwrnod cyn iddyn nhw gael eu tynnu i ffwrdd. Cafodd fatres aer hefyd, i ddechrau, ac yna cafodd hwnnw ei symud. Pan holais ynglŷn â hynny, dywedwyd wrtha i fod y nyrs hyfywedd meinwe (*tissue-viability*) wedi'i hasesu ac wedi penderfynu nad oedd angen y matres aer arni.

Roedd Mam mewn cryn boen. Roedd ei sodlau'n dal i friwio, yn union fel tasech chi'n torri papur yn stribedi mân – yn gymaint felly nes i Mam ddwyeud, yn ei doethineb, fod llygod yn cnoi ei sodlau.

Crybwyllais y peth eto wrth y nyrsys, rheolwraig y ward a'r meddygon, gan ofyn beth o'n nhw'n ei wneud am y peth. Chefais i ddim ymateb, felly dyma fi'n mynd i lawr i swyddfa'r Gwasanaeth Cyngor a Chyswllt Cleifion (PALS – *Patient Advice and Liaison Service*)[1], ac fe wnaethon nhw eu gorau i drefnu cyfarfod rhwng rheolwraig y ward, y nyrs hyfywedd meinwe a minnau er mwyn gweld pam y cafodd y matres aer ei symud. Ond ddigwyddodd y cyfarfod hwnnw fyth.

Yn y cyfamser, es i am bythefnos i briodas yn Tobago. Roedd y daith honno wedi'i threfnu dros flwyddyn yn gynharach, ac roedd fy mab wedi cytuno. Cyn i mi fynd, gofynnais ble fyddai Mam pan fyddwn yn cyrraedd yn ôl. Fe ddywedon nhw wrtha i ei bod hi'n rhy sâl i fod yn unman heblaw'r ysbyty. Eto, pan o'n i i ffwrdd, daeth nyrs i siarad â'm mab a gofyn iddo ystyried mynd â hi adref. Gwrthododd. Dywedodd i'w nain gyrraedd yr ysbyty a'i sodlau'n holliach ac mai dyna sut oedd e'n bwriadu mynd â hi adref.

Dychwelais i weld clwyfau drewllyd, llidiog ar sodlau Mam. Doedd dim dresin ar un ohonyn nhw, dim ond rhyw rwyllen ysgafn, ac roedd llysnafedd ohono'n diferu i'r llawr. A doedd ganddi ddim matres aer o hyd. Felly dyma fi'n mynd i siarad â rheolwraig y ward unwaith eto, a'r cyfan allai hi sôn amdano oedd ymchwil. Gofynnais allai hi roi dresin neu rywbeth ar sodlau Mam, ond roedd hi'n trio dweud wrtha i mai ffordd hen-ffasiwn o drin y cyflwr oedd honno. Flynyddoedd yn ôl, byddai dresin yn cael ei roi ar bopeth, ond 'Mae ymchwil yn dangos nad oes angen gwneud hynny, a bod ei adael fel y mae yn well,' meddai.

'Bob tro rwyf wedi siarad â chi,' meddwn i, 'dim ond sôn am ymchwil ry'ch chi wedi'i wneud. Ond pa systemau sydd gennych chi ar waith, gan fod cymaint o ymchwil gyda chi, i atal yr hyn sydd wedi digwydd i Mam rhag digwydd? Dydych chi ddim wedi dweud hynny wrtha i.' A dyna ni. Allai hi ddim ateb.

Fe ddywedais wrthi hefyd, 'Rwy'n gwneud hyn ar ran yr holl bobl eraill sy'n rhy ofnus i godi'r materion yma a'ch herio chi, ac ar ran y rheini sydd heb neb i ymladd drostyn nhw. Mae hyn yn fwy na mater sy'n ymwneud â Mam yn unig. Rwyf wedi eistedd yma ar y ward ac wedi gwylio beth sy'n digwydd.'

Es i'n ôl at y Gwasanaeth Cyngor a Chyswllt Cleifion, a gweld yr un ro'n i wedi'i gweld cynt. Roedd hi'n gandryll o glywed nad oedd y cyfarfod â'r nyrs hyfywedd meinwe wedi digwydd, a dywedodd y byddai'n cynnal ymchwiliad i'r mater. 'Mae'n rhy hwyr i hynny nawr,' eglurais. 'Rwy'n mynd i wneud cwyn swyddogol.'

Roedd y meddyg ymgynghorol yn yr ystafell pan gyflwynais y gŵyn. Rhoddwyd copi iddo'n syth. Wedi iddo'i ddarllen, daeth ataf a dweud mai mater nyrsio oedd y gŵyn, yn hytrach na mater clinigol. Serch hynny, roedd y matres aer yn ôl ar y gwely yn fuan wedyn.

Gofynnodd y meddyg ymgynghorol am gyfarfod â mi i drafod i ble fyddai Mam yn mynd pan fyddai'n cael ei rhyddhau o'r ysbyty. 'Wel, mae hi'n dod adref,' meddwn i. 'Fi sydd wedi bod yn gofalu amdani hyd yn hyn.' Ond dywedais na fyddai'n cael dod allan o'r ysbyty nes byddai ei sodlau wedi gwella. Do'n i ddim yn sylweddoli eu bod nhw'n paratoi i'w gwthio hi allan drwy'r drws.

Dywedodd wedyn y dylwn ystyried y sefyllfa, oherwydd roedd y ffisiotherapydd wedi dweud na fyddai Mam byth yn gallu cerdded eto. Aeth ymlaen i ddweud eu bod nhw wedi trio'i chael hi i gerdded, ond heb unrhyw ymateb. Mae peidio â cherdded yn rhywbeth sy'n digwydd fel rhan o ddementia.

Felly dyma fi'n dweud wrtho, 'Mae dau dwll gan Mam lle roedd ei sodlau'n arfer bod. Dy'ch chi ddim yn meddwl y gallai hynny wneud gwahaniaeth?'

Cyn hynny, roedd Mam yn mynd i gael ei throsglwyddo i uned adfer, er mwyn ei chael hi 'nôl ar ei thraed unwaith eto. Ond wedyn dyma'r ffisiotherapydd yn penderfynu na fyddai hi'n cerdded eto, felly chafodd hi mo'i chyfeirio at yr uned honno. Dywedwyd na fyddai'n addas i'w hanfon hi yno bellach.

Dywedodd ei fod yn mynd i edrych ar ei sodlau a gofyn i mi ei ffonio eto'r diwrnod canlynol. Wedyn, es i siarad â meddyg teulu Mam. Pan eglurais wrthi beth oedd yn digwydd, dywedodd ei bod hi'n pryderu'n fawr am y sefyllfa, yn ofni bod Mam wedi dioddef cryn boen, ac roedd hi'n awyddus i wybod sut o'n nhw'n rheoli'r boen. Roedd hi'n poeni oherwydd 'mod i wedi dweud wrthi bod y clwyf yn drewi ac eglurodd fod hynny'n arwydd o facteria. Dywedodd y byddai'n ffonio'r meddyg ymgynghorol, ac felly, y diwrnod canlynol, yn hytrach na 'mod i'n ffonio'r meddyg ymgynghorol, fe gysylltodd y meddyg â fi. Eglurodd ei fod wedi gweld y clwyf ac wedi rhoi dresin ar sodlau Mam; roedd yn bwriadu asesu'r sefyllfa bob wythnos, a byddai'n cysylltu â mi petai yna unrhyw newid.

Dywedais wrtho 'mod i'n benderfynol nad oedd Mam yn dod adref nes byddai ei sodlau wedi gwella'n iawn, felly doedd dim diben trafod cynllun i'w rhyddhau hi o'r ysbyty.

Wedyn fe gefais alwad ffôn gan gwmni peiriannau codi, yn dweud eu bod nhw'n bwriadu dod i osod peiriant codi ar gyfer fy mam, a oedd yn dod allan o'r ysbyty ddydd Llun! 'Anghofiwch y peiriant codi,' oedd f'ymateb i. 'Mae angen ei ganslo. Rwyf wedi gwneud cwyn swyddogol, a dydy Mam ddim yn dod allan o'r ysbyty nes bydd ei sodlau wedi gwella.'

Yna fe gysylltais â'r gwasanaethau cymdeithasol a siarad â'r cydlynydd rhyddhau, a ddywedodd wrtha i fod Mam wedi bod yn yr ysbyty ers 89 o ddyddiau. Atebais drwy ddweud, 'Aeth Mam i mewn i'r ysbyty â'i chroen yn holliach, a dyna sut fydd hi'n dod adref. Diffyg gofal sydd wrth wraidd y broblem hon. A pham na all hi fynd i'r uned adfer?'

'Mae'r ffisiotherapydd wedi dweud nad oes adfer iddi.'

'Dywedodd pedwar meddyg ymgynghorol wrtha i na fyddai hi'n goresgyn y trawiad gafodd hi ar ei chalon, ond fe wnaeth hi eu synnu nhw i gyd. Sut all hi gerdded â thyllau yn ei sodlau?' holais innau.

Yn y diwedd, er gwaethaf f'ymweliadau dyddiol, cafodd Mam ei rhyddhau o'r ysbyty ar fore dydd Llun i gartref nyrsio, heb ddweud gair wrtha i, gan roi'r rhif ffôn anghywir i fy mab pan ddeallon ni beth oedd wedi digwydd.

Dyna daith oedd hon. Fe wnaethon nhw eu gorau i 'nryllio i, yn enwedig felly mewn ymgynghoriad achos pan oedd chwech o bobl yn f'erbyn i. Yn ffodus, daeth un o'r grŵp gofalwyr yn gwmni i mi.

Cefais ymddiheuriad gan yr ysbyty yn y diwedd a 'ngwahodd i fod yn eiriolwr dros gleifion. Rwy'n credu y byddaf yn derbyn y gwahoddiad.

Nodiadau

[1] Mae gan Wasanaeth Cyngor a Chyswllt Cleifion (PALS) y GIG swyddfeydd mewn llawer o'r ysbytai mawr ac mewn rhai canolfannau cymunedol. Mae'n sicrhau bod y GIG yn gwrando ar gleifion, eu perthnasau, gofalwyr a ffrindiau, ac yn ateb eu cwestiynau ac yn mynd i'r afael â'u gofidiau cyn gynted â phosib. Ewch i wefan eich Bwrdd Iechyd lleol i gael rhagor o fanylion am y gwasanaeth.

17

Rhefru a rhuo

Jenny Thomas

MAE CERDD ENWOG Dylan Thomas 'Do not go gentle into that good night' yn ein hannog i ruo yn erbyn diwedd ein hoes.

Pan ddywedodd meddyg Mam wrthi fod ei hwyneb difynegiant, y gwendid yn ei chyhyrau a'i thraed simsan yn golygu bod clefyd Parkinson arni, a wnaeth *hi* ruo?

Naddo, ddim o gwbl. Derbyniodd y ffaith na fyddai'n gallu gyrru mwyach, addasiadau'r gwasanaethau cymdeithasol i'w chartref, y trefniant pryd ar glud a'r ymweliadau wythnosol â'r ganolfan ddydd ag urddas tawel. Dim ond ar ôl gwneud yr archwiliad cyflwr meddyliol cryno am yr ugeinfed tro, chi'n gwybod, yr un sy'n gofyn: 'Pwy yw'r prif weinidog? Ble ry'ch chi'n byw? Beth yw'r dyddiad? Cofiwch y tri gair yma,' y dechreuodd hi gwestiynu ei thriniaeth.

'Ydyn nhw'n meddwl 'mod i'n dwp?' holodd fy mam a oedd yn derbyn popeth, heb gwyno.

Wedyn, fe syrthiodd yn y gegin ac am y chwe mis nesaf roedd hi'n rhy sâl a dan ddylanwad gormod o gyffuriau i ruo. Ond fyddai hi byth wedi gwneud hynny beth bynnag – doedd hi erioed wedi bod yn sâl o'r blaen, felly rhoddodd ei holl ffydd yn ddiolchgar yn y GIG.

A wnes i ruo drosti? Wel do, wrth gwrs. Ymchwiliais, gofynnais gwestiynau a cheisio gwneud popeth posib i drio adfer ei meddwl a'i chorff i stad o normalrwydd o bellter o 180 milltir i ffwrdd.

Rhefrais a rhuo, ond heb fawr o effaith. Rhoddodd Mam ei bywyd yn nwylo'r GIG, y proffesiwn oedd i fod i ofalu amdani, ond, ar bob lefel, diffygiol ac anghymwys oedd y gofal gafodd hi.

Aeth i mewn i'r ysbyty'n gallu symud o gwmpas y lle'n iawn ac yn feddyliol fywiog, a gadael dri mis a hanner yn ddiweddarach mewn cadair olwyn, yn sombi oedd yn gwlychu ac yn baeddu.

'Paid byth â 'ngyrru i i gartref nyrsio,' byddai'n fy siarsio bob amser. Ond roedd angen gofal nyrsio 24 awr arni a dau berson a pheiriant codi i'w symud.

Mae ymchwil wedi dangos bod llygod sydd â dementia, o gael eu cadw mewn amgylchedd lle maen nhw'n cael eu symbylu'n feddyliol ac yn gorfforol, yn gallu dysgu tasgau newydd, cofio hen rai a datblygu celloedd newydd yn yr ymennydd. Eto i gyd, ym mhob cartref nyrsio welais i, roedd y trigolion yn eistedd yn un cylch mewn ystafell â theledu yn y canol yn sŵn i gyd. Doedd neb yn cael eu hannog i siarad, i wneud ymarfer corff na hyd yn oed i gerdded. 'Neidiwch i mewn, Elsie, ry'ch chi'n blocio'r coridor.'

Mae bywyd mewn cartref nyrsio, yn raddol a diwrthdro, yn amddifadu'r trigolion o'u dynoliaeth. Ar ôl colli ei chartref, ei gallu i gerdded, unrhyw reolaeth dros ei bywyd a'i hyder yn ei meddwl miniog, wedyn fe gollodd hi'r peth mwyaf gwerthfawr iddi – ei hurddas. Sut deimlad yw colli urddas? Colli unrhyw hunan-barch?

Er bod nodyn yn ei chofnodion mai merched yn unig oedd i'w helpu i ymolchi a mynd â hi i'r toiled, câi fy mam – na fyddai'n mynd i'r toiled yn ei chartref hi ei hun tasai hi'n amau y byddai rhywun arall yno'n ei gweld hi'n gwneud hynny – ei thrafod gan ddynion bob dydd. Rwy'n cofio un enghraifft benodol. Roedd aelodau o'r teulu ar ymweliad o

America ac roedd Mam wedi'i gwisgo mewn ffrog hardd a drud, yr oedd hi, cyn iddi fynd i'r ysbyty, wedi bod yn ei chadw ar gyfer achlysur arbennig. Roedd hi mor nerfus fel y gofynnodd am gael mynd i'r toiled, ond yn hytrach na mynd â hi yn ei chadair olwyn i'r un gyferbyn, llusgodd dau ofalwr gwrywaidd gomôd i'w hystafell wely wrth i'w hymwelwyr gyrraedd. Arhoson ni y tu allan nes iddyn nhw ddod â'r cynhwysydd di-gaead allan o'r ystafell a dweud y gallen ni fynd i mewn. Rhedais i agor y ffenest wrth

Marjorie, mam Jenny, tua 1942

i ni drio peidio â chyfogi. Roedd Mam bron marw o gywilydd, a'r ymweliad wedi'i ddifetha.

Rywbryd yn ystod y chwe mis ar ôl iddi adael yr ysbyty, penderfynwyd ei bod hi â dementia â chyrff Lewy. Yr un symptomau oedd iddo â rhai clefyd Parkinson yn y dyddiau cynnar. Yn wahanol i glefyd Alzheimer, mae symptomau dementia â chyrff Lewy yn mynd a dod; gallai gallu Mam i ganolbwyntio newid o'r naill funud i'r llall.

Roedd hi'n wraig glyfar, feddyliol fywiog, oedd yn darllen y papurau newydd bob dydd ac yn ymddiddori ym mhawb a phopeth. Ond gadawyd hi i orwedd yn ei gwely am 18 awr bob dydd, heb ddim i'w wneud ond breuddwydio. Ambell fore byddai hi'n dal i ddisgwyl cael mynd i frecwast am 11 o'r gloch. Ar ôl dwy flynedd, roedd ei doluriau gwely cynddrwg nes byddai'n gorfod gorwedd yn ei gwely drwy'r dydd bob dydd.

Bellach, doedd hi ddim yn gallu darllen, wrth i un gair ddringo ar ben un arall, a doedd hi ddim yn gallu newid y sianel ar ei theledu swnllyd.

'Allet ti droi'r sŵn lawr i fi?' oedd cri daer Mam, gyda'i chlyw perffaith, bob tro y byddwn i'n galw i'w gweld.

'Does dim gobaith i neb sy'n dod i mewn fan hyn,' yw ein profiad ni o gartrefi gofal nyrsio. Am ddwy flynedd credai Mam y byddai hi'n gwella; byddai'n bwyta popeth a gynigid iddi ac yn gorffwyso'n amyneddgar, er 'mod i'n gallu gweld y gobaith yn diflannu'n araf fel tywod mewn amserydd berwi wy.

Roedd ei dannedd fel tasen nhw'n treulio mwy o amser yn cael eu hail-leinio a ddim yn cael eu dychwelyd, nag o'n nhw yn ei cheg. Edrychai a theimlai'n gymaint gwell pan oedd ei gwallt wedi'i olchi a'i drin, a phan fyddai'n cael mwy nag un bath yr wythnos – eto roedd hon yn frwydr wythnosol y byddwn yn ei hymladd o bell. Bob tro y byddwn i'n mynd i'w gweld, byddwn i'n dod o hyd i'r glustog aer gwerth £200 a brynais ar gyfer ei chadair wedi'i droi ymlaen, ond ar y llawr yn hytrach nag oddi tani – er gwaetha'r nodyn ar y wal a'm mynych sgyrsiau gydag aelodau'r staff.

Roedd yn rhaid i mi gofio sylwi ar ei meddyginiaeth bob wythnos. 'Pam mae hi'n cael dau fath gwahanol o dabledi gwrthiselder a dau fath o gyffur i deneuo'r gwaed? Ddylai perthnasau gael gwybod pan fydd cyffuriau ychwanegol yn cael eu rhoi?'

Byddwn yn sylwi ar ei dillad bob tro, ond roedd tuedd i'r pethau gorau ddiflannu o hyd, heb unrhyw sôn amdanyn nhw wedyn. Roedd 54 pâr o nicyrs ganddi a 32 gŵn nos pan symudodd hi i mewn i'r cartref nyrsio. Diflannodd y nicyrs i gyd, felly doedd hi ddim yn eu gwisgo nhw dros ei chlytiau enfawr wedi hynny. Ond sut mai dim ond dwy ŵn nos ddi-raen oedd ganddi ar ôl? A ble roedd ei siwtiau hyfryd ar gyfer yr haf a'r gaeaf, ei ffrogiau, ei modrwyau, ei blowsys smart, ei chardigans – yn enwedig y ddwy ro'n i wedi eu gwau ar ei chyfer?

'O, peidiwch â phoeni, fe ddôn nhw o rywle,' cysurai'r Metron fi.

Dysgais beidio â gadael unrhyw siocled na ffrwythau yno, ond eu rhoi nhw iddi pan o'n i gyda hi. Byddai ffrwythau'n cael eu gadael i bydru ar ei chwpwrdd a'r siocled yn cael ei fwyta gan y staff. Byddai'r gofalwyr yn codi bwyd cynnes i'w cheg fesul llwyaid, ond dim mwy na hynny.

Hwyrach mai saga'r te oedd yr un peth a 'ngwylltiodd i fwyaf, gan y gellid bod wedi delio â'r sefyllfa'n ddigon rhwydd. Gofynnais drosodd a thro am i restr o anghenion te'r trigolion gael ei rhoi ar y troli. Ond na, byddai'n cyrraedd bum gwaith y dydd, yn oer, â gormod o laeth ac yn cynnwys dwy lwyaid o siwgr ar gyfer pawb.

'Dydy Mam ddim yn hoffi llaeth, a dim ond hanner llwyaid o siwgr,' byddwn i'n ei ddweud bob tro gan wenu'n gwrtais.

Mam, druan. Llithrodd yn bellach a phellach oddi wrtha i, oddi wrth realiti.

'Mae'r lle 'ma'n cau'r wythnos nesaf,' fyddai hi'n ei ddweud wrtha i.

'Fe allwn i wneud y tro â thipyn o ffa. Mae darn braf o borc gen i i ginio i Beryl.'

Pam na ddywedodd neb wrtha i na ddylwn i fod wedi'i chywiro hi pan oedd hi'n dweud pethau afresymol? Byddai hyd yn oed taflen wedi bod o gymorth. Rwy'n gwybod nawr y dylwn i fod wedi ymateb fel petai hi'n siarad synnwyr.

'Ydw i'n siarad rwtsh-ratsh *eto*?' fyddai hi'n holi.

Rwy'n gwybod bod hynny'n gwneud iddi fod eisiau osgoi siarad.

Trodd i fod yn fymi wedi crebachu, ei gwallt a'i hwyneb yn ddi-liw, ei dwylo'n grafangau oer oedd yn gwrthod sythu, ei choesau'n ffyn cleisiog oedd yn gwrthod plygu. Byrhau a lleihau wnaeth ei chyfnodau call. Roedd yr adroddiadau gan y staff hefyd yn llai calonogol:

'Mae ei phen-ôl yn rhy boenus iddi allu codi o'r gwely i eistedd.'

'Doedd hi ddim eisiau golchi ei gwallt yr wythnos hon.'

'Welwch chi'r crafiad yma ar fy mraich i. Hi wnaeth hynny.'

Ydy Mam yn rhuo yn erbyn y byd hwn o'r diwedd? Ydy hi'n ymladd yn erbyn sylw'r gofalwyr? Sut allwn i wybod pwy oedd wedi gwneud beth? Ro'n i'n byw ac yn gweithio'n rhy bell i ffwrdd a dim ond yn gallu mynd i'w gweld unwaith yr wythnos.

'Beth yw'r holl gleisiau yma dros ei chorff hi i gyd?' Ches i ddim atebion.

Yn ystod dwy flynedd olaf ei hoes, prin oedd y cyswllt rhwng ei meddyliau a'i siarad. Byddai ei meddwl yn cael ei sbarduno gan ryw awgrym, neu ddechrau sgwrs, ond erbyn iddi lwyddo i roi ambell air at ei gilydd, byddai hi'n anghofio ar ba drywydd roedd hi'n bwriadu mynd.

'Rwy wir yn meddwl ...'

'Rwy'n credu y dylet ti wybod ...'

'Dwed wrtha i, beth ddylwn i wneud am y ffwrlen 'ma?'

'Beth yw ffwrlen, Mam?'

Llifodd ton o rwystredigaeth dros ei hwyneb esgyrnog yn sgil fy ffolineb i. Roedd ei syniadau'n hedfan o gwmpas y lle mewn edeifion a chyrbibion. Roedd hi'n gwybod nad o'n ni'n cyfathrebu'r eiliad honno ac roedd yna ddyhead taer yn ei llygaid i gael ei deall.

Weithiau byddai hi'n dangos ambell fflach o fywiogrwydd. Byddai ambell arlliw o fy mam yn dod â lliw i'w bochau. Ond, fel arfer, roedd ei llygaid yn farw, ei gwefusau'n ffurfio'r un geiriau, 'Help, help!' yn cael eu hailadrodd drosodd a thro.

Ar ôl pedair blynedd, prin o'n ni'n cyfathrebu. Gan ei bod hi wedi'i hamddifadu o realiti ers cyhyd, doedd ganddi ddim diddordeb bellach yn fy myd i a doedd hi ddim yn gallu egluro'i byd hithau i minnau. Oedd hi'n f'adnabod i?

'Wrth gwrs,' meddai.

Ond yn aml roedd fy merch a minnau wedi ymrithio'n un person. Os nad oedd hi'n gwybod pwy oedd pobl, oedd hi'n gwybod pwy oedd *hi?* Oedd hi'n dal i deimlo fel unigolyn? Heb bwrpas mewn bywyd a chysylltiad â realiti, ai atgof pell yn unig erbyn hyn oedd y person yr oedd hi ar hyd y blynyddoedd? Ai rhywun arall oedd y fam ro'n i'n ei hadnabod?

Maes y gad oedd ei bywyd i mi am chwe blynedd a hanner. Brwydrais i sicrhau'r driniaeth orau ar ei chyfer, gan fethu yn aml. Brwydrais yn erbyn yr amgylchiadau roedd hi'n byw ynddyn nhw, a brwydro i'w chadw gyda mi, wrth iddi ddiflannu'n araf, fesul tipyn – mor bell i ffwrdd fel na allwn gyffwrdd â hi. Roedd ei llygaid yn byllau gwag, ei hanadl mor frau ag edeifion gwydr, ei thrwyn yn big main a'i chroen fel memrwn wedi'i dynnu'n dynn dros ei hesgyrn, oedd yn edrych mor finiog fel y gallen nhw fod wedi torri drwy'r flanced oedd yn eu gorchuddio.

Cefais fy ngwylltio gan fy mhrofiadau gyda Mam. Ro'n i'n grac â mi fy hun am fethu sicrhau bod blynyddoedd olaf ei bywyd yn well iddi. Ro'n i'n grac â'r GIG am y driniaeth wael ac esgeulus a gafodd. Ro'n i'n grac â'r llywodraeth am yr ariannu creulon ac annigonol a'r diffyg polisi sylfaenol ar gyfer iechyd a gofal cymdeithasol. Ro'n i'n grac â'r awdurdodau lleol am eu toriadau cyson, ac â'r gwasanaethau cymdeithasol am fethu darparu gwybodaeth am fudd-daliadau.

Ac rwy'n ymwybodol ei bod hi'n rhy hwyr i refru a rhuo pan fyddwch chi'n hen, gan fod henaint ac afiechyd yn dod ag ofn, diffyg hyder a'r duedd i dderbyn y sefyllfa fel y mae. Ry'n ni'n gwybod y byddai angen cynnydd sylweddol iawn o ran cyllid er mwyn rhoi i bob person oedrannus y bywyd y mae'n ei haeddu, ac y byddai'n rhaid i'r arian hwnnw ddod o ryw gyllideb arall. Pa un? Ysgolion? Ysbytai? Na – fyddai'r un gwleidydd yn cytuno i hynny, gan mai prin yw'r rhai oedrannus iawn sy'n bwrw eu pleidlais. Felly, beth all newid y system bresennol? Os nad dim arall, bydd yn rhaid i hunanoldeb cenhedlaeth y 'baby boomers' wneud hynny. Os ydym yn dymuno'r gofal gorau i ni ein hunain, rhaid i ni ddechrau mynnu hynny nawr.

Aeth Mam yn dawel. Gawn ni?

18

Byth yn angof

Rosie Smith

Bu FARW ED, fy nhad, yn 2006 ac yntau'n 87 mlwydd oed. Roedd ganddo ddementia amlgnawdnychol, a achoswyd gan y mân strociau roedd e wedi'u cael yn ystod y deng mlynedd blaenorol.

Dyn hapus a chariadus iawn fuodd e erioed, ac roedd yn nodweddiadol iawn o bobl yr East End, wedi cael ei eni o fewn clyw clychau'r Bow Bells. Roedd wedi teithio'n helaeth yn ei ddyddiau yn y fyddin yn ystod yr Ail Ryfel Byd, yn berson artistig iawn, ac wedi gweithio fel swyddog tollau yn Heathrow. Roedd Mam dair blynedd yn iau nag ef ac wedi bod yn wraig gariadus iddo ers 1951.

Ar y dechrau, roedd Mam yn meddwl mai henaint oedd wrth wraidd anghofrwydd ei gŵr, gan dybio'i fod yn 'rhywbeth sy'n digwydd i ni i gyd', ond yn raddol aeth yn fwyfwy dibynnol arni. Dros gyfnod o sawl blwyddyn, brwydrodd Mam yn ei blaen yn gofalu am Dad gartref, tra oedd pawb arall yn gwneud eu rhan drwy eu cynorthwyo a mynd â nhw allan am dro. Ond roedd Mam yn blino'n lân wrth orfod gofalu am Dad bob awr o'r dydd, bob dydd o'r wythnos. Yn y pen draw, daeth i'r pwynt fel na allai Mam, yn feddyliol nac yn gorfforol, ymdopi mwyach, a thorrodd ei hiechyd.

Mae gan fy chwiorydd a minnau ein teuluoedd ifanc ein hunain ac allai'r un ohonom fod wedi gadael popeth er mwyn gofalu amdano, felly aeth Dad i mewn i gael gofal seibiant ar y dechrau. Cafodd Mam ei hasesu a chanfuwyd bod ganddi iselder clinigol; roedd angen tair wythnos yn yr ysbyty arni ar dawelyddion a chyffuriau amrywiol eraill cyn y gallai ddod allan i wynebu'r byd unwaith eto.

A Mam yn yr ysbyty, cafodd Dad ei drosglwyddo i gartref nyrsio cofrestredig gan yr awdurdod lleol, ac arhosodd yno tan ychydig cyn ei farwolaeth. Tasen ni'n gwybod beth ry'n ni'n ei wybod nawr, bydden ni wedi'i symud ar ôl yr wythnosau cyntaf hynny. Treuliodd flwyddyn a hanner yno, a dirywiodd yn gyflymach o lawer na phan oedd Mam yn ei 'gadw i fynd' gartref.

Mae bod yn oedrannus ac yn sâl yn ddigon gwael, ond mae cael nam ar y meddwl a bod yn oedrannus yn ofnadwy o safbwynt y ffordd ry'ch chi'n cael eich trin. Ro'n i'n ystyried y ffaith bod Dad yn ymddangos yn gwisgo dillad rhywun arall yn y cartref preswyl fel arwydd o amarch llwyr, a'i fod yn colli cymaint o'i hunaniaeth yn sgil hynny, heb fod unrhyw fai arno ef ei hunan. Roedd hynny'n gwbl dorcalonnus. Mae dementia ei hun yn gallu newid person yn fawr, heb i'r gwasanaethau cymdeithasol wneud pethau'n waeth! Delwedd sy'n aros yn fy meddwl yw'r un o Dad yn dod i lawr y coridor tuag ataf i, yn gwisgo trowsus loncian rhywun arall, a oedd yn rhy fyr iddo, ei wallt wedi'i dorri fel petai mewn gwersyll-garchar ac yn gwisgo crys rhywun arall hefyd.

Fel pe bai hynny ddim yn ddigon, roedd disgwyl iddo dalu'r rhan fwyaf o'r gost am ei ofal o'i gynilion ei hun. Mae hynny'n fy ngwylltio, yn enwedig am 'mod i'n teimlo nad o'n nhw'n gofalu amdano'n iawn.

Mae rhan o 'mhryder am fy nhad yn deillio o'r ffaith y gallai fod wedi dioddef trais corfforol, yn ychwanegol at y diffyg gofal. Roedd cleisiau'n gyson ar ei wyneb, ei goesau a'i freichiau. O geisio eglurhad, fyddai'r ateb byth yn fwy na, 'Syrthio wnaeth e.' Mae'r ffaith iddo wingo unwaith wrth i mi drio brwsio'i wallt yn fy mhoeni i, achos yn ystod yr holl amser y bûm i'n gofalu amdano doedd hyn erioed wedi digwydd; sbardunodd hynny feddyliau tywyll iawn ynof ei fod yn cael ei drin mewn ffordd arw neu waeth.

Ro'n i'n ymwybodol bod tuedd i bobl sydd â dementia syrthio – fel sy'n digwydd gyda phobl oedrannus yn gyffredinol – ond allwn i ddim cael y syniad fod Dad yn trio dianc, neu'n trio dod o hyd i ni neu'n chwilio am help, allan o fy meddwl.

Ro'n ni'n bryderus iawn pan awgrymodd y cartref gofal y dylid ei strapio i mewn yn ei gadair olwyn er mwyn ei rwystro rhag syrthio neu anafu ei hunan. Cefais sgwrs â'r rheolwraig, a ddywedodd fod yna ddulliau eraill y gallen nhw eu defnyddio, megis cadeiriau pwrpasol na allai godi ohonyn nhw. Rwy'n cofio dweud wrthi ar y pryd mai ei gaethiwo fyddai hynny hefyd, ac y byddai'n well o lawer gen i tasai rhywun yn gwneud yn siŵr yn gyntaf nad oedd unrhyw reswm arall pam roedd e'n trio codi. Hefyd, pam na ddylai e gael rhywun i gerdded o gwmpas y lle gydag e bob nawr ac yn y man, fel ro'n i'n ei wneud gydag e pan fedrwn i. Wythnosau'n ddiweddarach, cysylltodd y tîm oedd yn delio â cham-drin pobl hŷn â ni, a dechrau ymchwilio i'm ffeil fawr o lythyron, ond erbyn hyn roedd Dad wedi marw.

Aethpwyd ag ef i'r ysbyty, yn sgil f'ymyrraeth i, â diffyg hylif difrifol, a bu farw bythefnos yn ddiweddarach. Er mai 'methiant y galon' oedd yr achos ar ei dystysgrif marwolaeth, rwy'n dal yn argyhoeddedig iddo farw o ganlyniad i ddiffyg maeth a hylifau. Rwy'n ymwybodol bod pobl sydd â dementia'n aml yn cael anawsterau wrth fwyta ac yn aml yn colli eu harchwaeth at fwyd yn llwyr, ond ro'n i'n gwybod bod ganddo ddiddordeb o hyd mewn bwyd a diod. Serch hynny, am fod angen cryn amynedd ac amser i sicrhau hynny, rwy'n amau nad oedd yn cael cynnig bwyd a diod mor gyson ag y dylai. Doedd e ddim yn gallu ei fynegi ei hun ar lafar ar ddiwedd ei oes, ond eto, drwy ei lygaid, ystumiau wyneb ac arwyddion eraill roedd hi'n bosib iddo gyfleu'r hyn oedd ei angen arno. Y gwirionedd anffodus yw mai dim ond rhywun oedd yn ei adnabod yn dda allai ddeall yr arwyddion hynny ac ymateb iddyn nhw. Rwy'n credu'n gryf iddo farw cyn pryd, ac y gallai fod wedi cael iechyd gwell ac wedi byw'n hirach petai wedi cael gofal digonol. Fel y gallwch ddychmygu, dydy meddyliau fel hyn byth yn eich gadael.

Yn ystod y dyddiau olaf hynny yn yr ysbyty, cusanodd Mam wrth iddi bwyso ymlaen i drio clywed beth roedd e'n ei ddweud. Gwnaeth yr un peth i minnau. Daeth emosiwn yn don dros y ddwy ohonom o sylweddoli ei fod e'n gwybod cymaint ro'n ni'n ei garu. Dyma'i ffarwél deimladwy olaf, gan brofi unwaith ac am byth i mi fod cartrefi gofal yn colli cymaint o berson ac nad ydyn nhw'n gwneud digon i geisio cadw mewn cysylltiad â'r person mewnol. Dydy llawer o ddarparwyr gofal ddim yn deall y rhai sydd yn eu gofal, yn enwedig o safbwynt cyfathrebu â'r claf. Cymharodd fy chwaer ei gyflwr unwaith â darn o liain wedi'i osod dros lamp; mae'r golau yno o hyd ond wedi'i guddio i ryw raddau.

Mae fy annwyl fam a'i dair merch a'u teuluoedd yn gweld eisiau Ed yn fawr iawn. Er 'mod i wedi darllen am ddyddiau olaf dementia ac yn gwybod beth oedd i'w ddisgwyl, do'n i ddim yn barod i wynebu'r teimlad o boen o sylweddoli y gallai fod wedi cael gwell gofal yn ystod y flwyddyn a hanner olaf hynny. Gwnaeth Mam waith arbennig o dda, a hithau yn ei hwythdegau, yn ei gadw i fynd cyhyd a gofalu amdano â'r fath gariad.[1]

Nodiadau

[1] Newidiwyd yr enwau.

19

Stori chwaer

Peggy Fray

CAFODD FY CHWAER, Kathleen Anne Richards, ei geni ar 15 Gorffennaf 1927: Gŵyl Switan – a dim sôn am yr un diferyn o law. Roedd yn ddiwrnod hyfryd o haf, wythnos cyn fy mhen-blwydd yn bedair oed.

Er nad o'n i'n gwybod hynny ar y pryd, cafodd Kathleen ei geni â syndrom Down, y cyfeirid ato'n fwy cyffredinol bryd hynny fel 'mongolaeth'. Yr adeg honno, roedd gan deuluoedd plant â'r cyflwr hwn ddau ddewis: naill ai cadw'r plentyn gyda nhw gartref heb unrhyw gymorth ffurfiol – a doedd dim GIG na system fudd-daliadau bryd hynny – neu roi'r plentyn mewn sefydliad mawr, weithiau ymhell o gartref y teulu.

Pan oedd hi'n chwe mis oed, dywedodd meddyg wrth Mam na fyddai Kathleen byth yn cerdded nac yn siarad, nac efallai'n gallu eistedd i fyny. Awgrymodd wrth Mam mai'r peth gorau i'w wneud fyddai gadael Kathleen gyda nhw a cheisio anghofio amdani, a bod yn ddiolchgar fod ganddi un plentyn holliach. Ymateb Mam oedd fod Kathleen yn ferch iddi ac y byddai hi'n gofalu amdani.

Y dyddiau hynny, rhyw naw mlynedd yn unig yr oedd disgwyl i blentyn oedd â'r cyflwr hwn fyw. Ond roedd Kathleen bron yn saith deg mlwydd oed pan fu farw. Felly, heb yn wybod iddi hi, dechreuodd Mam ar lwybr oes o ofalu'n gariadus am Kathleen.

Yn 1933, pan oedd hi'n chwech oed, gwrthodwyd hawl i Kathleen fynd i'r ysgol gan yr awdurdod lleol, gan farnu nad oedd modd addysgu plant â syndrom Down. Ar wahân i adeg marwolaeth ei thad ei hun, dyma'r unig dro i mi weld Mam yn crio. Serch hynny, yn yr un modd ag yr oedd hi wedi helpu Kathleen i ddysgu siarad yn gynharach, gan ddefnyddio dim ond drych, dechreuodd ein mam benderfynol addysgu Kathleen, eto heb gefnogaeth ffurfiol. Gydag amser, dysgodd

Kathleen i ddarllen ac ysgrifennu, i wau a gwnïo, i frodio a pheintio, ac i feistroli'r holl sgiliau pob dydd hynny y byddai eu hangen arni weddill ei hoes – y sgiliau hynny mae'r mwyafrif ohonom yn eu cymryd yn ganiataol.

Trwy gydol y blynyddoedd cynnar hyn, cafodd Kathleen nifer o heintiau poenus. Beth bynnag yw'r farn bresennol am gyffuriau gwrthfiotig, roedd eu dyfodiad yn y blynyddoedd yn dilyn y rhyfel yn hynod fanteisiol i Kathleen a phawb arall oedd â syndrom Down.

Tyfodd Kathleen i fod yn gymeriad sensitif, cynnes, tosturiol a chanddi synnwyr digrifwch heintus. Roedd hi wrth ei bodd â cherddoriaeth, a'i huchelgais gyson oedd canu a dawnsio ar y llwyfan, wedi'i hysbrydoli gan ffilmiau cynnar ei harwres – Shirley Temple. Heddiw, heb os, byddai hi wedi llwyddo i gyflawni hynny drwy ymuno ag un o'r grwpiau ardderchog hynny i gefnogi pobl â syndrom Down sy'n creu adloniant mewn digwyddiadau ar hyd a lled y wlad. Yn anffodus, doedd dim o hynny ar gael yng nghyfnod Kathleen.

Doedd Kathleen ddim yn hoffi bod ar ei phen ei hun. Ei hoff eiriau oedd *gyda'n gilydd*. Dylid gwneud popeth *gyda'n gilydd*. Fe gofiaf am byth yr adeg pan gafodd fy nyweddi ifanc, peilot awyrennau Spitfire gyda'r Llu Awyr, ei ladd yn 1942, a'm chwaer fach yn ei rhoi ei breichiau

amdanaf yn ystod y nos ac yn dweud, 'Paid â chrio, Peggy, paid â chrio.'

Dyma, felly, y ferch ifanc y dywedodd meddygon unwaith na fyddai hi byth yn gallu eistedd i fyny.

Yn 1959, bu farw ein tad, a daeth Kathleen a Mam i fyw gyda mi yn un o faestrefi Preston. Pan gafodd Mam ei tharo'n ddifrifol wael, bûm yn gofalu amdani gartref, fel ein bod ni'n gallu aros gyda'n gilydd. Pan fu hi farw, yn 1977,

Peggy a Kathleen, 1931

cysurai Kathleen a minnau ein gilydd yn ein colled. Doedd Kathleen a Mam erioed wedi bod ar wahân mewn 50 mlynedd.

Rai wythnosau'n ddiweddarach, ro'n ni wedi mynd allan am dro pan ofynnodd Kathleen yn sydyn ac yn glir iawn, 'Peggy, beth fydd yn digwydd i fi, os bydd rhywbeth yn digwydd i ti?' Cefais sioc ofnadwy. Ro'n i wedi meddwl mai dim ond fi oedd yn gofidio am hynny – do'n i ddim wedi rhag-weld y byddai'r fath beth yn croesi meddwl Kathleen. Mae'n amlwg i mi fod rhai sydd ag anabledd dysgu'n gwybod mwy o lawer nag y mae'r rhan fwyaf ohonon ni'n ei sylweddoli. Daeth ton fawr o gariad drosof tuag ati, wrth sylweddoli cymaint o feddwl oedd wedi mynd i lunio'r fath gwestiwn cryno. Rwy'n credu i mi lwyddo i'w chysuro, gan na chododd y pwnc eto. Arhosodd gyda mi, serch hynny, yn yr un man ag yr oedd wedi bod erioed, yng nghefn fy meddwl.

Un noson yn 1985, pan oedd Kathleen yn 58, ro'n ni newydd ddod 'nôl o'n gwyliau pan lewygodd Kathleen yn sydyn. Yn yr ysbyty, dywedodd y meddygon nad trawiad ar y galon oedd wrth wraidd y broblem, ond blinder yn dilyn y daith hir, mae'n debyg.

Cydnabyddir bod cysylltiad rhwng syndrom Down a'r perygl o ddatblygu clefyd Alzheimer,[1] ond ar y pryd do'n i ddim yn gwybod fawr am hynny. Cryn dipyn yn ddiweddarach sylweddolais mai wedi cael strôc fechan yr oedd hi, mae'n debyg, oherwydd ar ôl hynny, roedd Kathleen yn tueddu i wyro'n gyson tua'i hochr chwith pan fyddai'n eistedd. Dirywio rywfaint wnaeth ei gallu i ymdopi ag amrywiol weithgareddau – er enghraifft, dechreuodd ei gwau 'fynd o chwith'. Am gyfnod, do'n i ddim wedi gwneud y cysylltiad rhwng hynny a'r llewygu, a phan siaradais â'r meddyg, awgrymodd mai rhan o'r broses heneiddio oedd y cyfan. Ymhen amser, serch hynny, daeth hi'n amlwg fod gafael clefyd Alzheimer yn tynhau.

Yn 1989, cafodd Kathleen haint firysol difrifol. Roedd hi'n ymddangos fel pe bai hi'n gwella'n dda, ond yn sydyn, dros nos, dechreuodd wlychu a baeddu, gan golli'r gallu i symud o gwmpas y lle, ac yna'n sydyn iawn wedyn, collodd ei gallu i siarad. Byddai nyrsys cymuned yn galw am ugain munud ddwywaith y dydd, ond byddai Kathleen yn sgrechian bob tro y bydden nhw'n trio'i symud hi. Ar ôl chwe wythnos, ro'n i'n gwybod 'mod i wedi fy llorio. Dywedodd y meddyg, oni bai fy mod yn gadael i Kathleen fynd i'r ysbyty, yn fuan iawn byddai hi mewn un ysbyty a minnau mewn un arall. Rwy'n credu i Kathleen a minnau brofi sioc ac anobaith llwyr wedi i Kathleen golli cymaint o'r sgiliau roedd hi wedi brwydro mor galed i'w hennill, a hynny mor sydyn.

Aeth y meddyg â mi i weld ysbyty cymuned lleol lle roedd gwely ar gael, a gofyn i mi benderfynu erbyn y bore canlynol.

Trwy gydol y noson honno, am yn ail â gofalu am Kathleen, bûm yn crwydro o gwmpas y tŷ yn trio penderfynu beth oedd orau. Ers i mi fod yn gofalu am Mam, ro'n i wedi cael mwy o gysur mewn barddoniaeth nag mewn gweddi, ac roedd rhai o linellau un o gerddi Robert Frost yn llifo drwy fy meddwl:

The woods are lovely, dark and deep,
But I have promises to keep,
And miles to go before I sleep,
And miles to go before I sleep.[2]

Ro'n i'n meddwl am yr addewidion ro'n i wedi eu gwneud i'n rhieni, i Kathleen, ac i mi fy hun, y byddwn i'n wastad yn gofalu amdani. Nawr, dyma lle ro'n i, yn ystyried torri'r addewidion hynny.

Yn y diwedd, oherwydd mai dim ond fi oedd ar ôl i ofalu amdani, penderfynais y byddai'n well iddi hi fod mewn dwylo diogel rhag ofn

Kathleen, 1982

i mi farw o'i blaen hi. Ar y pryd, roedd hi'n ymddangos mai ysbyty cymuned y GIG oedd y dewis gorau. Roedd hwnnw'n benderfyniad torcalonnus i orfod ei wneud, am 'mod i'n ei charu hi gymaint.

Pan ddaeth yr ambiwlans, es i gyda Kathleen. Wedi wythnosau o fod yn fud, cododd ei phen, ac mewn llais clir a chadarn, dywedodd, 'Ffarwél.' Felly roedd hi'n sylweddoli beth oedd yn digwydd. O'r eiliad honno ymlaen, prin y siaradodd hi eto. Wnaeth y naill na'r llall ohonom grio eto chwaith; roedd yn dristwch rhy ddwfn i ddagrau.

Doedd staff yr ysbyty ddim wedi gofalu am rywun oedd ag anabledd dwbl syndrom Down a chlefyd Alzheimer o'r blaen. O ganlyniad, roedd yn rhaid wynebu cyfres o ddigwyddiadau a chamddiagnosis a achosodd gryn straen, gyda Kathleen yn gorfod dioddef anesmwythyd a phoen na chafodd ei gydnabod. Roedd hyn er gwaethaf ymdrechion y nyrsys da a charedig nad oedd wedi cael hyfforddiant ynghylch sut i ymdopi ag anghenion rhai oedd â chyflwr fel un Kathleen.

Rai misoedd yn ddiweddarach, datblygodd Kathleen epilepsi difrifol a chafodd sawl strôc fechan hefyd, a arweiniodd at anabledd dwys. Dechreuodd awdurdodau'r ysbyty roi pwysau arnaf i symud Kathleen i gartref nyrsio. Dyma'r cyfnod pan oedd nifer y gwelyau tymor hir mewn ysbytai'n cael ei leihau'n sylweddol, heb sicrhau darpariaeth ddigonol ar gyfer pobl fel Kathleen oedd ag anableddau niferus ac anghenion nyrsio cymhleth. Gwnes gais i bob cartref oedd â chyfleusterau nyrsio i bobl ag anghenion dysgu ar hyd a lled y wlad. Ateb pob un ohonyn nhw oedd eu bod nhw'n 'llawn dop' yn sgil y llif o gleifion oedd yn eu cyrraedd o wardiau'r sefydliadau mawr i rai dan anfantais feddyliol oedd yn cael eu cau ym mhobman yn sgil y ddeddf newydd i ddarparu Gofal yn y Gymuned. Yn y diwedd, a minnau ar ben fy nhennyn, ceisiais gyngor gan ein Haelod Seneddol. Bythefnos yn ddiweddarach, cynigiwyd gwely mewn ysbyty cymuned arall i ni, sawl milltir yn bellach i ffwrdd, ac fe dderbynion ni'r cynnig. Felly roedd yn rhaid i ni ddechrau o'r dechrau unwaith eto, gyda staff gofal cwbl newydd.

Gofynnodd y brif nyrs ar y ward i mi helpu. Am saith mlynedd, treuliais saith awr y dydd gyda Kathleen, i helpu lle gallwn i, a bod gyda hi'n gwmni. Roedd hynny ar wahân i'r cyfnod o dair wythnos dreuliais i yn yr ysbyty'n cael triniaeth am ganser y tafod. Pan ddywedwyd wrtha i fod y tiwmor yn cynnwys canser, f'ymateb naturiol oedd, 'Wel, alla i ddim marw eto, mae gen i chwaer fach i ofalu amdani.' Ar y dechrau, ro'n i'n poeni y byddai'n rhaid i mi golli 'nhafod ac y byddwn i'n methu siarad â Kathleen nac ar ei rhan, a hithau wedi colli ei gallu i siarad.

Yn drist iawn, effeithiodd dementia ar system imiwnedd Kathleen, a byddai'n dioddef yn gyson o heintiau a oedd yn achosi poen dirdynnol iddi yn ystod ei blynyddoedd olaf, er i'r heintiau hynny gael eu trin.

Roedd y gofal nyrsio corfforol a gafodd Kathleen yn ddi-fai. Roedd ei chorff a'i gwely bob amser yn arogli'n dda ac yn hollol lân. Os byddai unrhyw gochni'n ymddangos ar ei chroen, byddai hi'n cael ei symud bob dwy awr, ddydd a nos, nes byddai hwnnw'n diflannu. Er gwaethaf sensitifrwydd eithriadol ei chroen, ac er nad oedd hi'n gallu symud am saith mlynedd, chafodd hi erioed ddolur gwasgu. Heddiw, dim ond llecyn gwyrdd o dir sydd lle'r arferai'r ysbyty fod, ac mae'r criw ardderchog o nyrsys oedd yno wedi diflannu yn yr un modd.

Daeth Kathleen i ddiwedd ei thaith hir ar 6 Chwefror 1997.

Ddeufis yn ddiweddarach, sylweddolais fod yna dîm nyrsio cymunedol lleol ar gyfer rhai ag anabledd dysgu, a allai fod wedi fy helpu i ofalu am Kathleen yn y cartref. Eto, roedd Kathleen wedi bod yn yr ysbyty am saith mlynedd, a minnau wedi ymweld â hi bob dydd hefyd.

Wedi i Kathleen farw, cefais afael ar ambell lyfr nodiadau cyfrinachol roedd hi wedi'i gadw, lle roedd hi wedi ysgrifennu rhan o un o ddau air ar frig pob tudalen, gan adael gweddill y dudalen yn wag. Y rhannau o eiriau oedd YSB a BOAR, ac ro'n i'n gwybod eu bod yn golygu 'ysbyty' a 'Boarbank' – cartref nyrsio mawr oedd yn cael ei redeg gan leianod yn agos at ein pentref genedigol. Roedd Kathleen yn gwybod mai dyma'r llefydd roedd pobl yn mynd i wella.

Do'n i erioed wedi trafod y problemau roedd hi wedi eu hwynebu yn ystod ei blynyddoedd olaf gartref gyda hi; ei chysuro wnes i ar y pryd, a gobeithio y byddai'n anghofio'r cyfan amdanyn nhw. Do'n i ddim yn sylweddoli pa mor ofnus fyddai hi wedi bod wrth i'w sgiliau a'i gallu i gyflawni pethau ddirywio. Gwaedd am help oedd y tudalennau hyn – a doedd neb wedi clywed. Doedd ganddi mo'r eirfa i ddweud wrtha i ei bod hi'n gwybod bod rhywbeth yn bod arni a'i bod hi eisiau gwella. Wrth edrych ar y tudalennau hynny, roedd fy nghalon i'n torri.

Dyna pam rwy'n credu mor gryf nawr y dylai fod gan bawb sydd ag anabledd dysgu gynllun iechyd personol, ac y dylai pobl â syndrom Down gael asesiadau cyson, sy'n cael eu cyflawni'n sensitif, ar ôl iddyn nhw gyrraedd eu 30 oed o leiaf, nid yn unig er mwyn nodi unrhyw newidiadau, ond, yr un mor bwysig, er mwyn rhoi cyfle i'r unigolion sôn am unrhyw bryderon sydd ganddyn nhw. Ddylai neb gael ei adael ar ei ben ei hun i wynebu'r unigrwydd a wynebodd fy chwaer, er gwaethaf fy nghariad angerddol innau tuag ati.

Am gyfnod hir wedi i Kathleen farw, ro'n i ar goll ac yn grac – ar goll hebddi, ac yn grac ynglŷn â'r ffordd roedd yr afiechyd creulon yma wedi dwyn oddi arni bob gallu roedd hi wedi brwydro mor galed i'w sicrhau, ac yn grac oherwydd holl ddioddefaint tawel y saith mlynedd hir hynny, ac yn grac oherwydd y diffyg gwybodaeth a'r diffyg hyfforddiant – ynglŷn ag anableddau dysgu a dementia – ymysg gweithwyr iechyd a staff cefnogi. Byddai Mam wedi ein hannog i dderbyn y sefyllfa, ond allwn i byth fod wedi gwneud hynny. Os yw Duw yn dda, meddyliais, sut allai'r diniwed ddioddef fel hyn?

Yn ddiweddar, serch hynny, wrth i mi eistedd yn gweithio'n dawel yn f'ystafell, rwyf weithiau'n teimlo rhywbeth na alla i ond ei ddisgrifio fel rhyw don o olau cynnes yn cau o 'nghwmpas, ac rwy'n gwybod mai ysbryd dewr Kathleen sydd yno'n dangos i mi ei bod hi yno o hyd; a chyda hynny, rwy'n teimlo rhyw fath o heddwch.

O safbwynt llawer o bobl ifanc sydd â syndrom Down heddiw, mae'r cyfleoedd a'r ffordd o fyw sy'n agored iddyn nhw'n wahanol iawn i'r hyn oedd yn wynebu Kathleen a rhai o'i chyfnod hi. Mae'n anodd credu bod cymaint o welliannau wedi digwydd yn ystod oes un person, ond, yn ffodus iawn, dyna sydd wedi digwydd. Er hynny, mae ffordd bell iawn i fynd eto. Does ond rhaid darllen adroddiad Mencap *Death by Indifference*[3] – sy'n dangos hyd yn oed heddiw fod triniaeth a all achub eu bywydau weithiau'n cael ei gwrthod i bobl ag anableddau dysgu – i weld bod yn rhaid i'r frwydr barhau.

Rwy'n credu bod gan bob un ohonom – pobl a chanddyn nhw anableddau dysgu, eu teuluoedd a'u gofalwyr, y gwasanaethau statudol, mudiadau gwirfoddol a'r Comisiwn Sefydlog ar gyfer Gofalwyr – gyfrifoldeb i weithio *gyda'n gilydd* (a dyfynnu hoff eiriau Kathleen) er mwyn sicrhau dyfodol gwell fyth ar gyfer pobl ag anableddau dysgu.[4]

Nodiadau

[1]   For families and carers: Alzheimer's disease. www.downs-syndrome.org. uk/for-families-and-carers/health-and-well-being/getting-older/alzheimers-disease, gwelwyd 22 Mawrth 2019.

[2] Frost, R. (1923) 'Stopping by woods on a snowy evening.' O R. Frost (1998) *Selected Poems*. Adrian Barlow (gol.) Rhydychen: OUP, t.41.

[3] Mencap (2007) *Death by Indifference*. Llundain: Mencap. I'w lawrlwytho oddi ar www.mencap.org.uk. Gwelwyd 22 Mawrth 2019.

[4] Mae fersiwn lawn o stori Peggy Fray ynglŷn â gofalu am ei chwaer i'w gweld yn ei chyfrol *Caring for Kathleen*. Fray, Margaret T. (2000) *Caring for Kathleen*. Kidderminster GILD Publications.

20

Rhaid bod y byd wedi newid?

Roger Newman

BETH AM DDECHRAU ar ddiwedd y stori? Roedd gan fy nghymar fath ffyrnig iawn o glefyd Alzheimer, ac roedd yn byw mewn cartref preswyl yn agos iawn i'n cartref ers bron chwe blynedd. Roedd y cartref yn diwallu ei anghenion yn rhyfeddol o dda, o gofio natur heriol ei ymddygiad. Daliais ati i weithio, gan ymweld ag e bob dydd i gynnig ychydig o ofal cariadus. Fe fyddwn yn dod ag e adref yn gyson, er mwyn i ni allu treulio amser gyda'n gilydd. Un amser cinio, aeth ar goll o'r cartref preswyl. Ar ôl chwilio amdano am 24 awr, cafwyd hyd iddo wedi marw ar y traeth. Roedd e'n 62, ac wedi cael diagnosis o'i gyflwr wyth mlynedd ynghynt.

Roedd fy mhrofiadau i o ofalu am rywun sydd â dementia'n debyg iawn i rai pobl eraill: roedd y teimlad o fod yn ddiymadferth, rhwystredigaeth o fethu cyfathrebu'n rhwydd, blinder eithriadol, euogrwydd, unigrwydd, a sylweddoli sut fydd pethau'n dod i ben, i gyd yn bresennol yn fy meddwl bob dydd. Yn fwy na dim, roedd gennyf ymdeimlad o ffyddlondeb at berson a oedd wedi bod wrth f'ochr i ers 30 mlynedd – y person ro'n wedi'i garu'n angerddol ac wedi mynd i siopa, coginio, garddio, cymdeithasu, trafod a chweryla ag e.

Roedd David a minnau wedi symud mynyddoedd i fod gyda'n gilydd. Roedd y ddau ohonom yn blant cyfnod pan oedd bod yn hoyw mor anodd ag y gallai fod. Yn ystod ein harddegau doedd yr un ohonom wedi deall y teimladau oedd wedi eu plannu ynom yn iawn, ac roedd y ddau ohonom, am resymau da a dealladwy, wedi priodi. Er mwyn bod gyda'n gilydd, ro'n ni wedi gadael ein gwragedd ac wedi profi'r holl drawma a'r boen yn sgil hynny i gyd.

Felly, ro'n ni bellach yn bâr hoyw, 'allan' yng ngŵydd y rhai ro'n ni'n teimlo'n ddiogel yn eu cwmni, ac yn enigma i'r rheini na ellid ymddiried yn eu hymateb cadarnhaol i'n gwir sefyllfa. Fe lwyddon ni i greu bywyd da gyda'n gilydd ac amgylchynu ein hunain â phobl a phethau fyddai'n gwneud i ni deimlo'n ddiogel a sefydlog.

Pan ddechreuodd ymddygiad David ddangos arwyddion o newid sylfaenol, fe chwalodd patrwm sefydlog ein bywyd yn fuan iawn. Ro'n ni wedi codi mur o gwmpas ein perthynas a thrwy hynny ro'n ni'n gallu teimlo'n gysurus yn byw ein bywyd fel pâr hoyw ac ro'n ni wir yn teimlo mai felly fyddai hi i'r dyfodol. Ond trodd dementia David bopeth ben i waered. I ddechrau, heb ddisgwyl y gallai dementia effeithio ar rywun 52 oed, a beth bynnag, heb unrhyw wybodaeth am y cyflwr, f'ymateb cyntaf i'r newid yn ei ymddygiad oedd y syniad ei fod wedi penderfynu dod â'n perthynas i ben, ac felly, penderfynais ei adael. Pan sylweddolais yn ddiweddarach fod rhywbeth mwy difrifol yn digwydd iddo, ro'n i'n gwybod yn syth 'mod i eisiau gofalu amdano: allwn i ddim anghofio'r ugain mlynedd gyda'n gilydd mor rhwydd â hynny. Serch hynny, roedd gorfod ymwneud â phobl o'r tu allan i'n 'cylch ni' yn golygu y byddai'n rhaid i ni dynnu rhai o'r muriau i lawr er mwyn i ni allu derbyn help. Yn anffodus, ar adegau, doedd y bobl broffesiynol a ddaeth i mewn drwy'r bylchau yn y muriau ddim bob amser yn deall ein sefyllfa nac yn gwneud i ni deimlo mor ddiogel ag y buasen ni wedi dymuno. Byddai rhai meddygon yn gyndyn o dderbyn fy rôl i, a derbyn ein perthynas, heb i mi orfod ymateb yn gadarn. Wrth i'r dementia gymryd gafael, heneiddiodd David yn amlwg iawn, a dechreuodd rhai pobl feddwl mai fy nhad i oedd e. Do'n i ddim am adael i gamddealltwriaeth o'r fath fagu gwreiddiau, felly ro'n i'n agored iawn a bob amser yn dweud mai fy nghymar i oedd e. Wedyn buon ni'n 'dod allan' i unrhyw un oedd yn ymwneud â ni. Doedd hynny ddim yn fy mhoeni i am mai dyma'r ffordd orau, am wn i, o sicrhau'r gofal gorau posib i David.

Yn y cartref preswyl, ar y dechrau, do'n nhw ddim yn gallu amgyffred yn llawn oblygiadau'r ffaith mai fi oedd ei gymar ac nid ffrind agos iddo yn unig. Roedd gormod o achlysuron pan na ches i wybodaeth ynglŷn ag apwyntiadau meddygol neu rai â'r gwasanaethau cymdeithasol tan y funud olaf, gan ei gwneud hi'n anodd i mi newid fy nghynlluniau gwaith. Bu'n rhaid i mi bwysleisio na ddylid trefnu dim

Roger (chwith) gyda David, 1987

heb gadarnhau'r trefniant hwnnw gyda mi yn gyntaf. Yn y pen draw, sefydlwyd yr egwyddor hon ac fe welwyd mantais hynny'n ddigon buan, pan sylweddolon nhw na fyddai brechiadau rhag y ffliw, ymweliadau â'r ciropodydd, na thwtio'u fwstás yn bosib heb y wên ar fy wyneb i'w leddfu, a heb i mi fod yno i'w ddal yn gadarn er mwyn gallu sicrhau canlyniad llwyddiannus.

Doedd David ddim mor swil â mi, fel ei ofalwr, ynglŷn â'n perthynas ni na'i rywioldeb. Pan fydden ni'n mynd allan am dro gyda'n gilydd neu'n mynd i siopa, ro'n i'n arswydo rhag yr achlysuron hynny pan fyddai eisiau mynd i'r toiled, gan y gallai'r ffordd awgrymog y byddai'n gwenu ar ddynion eraill olygu y byddai'r rheini'n debyg o ymosod arno cyn i mi gael y cyfle i egluro'i gyflwr. Yn yr un modd, doedd e ddim yn swil chwaith ynglŷn â dangos ei serch yn gyhoeddus, ac felly byddai'n fy nghusanu'n gyson nawr, waeth ble ro'n ni. Roedd yn her, felly – a ddylwn i ymateb yn gadarnhaol i'r person ro'n i'n ei garu, neu drio cuddio'r berthynas, er mwyn ceisio osgoi ymateb y rheini nad oedden nhw'n gyfarwydd â gweld dau ddyn yn cusanu? Penderfynais yn sydyn iawn beth oedd bwysicaf, gan dderbyn pa ganlyniadau bynnag fyddai'n digwydd.

Dechreuais sylweddoli fod y ddau ohonom bellach mewn byd oedd yn bell iawn o'r hyn ro'n ni wedi'i greu i ni'n hunain. Yn ystod y dyddiau da, bydden ni'n dewis ble i fynd am dro a phwy fydden ni'n ymwneud â nhw. Tasen ni'n teimlo'n anghyffyrddus gydag unrhyw sefyllfa neu tasen ni'n digwydd bod yng nghwmni pobl nad oedd yn cydymdeimlo ryw lawer â'n rhywioldeb a'n ffordd o fyw, byddai'n hawdd cilio i ddiogelwch ein cartref ac i gwmni'r bobl hynny ro'n ni'n eu caru ac yn ymddiried ynddyn nhw. Ein cartref a'n ffrindiau a'n teulu oedd y muriau oedd yn ein hamddiffyn rhag y rheini ar y tu allan oedd yn wrthwynebus i ni fel dynion hoyw. Cyn gynted ag yr aeth David i'r cartref preswyl, ro'n ni mewn byd lle roedd pawb naill ai'n ŵr, yn wraig neu'n sengl, felly diflannodd ein byd cysurus. Daeth diwedd ar ein hymweliadau â'r disgos hoyw; neu ffonio ein ffrindiau hoyw am ambell sgwrs; neu gael ymwelwyr a'u cyfarch yn gariadus ac yn gorfforol; neu gael ein cylchgronau hoyw o'n cwmpas; neu wylio'r rhaglenni teledu hynny oedd yn amlwg ar gyfer gwylwyr hoyw. Pan fyddai David eisiau cwtsh, ro'n i'n teimlo bod yn rhaid i ni fynd i'w ystafell er mwyn gallu gwneud hynny.

Oedd, roedd pawb yn garedig ac yn gyfeillgar yn y cartref preswyl. Ac mi fyddwn i'n aros yno'n aml ac yn cael bwyd gydag e ac yn cael croeso. Eto i gyd, allwn i ddim anwybyddu'r teimlad nad ein pobl ni oedd y rhain! Roedd rhywbeth y tu mewn i mi'n gwneud i mi deimlo'n seicolegol anniogel wrth i mi sylweddoli'n sydyn gymaint yr oedd y ddau ohonom wedi dibynnu ar aelodau eraill o'r gymdeithas hoyw am ein lles a'n hapusrwydd. Wrth gwrs, roedd ein ffrindiau hoyw a'n ffrindiau heterorywiol annwyl yn ymweld â ni yn y cartref, ond cyn gynted ag y bydden nhw'n cyrraedd, byddai llawer o'r naws agored a arferai ein hamgylchynu yn diflannu gan wneud iddyn nhw hefyd deimlo'n ansicr. Collodd y cofleidio'r agosrwydd corfforol, collodd yr hiwmor ei awch, collodd y sgwrsio ei naws gartrefol am nad o'n ni bellach mewn amgylchedd 'teuluol'.

Gwnes fy ngorau i drio newid pethau. Pan oedd David yn 60, penderfynais y bydden ni'n dathlu, nid yn ein tŷ ni, ond yn hytrach yn y cartref gofal, yng nghwmni ein ffrindiau hoyw. Daethon nhw i gyd yno, roedd y staff wedi addurno ystafell fawr David, ac aeth pethau'n dda iawn. Anghofiaf i byth weld David yn canu 'Pen-blwydd Hapus' gyda phawb arall, am ei fod yn dal i gofio'r geiriau, mae'n debyg, ond yn methu cofio pam yr oedd yn eu canu nhw. Ac wrth i'r gweddill ohonom fwyta ein brechdanau a'n cacennau, aeth yntau i'r gwely, yn ddigon bodlon fod ganddo ddigon o bobl i dreulio'r nos gydag e'r noson honno! Serch hynny, wnaeth yr holl weithgaredd caredig fawr ddim i leddfu'r teimladau hynny o fod ar goll mewn byd arall.

Pan symudodd David a minnau i fyw gyda'n gilydd, roedden ni'n tueddu i gyfrif llwyddiant ein perthynas ar sail ein meddiannau a'r pethau ro'n ni'n eu gwneud gyda'n gilydd. Bron yn syth, yn 1970, ro'n ni wedi agor cyfrif banc ar y cyd, er mawr ddifyrrwch i'n rheolwr banc, a gredai'n ddiniwed iawn mai partneriaid busnes o'n ni yn ogystal â'n bod yn gwneud swyddi eraill. Fe lwyddon ni wedyn i drefnu morgais ar y cyd, ac ar y pryd, mae'n rhaid mai ni oedd un o'r cyplau hoyw cyntaf i wneud hynny. Am ryw reswm, roedd rheolwr y gymdeithas adeiladu'n meddwl bod mwy o risg i ddau ddyn wneud y fath drefniant na phâr heterorywiol, felly bu'n rhaid i ni ei atgoffa nad oedd y gyfradd ysgaru ar y pryd yn cefnogi'i safbwynt. Ro'n ni'n gwario'n cyflogau cynyddol heb feddwl dim am yfory, ac fe brynon ni ail gartref a mwynhau gwyliau mynych. Wnaethon ni erioed eistedd i lawr i lunio cytundeb ynglŷn â ffiniau ein perthynas a doedd yr un ohonom wedi gwneud unrhyw addewidion ynglŷn â ffyddlondeb. Erbyn i bandemig AIDS ddod yn amlwg yn ystod yr 1980au, roedd patrwm ein perthynas wedi'i hen sefydlu ac fe sylweddolon ni fod angen i ni fod yn fwy gofalus. Dryswyd y patrwm hwnnw'n llwyr yn sgil dementia David. Dechreuodd ei ymddygiad rhywiol fynd yn fwy eithafol, a dyna un o'r rhesymau pam y penderfynais ei adael.

Pan amlygwyd natur lawn ei ddementia difrifol ac y bu'n rhaid dibynnu fwyfwy ar wasanaeth gofalwyr, sylweddolais fod rhywbeth yn digwydd o safbwynt agweddau pobl tuag at y ddau ohonom. Ro'n ni bellach yn cael ein hystyried yn bâr sefydlog. Serch hynny, ro'n i'n teimlo mai mabwysiadu rôl pâr heterorywiol anrhydeddus oedden ni, a bod yr holl dybiaethau oedd yn ymwneud â gweithgaredd heterorywiol bellach yn cael eu cysylltu â ni. Cyfeirid at David fel 'fy nghariad oes' – ac yn wir, ro'n ni wedi bod gyda'n gilydd am flynyddoedd lawer ac ro'n ni'n caru ein gilydd – ond ro'n ni'n hoyw ac roedd angen ein trin mewn ffordd oedd yn dangos dealltwriaeth o'r hyn roedd pâr hoyw yn ei deimlo ac yn ei wneud.

Ro'n i'n dal i garu David, ond ro'n i'n awchu am weld llenwi'r gofod a grëwyd gan yr afiechyd erchyll hwn. Unwaith neu ddwy, yn ystod dyddiau cynnar yr afiechyd, fe geisiais i gael cyfathrach rywiol gydag e, ond ro'n i'n sylweddoli mai er fy lles i roedd hynny'n digwydd. Felly, theimlais i ddim cysur na boddhad, ond yn hytrach euogrwydd o feddwl mai ei ddefnyddio o'n i. Felly, ar ôl tair blynedd, chwiliais am rywun newydd i lenwi fy mywyd, ac er mawr syndod, cefais hyd i gariad newydd, sef Michael, oedd yn byw yn weddol agos. Lluniodd y ddau ohonom gytundebau pendant o safbwynt ein hymddygiad ac effaith gofalu am David ar ein bywydau. Doedd yna ddim amheuaeth nad anghenion David fyddai'n dod gyntaf, ac ro'n ni'n falch ac yn ddiedifar ynglŷn â'n penderfyniad. Rhoddodd Michael gefnogaeth lawn i mi, er ei fod yn teimlo'n eithaf euog yng nghwmni David. Roedd ei gefnogaeth yn amhrisiadwy, yn arbennig felly yn ystod y dyddiau ofnadwy hynny yn dilyn diflaniad a marwolaeth David. Yn angladd David, dathlu ei fywyd wnaethon ni, ei wir rinweddau a'n bywyd gyda'n gilydd, ac ro'n i'n bendant na fyddai yna unrhyw ffugio ynglŷn â'r gorffennol a dim cywilydd chwaith am fy sefyllfa bresennol. Eisteddodd Michael wrth f'ymyl drwy gydol y gwasanaeth, yn yr un modd â theulu David, a rhai o'n ffrindiau hoyw niferus.

Beth mae hyn i gyd yn ei olygu erbyn hyn, ryw wyth mlynedd ers i David farw? Wel, yn bendant mae'r trawma a achoswyd yn sgil diflaniad David wedi cael effaith sy'n para hyd heddiw. Pan fydda i'n breuddwydio, beth bynnag y pwnc, mae diflaniad David yn amharu ar y freuddwyd, ac rwy'n teimlo panig a phoen yr oriau hynny unwaith eto. Efallai y bydd hi'n freuddwyd ddymunol dros ben, ond mae'r teimlad o golli David yn torri ar ei thraws. Ar y dechrau, byddai hyn yn digwydd bob nos, ond nid yw'n digwydd mor aml nawr. Mae'n siŵr y bydd yr atgof hwnnw ar fy meddwl am byth.

Fel pawb sydd wedi bod yn ofalwyr, mae pob math o bethau'n sbarduno atgofion a daw'r teimlad o dristwch llethol i'ch corddi a'ch llorio. Tua diwedd ei fywyd, prin iawn oedd y pethau y gallai David eu dweud, ond am ryw reswm roedd yn dal i gofio geiriau'r gân, 'You are my sunshine, my only sunshine'. Fyddai'r un diwrnod, bron, yn mynd heibio heb i mi roi prawf iddo ar eiriau'r gân honno, ac fe fyddwn yn ei gofleidio wedi iddo'u hailadrodd yn gywir unwaith eto. Anghofia i byth yr olwg blentynnaidd falch ar ei wyneb ar ôl iddo'u dweud.

Byddai'r ddau ohonom yn edrych i fyw llygaid ein gilydd wrth dreulio amser gyda'n gilydd yn gyson, a minnau'n gwenu, wrth i mi ddweud yn araf, 'Rwy'n dy garu di,' ac yntau'n ei sibrwd gyda mi. Er 'mod i'n dal i deimlo poen yr adegau hynny hyd yn oed nawr, rwy'n teimlo rhyw gysur dwfn o wybod ei fod yn sylweddoli bod fy mhresenoldeb yn cynnig sicrwydd a gofal, hyd yn oed yn ei feddwl coll a dryslyd yntau.

Does neb yn goroesi gofal dementia heb gasglu ffynhonnell eang o wybodaeth a phrofiad am y cyflwr, ac fel cyn-ofalwr, rwy wedi trio defnyddio hynny i gyd er lles y rhai sy'n dechrau ar y daith. Rwy'n helpu yn ein cangen leol o'r Alzheimer's Society, ac rwy'n cwrdd â nifer o ddynion, yn hoyw a heterorywiol, sy'n wynebu colled a dryswch wrth iddyn nhw stryffaglu i ofalu am berthnasau sydd â dementia. Mae gan ofalwyr gwrywaidd lawer i'w ddysgu ar ddechrau'r daith, ac mae angen rhyw agosrwydd ac empathi arnyn nhw er mwyn iddyn nhw allu mynegi eu teimladau heb deimlo'u bod nhw'n bradychu eu gwrywdod. O dan yr amgylchiadau iawn ac mewn ffordd bwyllog, mae modd iddyn nhw elwa o bryder dyn hoyw sydd wedi dysgu bod yn agos at ddynion eraill heb deimlo dan fygythiad.

Rwyf hefyd yn un o sylfaenwyr grŵp gofalwyr LHDT (lesbiaid, hoywon, deurywiol a thraws) yr Alzheimer's Society. Pan ymunais â'r Alzheimer's Society am y tro cyntaf, yn fuan ar ôl diagnosis David yn 1995, ro'n i'n teimlo'n hynod rwystredig gan y rhagdybiaeth amlwg – yng nghylchgrawn misol a deunyddiau print eraill y gymdeithas – mai dim ond parau priod neu'r rhai a chanddyn nhw deuluoedd cefnogol oedd yn cael eu heffeithio gan ddementia. Roedd y sylw i gyd fel petai ar wŷr neu wragedd arwrol, oedd wedi bod yn briod ers degawdau, neu feibion a merched ymroddedig. Doedd dim enghreifftiau o berthynas o fath arall. Roedd hi'n anodd i mi uniaethu â'r delweddau hyn a'u mabwysiadu fel rhan o 'mhrofiad i fel gofalwr. Ysgrifennais lythyr at y cylchgrawn, yn egluro bod y rhagdybiaethau yma'n ei gwneud hi'n anodd i mi deimlo bod y sefydliad yn fy nghroesawu, gan bwysleisio nad oedd y gymdeithas yn cydnabod anghenion a phrofiadau penodol gofalwyr lesbiaidd a hoyw. Ymatebodd aelodau eraill i fy llythyr a sefydlwyd y rhwydwaith.

Dywedodd rhai wrthym ar y dechrau, 'Mae'n rhaid bod y byd wedi newid ei agwedd tuag atoch, a bod y gyfraith wedi dilyn yr un llwybr? Pam mae angen rhywbeth arbennig, o gofio bod cymdeithas eisoes yn dangos mwy o gydymdeimlad?' Dydyn nhw ddim yn sylweddoli bod dynion hoyw a lesbiaid hŷn yn dod â llwyth sylweddol o heriau o oes arall gyda nhw i'r dasg hon o ofalu. Mae'r dynion yn cofio'n glir iawn beth oedd bod yn 'anghyfreithlon' ac yn dargedau gan yr heddlu. Mae'r merched yn cofio cymdeithas oedd prin yn credu y gallai lesbiaid fodoli mewn gwirionedd. Mae gan bob un ohonom wybodaeth o'r gorffennol am unigolion yn cael eu curo, eu llofruddio ac yn profi gwahaniaethu yn y gweithle, a thros y blynyddoedd – fel y disgrifiwyd uchod – ry'n ni wedi dysgu i godi muriau amddiffynnol o gwmpas ein bywydau, fel y gallwn fod yn gymharol anhysbys a theimlo mor ddiogel â phosib. Ond mae byd newydd, bygythiol yn wynebu'r gofalwr hoyw sydd yn ei chwedegau a'i saithdegau, wrth iddo orfod datgelu'i amgylchiadau personol yn yr ysbyty, yn y feddygfa, neu dros y ffôn wrth weithiwr cymdeithasol. Mae hyn i gyd yn digwydd adeg straen, emosiwn ac unigrwydd eithafol i'r gofalwr.

Er clod iddi, mae'r Alzheimer's Society wedi rhoi sylw i'r materion hyn mewn ffordd arbennig o effeithiol. Mae gan y grŵp LDHT ei ddudalennau ei hun ar wefan y gymdeithas, ac mae cannoedd yn eu darllen bob mis; mae'r tudalennau hyn yn cynnig cydnabyddiaeth a dealltwriaeth hanfodol, yn ogystal â gwybodaeth ddefnyddiol i ofalwyr lesbiaidd a hoyw.[1] Dros y blynyddoedd, mae amrywiaeth o weithwyr cymdeithasol proffesiynol wedi cysylltu â ni, fel arfer i gyfaddef nad o'n nhw wedi ystyried anghenion unigryw gofalwyr lesbiaidd a hoyw yn y gorffennol. Ry'n ni wedi cael gwahoddiadau i annerch nifer o gyfarfodydd a chynadleddau, ac mae'r cynnydd mewn ymwybyddiaeth a'r newidiadau mewn arferion wedi bod yn anhygoel.[2] Serch hynny, mae angen dybryd i rai o fewn y sector iechyd a gwasanaethau cymdeithasol ddysgu mwy amdanon ni fel pobl hoyw, dysgu sut i ddangos empathi er mwyn i ni allu teimlo'n ddiogel yn siarad ynglŷn â'n perthynas a'n hanghenion, a'n hannog i geisio help heb deimlo dan fygythiad.[3] Pan fydd cymdeithas yn llwyddo i gyflawni hynny, bydd llai o angen am rwydwaith LDHT, ond mae pawb yn gwybod ein bod ni'n bell iawn o'r nod hwnnw ar hyn o bryd.

Ychydig ddyddiau cyn i David farw, aethom adref i'n tŷ ni fel arfer, a hefyd, fel arfer, yn y cyntedd, wedi tynnu ei gôt, dyma ni'n cofleidio ac yn cusanu. Am ryw reswm, dywedais wrtho'r diwrnod hwnnw, 'O, dwi ddim eisiau dy golli di eto.' Dyna'r geiriau olaf, bron, i mi eu dweud wrtho. Ar ryw olwg, rwy'n gobeithio hynny. Fel pob gofalwr, ro'n i wedi hen dderbyn sefyllfa anorfod yr afiechyd ofnadwy yma, ond roedd fy nheimladau at David wedi goresgyn yr her enfawr o ofalu amdano, ac ro'n i'n barod i ddal ati i wynebu'r her honno am ba hyd bynnag y byddai angen. Rwy'n hynod o ddiolchgar 'mod i wedi gorfod gwneud hynny.[4]

Nodiadau

1   Gweler www.alzheimers.org.uk/get-support/help-dementia-care/lgbt-support (gwelwyd 25 Mawrth 2019) neu ffoniwch 0300 222 1122 am ragor o wybodaeth.

2   Gweler, er enghraifft, Commission for Social Care Inspection (2008) *Putting People First: Equality and Diversity Matters 1 Providing Appropriate Services for Lesbian, Gay and Bisexual and Transgender People.* Ar gael ar www.cqc.org.uk/news/stories/meeting-needs-lesbian-gay-bisexual-transgender-people, gwelwyd 1 Ebrill 2019

3   Adnoddau defnyddiol ar wefan AgeUK: www.ageuk.org.uk/information-advice/health-wellbeing/relationships-family/lgbt-information-and-advice, gwelwyd 1 Ebrill 2019

4   Ymddangosodd rhywfaint o ddeunydd y bennod hon yn Newman, R. (2005) 'Partners in care – Being equally different: lesbian and gay carers.' *Psychiatric Bulletin 29,* 266–269.

21

Hiraeth dig

Shirley Nurock

WRTH EDRYCH 'NÔL, mae'n anodd credu i'm 'gyrfa fel gofalwr' ddechrau dros ugain mlynedd yn ôl. Er gwaethaf erchyllterau clefyd Alzheimer a ddioddefodd fy ngŵr ar ei daith un mlynedd ar bymtheg, a'r gwewyr a'r trallod a wynebwyd gan ein teulu, yn rhyfedd iawn, rwy'n dal yma i adrodd ei stori, ac yn bwysicach fyth, i barhau â'r frwydr am well gwasanaethau a chydnabyddiaeth i bobl sydd â dementia.

Yn 1994, disgrifiais brofiad fy nheulu mewn dwy erthygl a gyhoeddwyd yng nghylchlythyr yr Alzheimer's Society. Ysgrifennais:

> Meddyg oedd fy ngŵr – meddyg teulu mewn meddygfa fawr yn ne Llundain am dros 30 mlynedd. Cafodd ddiagnosis o glefyd Alzheimer yn ifanc, ryw bum mlynedd yn ôl.
>
> Roedd y diagnosis yn gymaint o sioc iddo fel na ddychwelodd i'w feddygfa na gyrru car byth wedyn. Ni chafodd unrhyw apwyntiad i fynd i weld meddyg ymgynghorol na chynnig unrhyw gefnogaeth emosiynol broffesiynol ychwaith. Dim byd ond diagnosis a 'Does dim allwn ni ei wneud – ceisiwch gadw mor iach â phosib.' Roedd y ddau ohonom yn gwybod nad oedd gwella, ond allwch chi ddychmygu'r effaith gafodd y diagnosis arno, ac yntau'n feddyg ei hun? Mewn ffordd, roedd yn teimlo fel petai wedi'i sarhau. Doedd bosib na ellid ystyried clefyd Alzheimer fel clefyd yr un mor eithafol â chanser – ac eto, caiff y rhai sydd â chlefyd Alzheimer eu hanwybyddu bron yn gyfan gwbl gan y proffesiwn meddygol.
>
> Efallai fod disgwyl i feddyg fod yn fwy dewr na neb arall. Yn ystod y dyddiau cynnar roedd yn boenus ymwybodol o'r sefyllfa ond gwnaeth ei orau i guddio'i deimladau, yn yr un ffordd yn union ag y byddai'n cuddio'i deimladau rhag ei gleifion o gael ei dristáu

gan eu clefydau hwythau. Ond
roedd yn dal i allu bod yn berson
proffesiynol amyneddgar a gofalgar.
Byddai ambell air o gydymdeimlad
gan feddyg teulu neu feddyg
ymgynghorol wedi bod yn gysur
mawr bryd hynny.

Gan ei fod yn 'ifanc', roedd
yna heriau ychwanegol. Roedd
yn rhy ifanc i gael ei gyfeirio at
seicogeriatrydd a doedd dim angen
i'r meddyg teulu alw. Doedd dim
modd i mi gysylltu â neb arall
oedd yn wynebu sefyllfa debyg er
mwyn trefnu cyfarfod ag ef a bod
yn gwmni iddo. Roedd yn gorfforol
iach a heini, yn edrych yn hollol
allan o'i le yn y ganolfan ddydd leol,
felly doeddwn i ddim yn gadael

Leonard Nurock, 1988, clefyd
Alzheimer cynnar

iddo fynd yno. Nid oedd ac nid oes unrhyw fath o ofal dydd na gofal
seibiant ar gael. Doedd hi ddim yn syndod, felly, pan ddechreuodd
deimlo'n hynod o ddigalon yn nyddiau cynnar y clefyd.

Wrth i mi geisio delio â'm hemosiynau chwilfriw fy hun ac wynebu
goblygiadau cymdeithasol ac ariannol y dyfodol, roedd gen i, ac mae
gen i o hyd, deimlad nad oedd angen i bethau fod fel hyn. Heb os,
fyddwn i ddim yn teimlo'r fath alar a dicter parhaol petai pethau wedi
bod yn wahanol. Pa mor anodd ydyw i feddyg ymgynghorol gadw
mewn cysylltiad â chlaf neu ddangos ei fod yn meddwl amdano?
Gallai dangos pryder oherwydd y dirywiad yn ei gyflwr, neu air
o anogaeth, fod wedi'i helpu. Nid fel y meddyg ymgynghorol a
ddywedodd mor swta wrthyf pa mor wael oedd cof fy ngŵr a gwrthod
credu y gallai fod ganddo deimladau o hyd ...

Sut all gwraig yn ei phedwardegau fyth ddod i delerau â cholli
cymar cariadus? Diflannu wnaeth yr atgofion roedden ni'n eu rhannu,
yr hapusrwydd, y dyfodol roedden ni wedi'i gynllunio gyda'n gilydd.
A beth sydd ar ôl? Ymdopi ag agweddau ymarferol magu teulu,
gweithio a gofalu am ŵr, cynllunio ar gyfer dyfodol nad ydych chi am
ei weld yn digwydd, yn ogystal â'r beichiau cymdeithasol, ariannol a
chyfreithiol. Mae ysgwyddo baich y boen o weld ffrindiau a theulu

sy'n diflannu'n llwyr, y sarhad o orfod dibynnu ar eraill o hyd, yr unigrwydd wrth ofalu, a'r hunllef na allai dim fod wedi eich paratoi ar ei chyfer i gyd yn heriau. Ac o ble mae cael y nerth i frwydro am gyngor ynglŷn â gofal, cefnogaeth, y budd-daliadau a'r gwasanaethau sydd ar gael – y gwasanaethau hynny sydd byth yn ddigon i gyflenwi eich anghenion. Nid afiechyd sy'n sefyll yn ei unfan yw clefyd Alzheimer. Mae'n gofyn am ailasesu cyson.

Sut mae dod i delerau ag ochr emosiynol colled dymor hir? Dicter – neu alar sy'n ymddangos fel dicter – euogrwydd, iselder, anobaith, rhwystredigaeth, diffyg teimlad, anghrediniaeth, poen ac, yn y pen draw, arswyd, wrth i'r clefyd ddatblygu'n eithriadol o gyflym a chithau'n cael eich gorfodi i fabwysiadu rôl gwyliwr sy'n cael ei lethu wrth sylweddoli pa mor sâl rydych chi'n teimlo oherwydd y straen ac effaith ddofn y tosturi a'r galar torcalonnus wrth ystyried beth sy'n digwydd i'r dyn o'ch blaen ...

Sut mae plant yn ymdopi â cholli eu tad yn raddol, y tad na chawson nhw lawer o amser i ddod i'w adnabod fel yr arferai fod, am eu bod nhw wedi tyfu i fyny gyda'i amhendantrwydd a'r anghofrwydd cynyddol? Nid yw'n gallu helpu gyda'u gwaith cartref na rhannu yn eu llwyddiant – yn lle hynny, maen nhw'n gorfod ei fwydo. Ond rhaid i'w afiechyd beidio â'u rhwystro ar eu llwybrau tuag at annibyniaeth ...[1]

Dros y blynyddoedd, mae ymwybyddiaeth gynyddol wedi arwain at welliannau o safbwynt y gofal, ond yn anffodus, mae'r stigma ac agweddau'n ymwneud ag oedran yn dal i fodoli. Er gwaetha'r cynnydd yn y cyllid ar gyfer ymchwil, ychydig iawn ydyw o'i gymharu â'r arian sy'n cael ei wario ar glefydau mawr eraill ac mae'n hollol anghymesur â'r baich costau enfawr y mae dementia'n ei roi ar gymdeithas ac unigolion. Dydy dementia ddim yn flaenoriaeth o hyd.

Mae datblygiad ac argaeledd, os ydych chi'n lwcus, cyffuriau gwrth-ddementia'n gam ymlaen, yn ogystal â'r gydnabyddiaeth drwy ymchwil o fwy o ddewisiadau, gwasanaethau a thriniaethau. Ry'n ni bellach yn deall potensial therapi seicolegol fel modd o helpu pobl sydd â dementia a'u gofalwyr, a sut y gellir cynyddu lefelau gofal yn y gymuned ac mewn cartrefi gofal. Mae pobl ifanc sydd â dementia bellach yn cael eu cydnabod fel grŵp. Ugain mlynedd yn ôl nid dyma fel roedd pethau a doedd dim gwasanaethau addas ar gyfer fy ngŵr.

Mae ymchwilwyr a gofalwyr yn gwybod yr atebion, eto mae degau o filoedd o ofalwyr trallodus i'w cael o hyd, yn brwydro ymlaen heb gefnogaeth, wrth i gynghorau lleol gael eu gorfodi i dorri eu cyllidebau gofal cymdeithasol i'r eithaf. Gall gofalu am rywun sydd â dementia fod yn gostus iawn, ac unigolion a theuluoedd sy'n aml yn gorfod wynebu'r costau hynny.

Wnaiff baich dementia ddim diflannu. Mewn gwirionedd, gan fod cyswllt rhyngddo ac oedran, dim ond cynyddu wnaiff nifer y rhai sydd â'r clefyd wrth i bobl fwy'n hirach. Oni bai fod cynnydd sylweddol iawn o ran cyllid ac adnoddau, mae'r dyfodol yn edrych yn llwm iawn i bobl hŷn a'u gofalwyr.

Nodiadau

[1] Diolch i'r Alzheimer's Society am yr hawl i atgynhyrchu'r darnau yma o erthyglau a gyhoeddwyd gyntaf yng nghylchlythyr yr Alzheimer's Society ym mis Mai 1994 a mis Hydref 1994.

22

Craciau yn y system

Pat Brown

MAE FY STORI i'n adlewyrchu profiad cymaint o bobl sy'n gofalu am berson ifanc sydd â dementia: stori am gamddiagnosis, camdybiaeth a diffyg hyfforddiant o safbwynt y rhai sy'n gyfrifol am ddarparu gwasanaethau. Roedd yn rhaid i ni wynebu rhagfarn oed o fewn y system, sy'n arwain at nifer o sefyllfaoedd afresymegol, ac sy'n aml yn rhwystro pobl ifanc sydd â dementia rhag cael y gofal mwyaf addas.

Darlithydd prifysgol oedd fy ngŵr, Chris, ac roedd yn ymwneud â rheoli rhaglenni ar gyfer uwchraddedigion, gwaith ymgynghori ac ymchwil. Ro'n ni wedi bod yn briod ers 36 mlynedd, ac roedd e'n dad cariadus i'n dwy ferch.

Cafodd ddiagnosis o orbryder ac iselder am y tro cyntaf yn 2000, ac yntau'n hanner cant. Bu farw ei dad y flwyddyn honno ac roedd pwysau gwaith wedi cynyddu yn sgil ailstrwythuro, felly roedd y diagnosis hwn yn ymddangos yn rhesymegol; cafodd bresgripsiwn am gyffuriau gwrthiselder. Fe sylwon ni fod Chris wedi colli ei awch i ddilyn ei ddiddordebau, er mor bwysig roedd y rheini wedi bod iddo. Stopiodd chwarae golff, collodd ddiddordeb mewn ffotograffiaeth, a stopiodd ganu'r piano. Roedd e'n cael trafferth canolbwyntio, a doedd e ddim yn darllen llyfrau na phapurau newydd bellach, er cymaint rhan o'i fywyd yr oedd y rheini wedi bod yn y brifysgol. Byddai'n cael anhawster wrth gymdeithasu, hyd yn oed mewn achlysuron teuluol, ac fe sylwon ni ei fod yn yfed tipyn mwy o ddiodydd alcoholig nag yr arferai ei wneud.

Yn 2002, bu farw ei fam, ac roedd pwysau gwaith yn dal i'w flino'n lân. Gwaethygu wnaeth ei orbryder ac fe sylwon ni ei fod yn dipyn mwy dryslyd. Roedd yn ei chael hi'n anodd penderfynu, ac fe ddaeth arwyddion i'r amlwg ei fod yn colli'i gof. Roedd hefyd wedi gorfod wynebu nifer o broblemau iechyd, gyda'i glun, ei ben-glin, ei bledren a'i goluddyn, a chafodd y rhain eu harchwilio'n llawn. Ond doedd dim modd canfod unrhyw eglurhad corfforol am ei symptomau. Sylwais ar ambell ffobia – ofn gwirioneddol o uchder ac o fynd allan o'r tŷ. Byddai'n cael pyliau difrifol o banig o glywed unrhyw sôn am fynd allan yn gymdeithasol. Byddai'n mynd i'r tŷ bach yn gyson. Dechreuodd ddatblygu ymddygiad obsesiynol ac eithafol, gan fabwysiadu trefn bendant iawn o safbwynt cymryd ei feddyginiaeth, a glanhau'r gegin yn ddi-baid. Roedd angen trefn bendant i'w fywyd a byddai unrhyw beth annisgwyl yn ei ddrysu. Byddai'n archwilio cynnwys ei fag gwaith drosodd a thro cyn mynd i'w waith, a throdd ei ddyddiadur gwaith yn feibl iddo. Ym mis Tachwedd 2002, a'i broblemau gyda'i gof yn dod yn fwy amlwg a'i lefelau gorbryder yn mynd drwy'r to, fe'i cynghorwyd gan ei feddyg i gymryd seibiant o'r gwaith. Dechreuodd Chris fynychu sesiynau cynghori yn y gobaith y byddai 'therapi siarad' yn ei helpu.

Parhaodd y meddyg teulu i fonitro cyflwr Chris a chynyddwyd cryfder y cyffuriau gwrthiselder. Cyfeiriwyd Chris at 'seiciatrydd ar gyfer y rhai o oedran gwaith' o fewn y tîm iechyd meddwl yn 2003. Cefnogodd y seiciatrydd ddiagnosis y meddyg teulu o straen, gorbryder ac iselder a daliwyd ati â'r un feddyginiaeth. Roedd Chris yn dal i fynychu sesiynau cynghori, ond dim ond os byddwn i'n mynd gydag e.

Ym mis Chwefror 2004, cyfeiriwyd Chris at seicolegydd a chafodd gyfres o brofion dros gyfnod o bedair awr. Roedd ei lefelau gorbryder yn uchel ac roedd yn amlwg yn ddryslyd iawn. Doedd e ddim yn gallu dod o hyd i'r ystafell gywir ar ôl iddo ddod allan am seibiant yn ystod y cyfnod profi. Bu'n rhaid i ni aros tan fis Mehefin am apwyntiad arall gyda'r seicolegydd a'r seiciatrydd, a'u cael nhw'n amharod i dderbyn canlyniadau eu profion eu hunain. Dywedodd y seicolegydd fod y canlyniadau'n amhendant, ond 'os yw Chris mor wael ag y mae'r canlyniadau'n dangos, yna fyddai e ddim yn gallu dod o hyd i'r ystafell ymolchi petai'n codi yng nghanol y nos, ac yn bendant fyddai e ddim yn gallu gyrru drwy Ffrainc ar wyliau'. Dywedodd hefyd 'tasai'r canlyniadau'n cael eu hasesu gan niwrolegydd, byddai'n rhaid iddo ildio'i drwydded yrru'. Holais a fydden nhw'n barod i gefnogi cais ar ran Chris yn gofyn am ymddeoliad cynnar ar sail iechyd, gan fod ei allu i weithredu yn y gweithle'n ymddangos yn llai a llai tebygol. Ond doedden nhw ddim yn teimlo y gallen nhw wneud hynny ar y pryd, gan awgrymu y dylai Chris ddychwelyd i'r gwaith, ond cwtogi ei amserlen.

O ganlyniad, dychwelodd Chris i'r gwaith ym mis Gorffennaf 2004, ond wrth i flwyddyn academaidd newydd nesáu, dechreuodd lefelau gorbryder Chris godi, aeth yn fwy dryslyd a theimlai dan straen wrth i'r syniad o orfod mynd 'nôl i'r ystafell ddosbarth ddechrau gwasgu arno. Yn anorfod, cafodd bapur doctor ym mis Medi 2004, a chyflwynwyd cais am ymddeoliad cynnar ar sail iechyd. Ond wnaethon ni ddim cynnwys adroddiad y seicolegydd, a oedd yn gorffen drwy nodi mai 'esgus' oedd Chris er mwyn gallu ymddeol yn gynnar o'i broffesiwn!

Cefais gyfnod sabothol o 'ngholeg i yn 2005, ar sail dosturiol, gan gredu y gallwn gynnig mwy o gefnogaeth i Chris taswn i ddim yn gweithio, ac y gallwn ei helpu i wella drwy gynnig symbyliad ymenyddol. Ond parhau wnaeth ei symptomau o orbryder a chynyddu wnaeth ei ddryswch. Sylweddolais nad oedd bellach yn gallu cofio sut i fynd i fannau cyfarwydd. Prin oedd ei hyder, doedd e ddim yn gallu cyflawni'r tasgau symlaf, ac roedd ofn mynd allan arno rhag ofn y byddai angen mynd i'r tŷ bach arno. Pan fydden ni'n llwyddo i fynd i'r archfarchnad byddai'n mynd i'r tŷ bach ddwywaith cyn gadael y tŷ, ac yna'n mynd eto cyn gynted ag y bydden ni wedi cyrraedd, ac eto fyth ar ôl i ni fynd i fyny ac i lawr rhyw ddwy eil. Dyma hefyd pryd y sylweddolais fod ei allu i yrru'n mynd yn fwy afreolus; er mwyn arbed ei deimladau, fe fyddwn i'n gwneud esgusodion fel fy 'mod i'n gallu gyrru i ble bynnag roedd angen mynd arnom.

Ddiwedd 2005, cysylltais â'n cangen leol o Mind, yr elusen iechyd meddwl. Bu rhai o weithwyr cefnogi'r elusen yn ymweld â Chris bob wythnos am wyth wythnos ddechrau 2006, gan weithredu rhaglen wedi'i chynllunio i hybu ei hyder. Fe fydden nhw'n mynd ag e allan i siopa ychydig ar ei ben ei hun, gan gadw golwg ar ei allu i ddewis nwyddau a mynd â nhw wedyn at y til er mwyn talu amdanyn nhw. Ond ar ôl rhai wythnosau, doedd ei allu i gyflawni'r tasgau yma ddim wedi gwella ac roedd ei lefelau gorbryder yn achosi dryswch pellach. Dyna pryd yr awgrymon nhw nad problemau iechyd meddwl oedd yn effeithio ar Chris, ond yn hytrach afiechyd tebyg i ddementia. Awgrymodd y gweithiwr cefnogi wrth seiciatrydd Chris y dylai gael sgan CAT. Cytunodd y seiciatrydd a chafodd Chris y sgan. Dri mis yn ddiweddarach, cefais ganlyniadau'r sgan dros y ffôn. Dywedwyd wrtha i nad oedd unrhyw arwydd o dyfiant ond ro'n nhw'n credu y dylai Chris gael ei asesu o safbwynt ei ddiffyg cof, a chafodd ei gyfeirio at seiciatrydd ymgynghorol ar gyfer yr henoed. Ym mis Awst 2006 –

chwe blynedd wedi i'r symptomau ymddangos am y tro cyntaf – cafodd ddiagnosis o ddementia Alzheimer ac addaswyd ei feddyginiaeth.

Ar ôl rhoi'r diagnosis, ro'n ni'n dal i fynychu apwyntiadau gyda'r seiciatrydd ar gyfer pobl o oed gweithio, gan mai dim ond 56 mlwydd oed oedd Chris ar y pryd. Ond pan ofynnais am eglurhad pellach ynghylch y math o ddementia oedd ar Chris, dywedodd y seiciatrydd wrtha i mai arbenigwr iechyd meddwl oedd e, nid arbenigwr mewn salwch fel dementia. Pan fynnais gael gweld seiciatrydd oedd yn arbenigo mewn dementia, dywedwyd wrtha i mai'r seiciatrydd ar gyfer yr henoed oedd yr arbenigwr ar ddementia, ond fyddai Chris ddim yn dod o dan ei adain nes ei fod e'n 65 mlwydd oed! Ro'n i'n methu credu'r peth, felly dyma fi'n cysylltu â'r Gwasanaeth Cyngor a Chyswllt Cleifion yn yr ysbyty. Ysgrifennais at yr Alzheimer's Society a chysylltu â'r Aelod Seneddol. Yn y diwedd, cafodd y sefyllfa ei setlo a throsglwyddwyd achos Chris i'r seiciatrydd ar gyfer yr henoed.

Pan gafodd Chris ei ddiagnosis gyntaf, roedd ei sgôr yn y prawf cryno ar ei gyflwr meddwl yn 19/30 ond flwyddyn yn ddiweddarach roedd hwnnw wedi disgyn i 7/30. Fe fydda i wastad yn meddwl tybed a fyddai diagnosis cynharach a meddyginiaeth addas wedi sefydlogi'r dirywiad yma. Roedd geiriau'r seicolegydd yn atsain yn fy nghlustiau: fyddai e ddim yn gallu dod o hyd i'r ystafell ymolchi petai'n codi yng nghanol y nos, ond doedd e bellach ddim yn gallu dirnad beth oedd diben toiled. Mae gennym doiled, basn a bath yn ein hystafell ymolchi, ond doedd gan Chris ddim syniad beth oedd diben yr un ohonyn nhw.

Wedi iddo gael ei ddiagnosis, cafodd rhestr o asiantaethau gofal ei hanfon ymlaen atom gan yr awdurdod lleol. Erbyn hynny, roedd Chris yn ymddwyn mewn modd rhithdybiol a byddai ei hwyliau'n newid yn unol ag amrywiol symbyliadau, ond ro'n i'n tybio y byddai'r asiantaethau gofal yn gyfarwydd â symptomau clefyd Alzheimer, yn enwedig gan mai'r awdurdod lleol oedd wedi eu hargymell. Roedd hi'n amlwg nad oedd y gofalwyr oedd yn perthyn i'r asiantaeth gyntaf y penderfynais ymddiried gofal Chris iddyn nhw wedi cael llawer o hyfforddiant ym maes dementia. Yn ystod trydedd wythnos eu hymweliadau, mentrais adael Chris am awr gyda'r gofalwr. Pan ddychwelais, gwelais fod y gofalwr mewn gwaeth cyflwr na'r un yr oedd yn gofalu amdano. Roedd y gofalwr allan yn yr ardd yn ysmygu sigarét, a Chris yn crwydro o gwmpas y tŷ wedi drysu'n lân ac yn ofnus. Mae'n amlwg bod y gofalwr wedi'i gynhyrfu gan gyflwr rhithdybiol fy ngŵr.

Pan gysylltais i â'r ail asiantaeth, eglurais natur ymddygiad anwadal fy ngŵr yn llawn. Pan ymwelodd yr uwch-ofalwraig â ni er mwyn cynnal asesiad, cynhyrfodd Chris, ond yn hytrach na thawelu a chysuro Chris, aeth hi ati i herio'i siarad rhithdybiol gan wneud y sefyllfa'n waeth. Yna, gadawodd. Yn ddiweddarach y diwrnod hwnnw, cefais alwad ffôn gan berchennog yr asiantaeth i ddweud na allai ganiatáu i unrhyw un o'i staff ofalu am Chris. Yn amlwg, dyma enghraifft arall o ddiffyg hyfforddiant dementia o fewn asiantaethau.

Ro'n i'n dechrau deall nad oedd Chris yn cydymffurfio â'r ddelwedd arferol o berson oedd â dementia: roedd yn ifanc, yn gorfforol heini, ac yn ymddwyn yn rhithdybiol – nid yn hen ac yn fregus.

Dyma droi at y canolfannau dydd wedyn. O fethu gallu sicrhau gofal yn y cartref, efallai y gallwn fynd â Chris allan o'r tŷ. Ond na, doedd hynny ddim yn bosib chwaith am nad oedd gan y canolfannau dydd na'r cartrefi gofal seibiant drwydded ar gyfer rhai dan 65 oed. (Ar ben fy nhennyn, ysgrifennais eto at yr Aelod Seneddol lleol i ofyn am help, a chyda'i ymyrraeth ef a chefnogaeth y meddyg ymgynghorol, llwyddwyd i sicrhau canolfan ddydd yn benodol ar gyfer pobl dan 65 oed, ond yn rhy hwyr i ni.) Roedd hi'n ymddangos nad oedd unrhyw ddarpariaeth o gwbl o fewn swydd Bedford gyfan i rywun iau â dementia, ond gyda chymorth y Comisiwn Archwilio Gofal Cymdeithasol, fel yr oedd ar y pryd, llwyddais i ddod o hyd i asiantaeth yn swydd Hertford oedd yn barod i gynnig gwasanaeth yn ardal Luton lle ro'n ni'n byw. Roedd hi'n amlwg eu bod nhw'n cydnabod yr heriau oedd yn wynebu pobl iau â dementia ac wedi hyfforddi eu gofalwyr mewn modd priodol. Llwyddwyd i gael Chris i wneud rhai gweithgareddau o gwmpas y tŷ ac yn yr ardd; ro'n nhw'n deall natur rithdybiol Alzheimer, a chyda'n gilydd, fe wnaethon ni drafod beth oedd y symbyliadau. Roedd yr asiantaeth yn croesawu fy nghyfraniad i'r gofal gan gynnig technegau i mi a fyddai'n fy helpu i ddygymod â'i gyflwr oedd yn newid yn gyson.

Yn anffodus, erbyn i ni ddod o hyd i'r gwasanaethau perthnasol a'r ansawdd gofal i ddiwallu anghenion fy ngŵr, roedd y sefydlogrwydd yr oedd y feddyginiaeth wedi bod yn ei roi i Chris yn dechrau pallu. Fe lwyddon ni i ddathlu pen-blwydd Chris yn bum deg saith mewn steil, a daeth y teulu cyfan at ei gilydd yn ogystal â'r ffrindiau hynny oedd wedi dal i'w gefnogi yn ystod ei afiechyd. Roedd y tywydd yn fendigedig a Chris yn gymharol iach ac yn hapus yn ystod y dydd. Ond o fewn y mis nesaf, dirywiodd ei gyflwr yn aruthrol o gyflym.

Daeth yn fwy a mwy aflonydd, prin roedd yn gallu cyfathrebu, roedd ei sgwrs ar chwâl a'i ymddygiad weithiau'n anaddas. Roedd ei rithdybiau'n digwydd yn fwy aml ac yn fwy heriol. Byddai'n credu bod pobl yn y tŷ; byddai'n fy nghyhuddo o ladd ei deulu neu o ddwyn ei arian. Aeth yn fwy ymosodol ei sgwrs, gyda symbyliadau penodol megis mynd i'r bath neu ddadwisgo'n barod i fynd i'r gwely yn ei gynhyrfu'n lân. Roedd rhithdybiau o ddynion eraill yn ei wylio'n noeth yn gyffredin, a byddai llif o ymosodiadau llafar sarhaus a bygythiadau'n dilyn hynny. Cyn gynted ag y byddai'n dod allan o'r bath, neu pan fyddai yn y gwely, byddai'n tawelu ac yn ymlonyddu eto, heb allu cofio dim am y profiadau cynharach. Daeth gyrru gyda Chris yn brofiad brawychus, gan ei fod yn diosg ei wregys diogelwch ac yn trio dianc o'r car. Doedd ganddo ddim syniad ble roedd e, i ble roedd yn mynd na chwaith pwy o'n i, a byddai'n bygwth fy lladd am ei fod yn meddwl 'mod i'n bygwth ei deulu. Dysgais yn gynnar iawn i beidio â'i herio. Er mwyn lleddfu'r sefyllfa, byddwn yn siarad ag ef mewn ffordd dyner a phwyllog, gan ailadrodd drosodd a thro mai fi oedd ei ffrind gorau ac na fyddwn i byth yn ei frifo.

Yn sydyn, trodd y trais geiriol yn drais corfforol ym mis Awst 2007. Y gofalwr oedd y targed ar y dechrau, ac yna trodd arnaf innau a'r gweithiwr cymdeithasol. Achosodd hynny gyfres o ddigwyddiadau a wnaeth fy sigo yn emosiynol.

Yn achos rhywun sydd â chlefyd Alzheimer, gall troi at ddefnyddio trais corfforol sydyn heb unrhyw reswm amlwg awgrymu fod haint arno. Cawsom ein cynghori felly y dylen ni fynd i ganolfan asesu'r ysbyty er mwyn iddo gael archwiliad. Er i Chris fynd i'r ganolfan, roedd yn gyndyn o aros yno ac yn mynnu dod adref; doedd dim dewis ond ei orfodi i aros yno dan y Ddeddf Iechyd Meddwl.

Prin yw'r urddas y gall unrhyw un sydd â chlefyd Alzheimer ei ddisgwyl, ond disgwylir i'r rhai sy'n darparu cymorth gydymffurfio â safonau uchel o ofal urddasol. Serch hynny, does fawr o urddas yn perthyn i'r drefn o orfodi rhywun i gael gofal dan y Ddeddf Iechyd Meddwl. Dieithriad dienw yw'r rhai sy'n gyfrifol am gyflawni'r gwaith hwnnw, ac maen nhw'n tueddu i wneud i'r claf deimlo'n ofnus ac yn llawn arswyd. Mae dau feddyg yn rhan o'r broses, dau sy'n anghyfarwydd i'r gofalwr a'r claf, yn ogystal â swyddogion yr heddlu mewn iwnifform, gan gynyddu'r ymdeimlad o arswyd, a gweithiwr cymdeithasol 'cymeradwy' dienw, un y mae ei rôl yn ddirgelwch. Mae'r meddygon yn

Chris Brown, gwanwyn 2007

diflannu ar ôl i gwestiynau gael eu gofyn a'u gwaith wedi'i gwblhau; mae'r gweithiwr cymdeithasol yn eich llethu â materion cyfreithiol yn ymwneud â'r broses ac mae presenoldeb yr heddlu'n fygythiol. Mae difrifoldeb a chanlyniadau'r sefyllfa'n ddychrynllyd. Drwy'r adeg, ry'ch chi'n gwneud eich gorau i dawelu meddwl a chysuro rhywun â chlefyd Alzheimer sy'n teimlo'n ddryslyd iawn, yn bryderus ac yn ofnus, gan obeithio y daw rhyw elfen o urddas o rywle. Pan gafodd yr ambiwlans ei rwystro ar y ffordd, gofynnodd y gweithiwr cymdeithasol i Chris a fyddai ots ganddo fynd yng nghar yr heddlu, mewn gefynnau! Dim urddas fan yna, 'te! Roedd y gweithiwr cymdeithasol wedi penderfynu mai uned ar gyfer y rhai o oed gweithio oedd yr uned asesu fwyaf addas ar ei gyfer. Pobl ifanc â phroblemau iechyd meddwl oedd y cleientiaid, llawer ohonyn nhw'n dioddef yn sgil eu defnydd o gyffuriau a sylweddau, eraill ag anhwylderau bwyta, wedi ceisio'u lladd eu hunain, neu ag iselder eithafol. Doedd yr uned ddim yn lle sefydlog, ac felly roedd yn hollol anaddas ar gyfer rhywun â dementia. Roedd holl symbyliadau ymddygiad ymosodol i'w canfod yn yr amgylchedd yma lle roedd Chris wedi'i anfon. Dangosodd y gweithiwr cymdeithasol ei ystafell i Chris a minnau a dangos ble roedd y toiled. Doedd ganddi ddim cysyniad o'i ddryswch a'i ddiffyg dealltwriaeth. Pan eglurais na fyddai Chris yn gallu dod o hyd i'r toiled heb gymorth gofalwr, dywedodd hi na fyddai dim ots tasai Chris yn 'piso ar y llawr'. Felly dyma'r math o urddas y gellir ei ddisgwyl gan ddarparwyr gofal.

Yn dilyn nifer o alwadau ffôn, swnian a phlagio, llwyddais i drefnu bod Chris yn cael ei drosglwyddo i'r uned asesu ar gyfer yr henoed lle roedd cleifion â dementia yn gael gofal arbenigol.

Er ei fod nawr mewn amgylchedd mwy addas ar ei gyfer, bu'n

anodd i Chris setlo yno. Cafodd ei feddyginiaeth ei hasesu a chymerodd y staff eu hamser i ddod i'w adnabod. Cafodd ei drin â thynerwch, tosturi, dealltwriaeth a'r parch mwyaf. Er i'w gyflwr ddirywio, rwy'n argyhoeddedig mai'r clefyd oedd wrth wraidd hynny yn hytrach na sgileffeithiau'r cyffuriau a roddwyd iddo. Doedd e ddim mor ymosodol bellach, ac yn raddol daeth ei batrwm cysgu yn ôl i drefn.

Treuliais y rhan fwyaf o'm hamser yn yr uned, yn cerdded y coridorau gyda Chris ac yn mynd i mewn i'w fyd. Cefais gefnogaeth a chysur gan y staff, ac fe fyddwn yn cael gwybodaeth fesul tipyn ganddyn nhw, yn ôl yr angen. Ro'n i'n deall y clefyd a'r canlyniadau anorfod i'r dioddefwr.

Bu Chris ar y ward am dri mis cyn iddo gael ei drosglwyddo i gartref nyrsio. Erbyn hynny roedd yn gwlychu ac yn baeddu, wedi cael sawl haint ar ei ysgyfaint ac roedd ganddo ddoluriau gwasgu. Erbyn hyn roedd yn rhaid iddo gael ei fwydo, ac roedd ei archwaeth yn lleihau; roedd wedi colli llawer o bwysau. Prin oedd ei gyfnodau synhwyrol bellach, ond roedd yr adegau hynny'n eithriadol o werthfawr i mi, fel ei brif ofalwr.

Chris a Pat gyda'u merched Natalie (chwith) a Shelley, a'u hŵyr, Joseph, Gorffennaf 2007

Aeth Chris i'r cartref nyrsio ar 14 Rhagfyr 2007. Roedd e'n aflonydd ar y dechrau, ond edrychai wedyn fel petai wedi setlo i'w amgylchedd newydd yn dda. Roedd wrth ei fodd allan yn yr ardd, yn enwedig gan nad oedd wedi cael cyfle i fynd allan am dro ers tri mis. Byddai'n mynd allan am dro ac yn teimlo'r borfa a'r dail ar y coed. Efallai mai dyma ddechrau'r haint a'i lladdodd, ond roedd y pleser a gâi o fynd allan i'r ardd yn hwb i'r galon. Yn anffodus, roedd ei gorff yn rhy wan i frwydro yn erbyn yr haint a bu farw ar 26 Rhagfyr 2007, yng nghwmni ei deulu cariadus.

23

Hyd eithafion straen

Andra Houchen

YM MIS GORFFENNAF 2002, gofynnais am gyngor gan y feddygfa leol. Roedden ni wedi bod yn byw bywyd rhyfedd yn sgil problemau personoliaeth ac ymddygiad anesboniadwy fy ngŵr, Anthony – problemau oedd yn seiliedig ar straen ac iselder, yn ôl ein meddyg teulu a seiciatrydd. Roeddwn i'n teimlo mor ddiymadferth a diobaith. Doedd gen i ddim syniad beth i'w wneud.

Dywedodd cynghorydd y feddygfa wrtha i 'mod i'n ofalwr. Doedd gen i ddim syniad beth oedd hynny'n ei olygu. Hyd y gwyddwn i, ro'n i'n wraig, yn fam, yn mynd i'r gwaith, yn trio helpu fy ngŵr oedd â rhyw salwch annealladwy, ac yn gwneud fy ngorau i'w helpu drwy ei iselder, ei gyfnod gwael neu ei argyfwng canol oed.

Dyma fy nghofnod o afiechyd Anthony hyd at y pwynt pan fu raid iddo fynd i'r ysbyty, sy'n dangos sut y cymerodd ei ddementia ein bywydau drosodd yn raddol.

Rhagfyr 2000
Mae'r afiechyd yn dechrau ei amlygu ei hun fel cur pen, poenau yn y stumog, straen.

Gorffennaf 2001
Dywedwyd wrth Mr H bod iselder arno; mae'r meddyg teulu'n rhoi cyffuriau gwrthiselder iddo. Mae Mr H yn tybio bod rhywbeth yn mynd o'i le yn ei ben ac yn gofyn i'r meddyg teulu pam nad yw'n 'meddwl yn iawn'. Mae'r meddyg teulu'n egluro bod hynny'n gysylltiedig â'r iselder a'r straen.

Mae Mr H yn cael trafferth cofio ydy o wedi gwneud pethau, yn cadw llygad i weld ydy o'n gwneud y pethau iawn efo gweddill y teulu, yn obsesiynol am arian, yn casáu bod ar ei ben ei hun, yn anhyblyg am amserau prydau bwyd, yn gadael y drws ffrynt ar agor wrth adael y tŷ, wedi cael ambell ddigwyddiad gyda'r car, ac eisiau bod efo Mrs H drwy'r amser.

Medi 2001
Y meddyg teulu'n cyfeirio Mr H at seiciatrydd preifat, Dr A. Y meddyg teulu'n dweud 'Daliwch ati i gymryd y tabledi; daliwch ati i weld Dr A.'

Mae Mr H yn credu ei fod yn gwella. Y teulu'n sylwi ar ambell gamddealltwriaeth ac anffawd wybyddol a'r ffaith eu bod nhw'n fwy niferus, er bod Mr H yn cyfeirio atyn nhw fel digwyddiadau 'ar hap'.

Mr H yn gyson yn camfarnu sefyllfaoedd wrth yrru: bron i ddamwain fawr ddigwydd wrth iddo wasgu'r sbardun yn lle'r brêc. Mae'r digwyddiad hwn wedi codi arswyd ar Mrs H ac mae hi'n methu deall nad yw Mr H yn meddwl nad oes dim byd o gwbl o'i le ar sut mae'n gyrru. Mae Mrs H yn esgus bod rhywbeth mawr yn bod ar y car ac yn cael gwared ohono. Yn fwy rhyfedd fyth, dydy Mr H ddim fel fel petai'n poeni dim am hynny.

Rhagfyr 2001
Mae Dr A yn rhoi diagnosis o iselder cynhyrfus ac anhwylder gorfodaeth obsesiynol, ond yn dweud na fydd yn dal ati i drin Mr H oherwydd ei ofynion gormodol a'i ymddygiad ailadroddus – ffonio'r swyddfa'n gyson ac yn mynnu ei weld.

Mrs H yn mynd efo Mr H i apwyntiad efo Dr A, ac yn cael ei gwylltio a'i siomi gan y canlyniad. Dr A yn trin Mr H fel petai'n ddwl, ac yn dweud wrtho ei bod yn rhaid iddo ddod at ei goed a cheisio dod allan o'i gyflwr presennol. Dydy Mr H ddim yn deall sut y gall ddod allan o'i gyflwr presennol: mae'n cymryd y tabledi y dywedwyd wrtho am eu cymryd, ac yn credu ei fod yn teimlo ychydig yn well. Mae Mrs H yn crynu'n gorfforol wrth adael yr apwyntiad ac yn crio ar y trên tanddaearol ar y ffordd 'nôl i Lundain. Dywed Mr H mai fo ydy'r un sy'n sâl a dydy o ddim yn deall pam fod Mrs H mewn 'hwyliau gwael'. Mae hyn yn cynhyrfu Mrs H yn fwy fyth.

Mae Mr H yn dweud wrth ei ferch ieuengaf (pedair ar bymtheg oed) y bydd yn rhaid iddi dalu am ei ffioedd dysgu yn y brifysgol ei hun (£1,000) am nad ydi o'n gallu dod o hyd i'r arian. Mae'n rhaid i Mrs H setlo'r mater a dod o hyd i'r arian.

Mae Mrs H yn teimlo ym mêr ei hesgyrn nad iselder yw'r broblem.

Mae'n mynd 'nôl at y meddyg teulu efo Mr H ac yn gofyn a gaiff Mr H ei asesu gan dîm iechyd meddwl lleol y GIG. Mae Mr H yn dweud nad oes dim yn bod arno a'i fod yn teimlo mai Mrs H ddylai weld y tîm iechyd meddwl.

Y meddyg teulu yn dweud wrth Mr H am ddal ati i gymryd y tabledi, ac mai iselder ydy'r broblem, dim byd mwy. Mae'n rhaid i Mr H stopio bod yn ddraenen yn ystlys y gwasanaeth iechyd a'r feddygfa: efallai y dylid ystyried tabled arall: mae'r cyffuriau gwrthiselder yma'n gallu bod yn araf yn gweithio. Mr H yn teimlo'n hyderus y bydd cymryd y cyffuriau'n helpu i wella cyflwr ei feddwl.

Mrs H ar ben ei thennyn ac yn gofyn am gael ei chyfeirio ei hun ynglŷn â'i hiechyd meddwl. Mr H yn dweud nad ydi o'n gwybod pam nad ydi hi'n gallu ymdopi ac nad oes dim byd yn bod efo'i ymddygiad.

Ionawr 2002

Mrs H yn cael asesiad iechyd meddwl ac yn cael clywed, oherwydd bod ei phroblemau'n deillio o ffynhonnell allanol (h.y. Mr H), ac nad oes ganddi salwch meddwl, fydd hi ddim yn cael ei chyfeirio at y gwasanaethau iechyd meddwl. Y nyrs asesu'n cytuno i weld Mr H, er y dywedir wrth Mrs H fod hynny'n beth eithaf anghyffredin: ddylai'r tîm iechyd meddwl ddim gweld y ddau bartner o fewn priodas; nid dyma'r drefn gywir.

Y gŵr yn gweld nyrs asesu iechyd meddwl ac yn cael ei gyfeirio at seiciatrydd ymgynghorol mewn ysbyty meddwl.

Mawrth 2002

Mr H yn dechrau gweld seiciatrydd, Dr B. Mrs H yn mynd efo fo bob tro, i arsylwi yn hytrach na chyfrannu. Mr H yn cael ei gyfeirio hefyd ar gyfer profion seicolegol. Mrs H yn cael ar ddeall nad oes angen iddi fynd yn gwmni gyda Mr H i'r profion hyn.

Mai 2002

Mrs H yn teimlo'n fwyfwy anobeithiol: ar ôl dau ymweliad â Dr B, a pharhau efo'r un cyffuriau gwrthiselder, does dim wedi newid gartref. Mr H yn argyhoeddi Dr B ei fod yn holliach ar wahân i'w orbryder a'i iselder. Mewn gwirionedd, does gan neb hawl i wneud unrhyw sŵn gartref, cael unrhyw sgwrs, nac ymyrryd ar batrymau cysgu Mr H mewn unrhyw ffordd, ac ati. Rhaid cael bwyd yn ôl gorchymyn Mr H, a does neb yn cael gwrando ar y radio na'r teledu, sgwrsio ar y ffôn, ac ati, os nad ydy Mr H yn dymuno hynny. Mr H eisiau mynd i'r gwely am 8.30 neu 9 o'r gloch yr hwyr a pheidio cael ei styrbio tan y bore. Mrs H yn gorfod cripian o gwmpas y lle fin nos. Dydy Mr H ddim eisiau iddi fynd allan am nad ydy o eisiau bod ar ei ben ei hun. Y berthynas rhwng pawb yn y cartref dan straen eithriadol.

Yn y diwedd mae Mrs H yn dweud wrth Dr B fod yr hyn y mae Mr H yn ei ddweud (h.y. nad ydi o'n amharu dim ar fywyd yn y cartref) yn gelwydd. Mrs H yn gorfod dweud hyn wrth Dr B o flaen Mr H. Mr H yn troi'n ymosodol tuag at Mrs H am nad ydy o'n gallu deall nad oes dim o'i le efo'i ymddygiad. Dr B yn oeraidd ac yn cynghori y dylai Mr H barhau i gymryd y cyffuriau gwrthiselder am fod angen amser iddyn nhw weithio. Dim cymorth, eglurhad na chyngor yn cael ei gynnig i Mrs H.

Mrs H a'i merched yn methu gwneud dim byd yn iawn. Mr H yn mynnu mynd gyda Mrs H i'r gwaith bob dydd ac yna'n mynd adref ar ei ben ei hun i weithio. Cyn gynted ag y mae'n cyrraedd adref mae'n dechrau ffonio Mrs H ac yn dal ati i'w ffonio drwy'r dydd. Eisiau gwybod yn union pryd fydd hi'n dod adref, beth ddylai ei fwyta i ginio, pwy ddylai ei ffonio o safbwynt ei fusnes. Mr H yn dechrau cerdded o gwmpas y tŷ'n noeth wrth godi a chyn mynd i'r gwely – y merched yn cael eu heffeithio'n fawr gan y fath olygfa. Straen ar y sefyllfa ariannol ond y gŵr yn dal i ddweud bod popeth yn iawn o safbwynt arian; yn dweud bod ganddo lawer o waith ar y gweill, yn dangos cynllun gwaith digon dilys yr olwg i Mrs H. Y cynllun yn ymddangos yn ddigon rhesymegol a rhesymol. (Am gamargraff!)

Gorffennaf–Hydref 2002
Symptomau Mr H yn gwaethygu.

Aethpwyd ag Anthony i'r ysbyty ar gyfer asesiad ym mis Tachwedd 2002. Doedd gennyf ddim diagnosis ar ei gyfer o hyd, ar wahân i orbryder ac iselder cynhyrfus. Pan aeth i mewn i'r ysbyty, roedd fy meddwl innau'n ddryslyd ac yn gymysglyd, ac roeddwn i'n llanast llwyr yn emosiynol. Roeddwn i eisoes wedi gorfod dioddef blwyddyn o ymddygiad rhyfedd na allwn i na gweddill y teulu ei ddeall. Rywsut, roedden ni wedi llwyddo i ddal ati. Am nad oedd wedi cael ei orfodi i fynd i'r ysbyty dan y Ddeddf Iechyd Meddwl, fe ddaeth adref ar ôl diwrnod neu ddau, ac er i mi lwyddo i'w gael i fynd 'nôl i'r ysbyty eto yn y pen draw, roedd o'n amlwg yn flin iawn efo fi ac yn gweiddi arna i a 'ngwthio i ffwrdd

Anthony ac Andra Houchen gyda'u merched Louisa (chwith) ac Amanda, 1997

pan gyrhaeddon ni yn ôl yno. Fe wnaeth hynny fy mrifo i. Roeddwn i'n teimlo fel taswn i ddim yn gallu gwneud dim byd yn iawn – hyd yn oed siarad am yr hyn oedd yn digwydd. Es i adref a boddi mewn llif o ddagrau a thristwch. Yn ffodus, daeth ffrind da draw a'm rhoi i yn y gwely am ddiwrnod neu ddau yn ei chartref hi, gan roi cyfle i mi gael seibiant byr cyn mynd adref eto. Fel y rhan fwyaf ohonom, cefais nerth mewnol o rywle i ddal ati.

Roedd Anthony'n wynebu'i broblemau ei hun, yn trio deall ei fywyd newydd rhyfedd yn yr ysbyty meddwl ac ymdopi â'i gyd-gleifion, oedd ag amrywiaeth o gyflyrau seiciatrig dwys. Es i at y meddyg i egluro 'mod i bron â chyrraedd pen fy nhennyn a chefais bresgripsiwn ar gyfer tabledi cysgu. Roedd arna i wir angen siarad efo rhywun oedd yn gwybod ac yn deall fy sefyllfa i, ond doedd yna neb.

Cefais bythefnos o seibiant o'r gwaith gan fy nghyflogwr ar sail salwch er mwyn rhoi cyfle i mi gael trefn ar bethau, a dyna pryd y dechreuais i ymchwilio i sefyllfa ariannol Anthony. Cefais f'arswydo gan yr hyn a welais i, ac roeddwn yn hynod bryderus o sylweddoli maint y cawl ariannol yr oedd wedi'i greu. Roedd wedi gwneud penderfyniadau gwael o safbwynt ei fusnes ac wedi cael dau fenthyciad gan y banc a phum cerdyn credyd; roedd miloedd o bunnoedd o ddyled. Dros nos, bu'n rhaid i mi droi fy llaw at ymladd tân ariannol a thrio diffodd cymaint o danau â phosib.

Mae'r sefydliadau ariannol yn ymdrin yn hollol wahanol â dyledion yn sgil diagnosis o glefyd yr ymennydd neu ddementia yn hytrach na diagnosis o salwch meddwl fel iselder. Chefais i ddim diagnosis pendant o ddementia am ddeunaw mis arall. Dim ond wedyn y gallwn i gael cydnabyddiaeth gan y sefydliadau ariannol na fyddai fy ngŵr yn gallu setlo'r dyledion oedd ganddo, am na fyddai'n gallu gweithio eto, a'i fod wedi gwneud camgymeriadau ariannol yn sgil clefyd yr ymennydd yn hytrach na salwch meddwl. Beth bynnag, doedd ganddo ddim arian i dalu'i ddyledion. Cefais fy erlid gan nifer o'r cwmnïau yma i dalu dyledion fy ngŵr, ac aeth cryn dipyn o amser heibio cyn i mi sylweddoli, er cymaint roeddwn i eisiau talu'r ddyled, doeddwn i ddim yn gyfrifol am wneud hynny o 'mhoced fy hun. Cyn gynted ag y cafwyd y diagnosis o ddementia, roedd hi'n bosib i mi naill ai ddileu'r ddyled neu ddod i drefniant efo'r banciau a'r cwmnïau ariannol. Yr unig her oedd yn dal i'm llorio oedd Cyllid y Wlad, oedd yn benderfynol fod yn rhaid i 'ngŵr dalu ei fil treth yn llawn. Serch hynny, fe wnaethon nhw gytuno y gallwn i dalu'r arian mewn rhandaliadau, gan bwysleisio bod hynny'n gonsesiwn mawr o'u safbwynt nhw.

Yn ystod blwyddyn gyntaf afiechyd fy ngŵr, roeddwn i wedi trio siarad efo'r meddyg teulu ynglŷn â pha mor rhyfedd ac od oedd bywyd i mi a'r merched. Wal frics oedd yn fy wynebu. Dywedodd y meddyg na allai drafod dim efo fi oedd yn ymwneud â'm gŵr oherwydd cyfrinachedd y claf. Roedden ni wedi cofrestru yn y feddygfa ers rhyw ddeunaw mlynedd, ac wedi bod efo'r meddyg teulu arbennig hwn ers wyth mlynedd. Roeddwn i'n gallu mynd i apwyntiad efo fy ngŵr, ond dim ond i arsylwi, a fedrai'r meddyg ddim trafod achos fy ngŵr efo fi ar fy mhen fy hun. Roedd hi'n ymddangos na fyddai dim y byddwn i'n ei ddweud yn cael ei ystyried, er gwaethaf adnabyddiaeth y meddyg ohonon ni fel teulu: doedd gennym ddim hanes o iselder na straen na phroblem â'r nerfau na phroblemau priodasol. Ond roedd fy ngŵr yn cael ei ystyried a'i drin fel petai'n berson sengl, heb unrhyw ystyriaeth o'r tri pherson arall yn y teulu. Yn ystod y cyfnod hir o aros am ddiagnosis, roedd yn rhaid i ni fyw gyda newidiadau anesboniadwy i'w bersonoliaeth a'i gymeriad, heb unrhyw help, oherwydd bod Anthony mor benderfynol nad oedd dim byd yn bod arno.

Roeddwn i'n hollol anwybodus ynglŷn â materion iechyd meddwl a chlefyd yr ymennydd, felly roeddwn i'n dibynnu ar yr hyn roedd fy meddyg teulu'n ei ddweud wrtha i a'r hyn roedd y seiciatrydd ymgynghorol yn adran seiciatrig acíwt ein hysbyty lleol yn ei ddweud. Gallech ddisgwyl y byddai'r wybodaeth a'r adnoddau gorau oll ar gael yng nghanol Llundain fel y gellid sylweddoli bod mwy o lawer yn bod ar fy ngŵr na dim ond gorbryder ac iselder – ond yn anffodus, nid dyna fel yr oedd pethau. Gan fod y math yma o ddementia'n anarferol, dim ond unwaith neu ddwy mewn oes, os o gwbl, y bydd meddyg teulu'n dod ar ei draws. Ac roedd y seiciatryddion welson ni fel tasen nhw yr un mor anymwybodol o'r cyflwr penodol yma.

Roedd Anthony i mewn ac allan o'r ysbyty meddwl am flwyddyn a chafodd amrywiaeth o gyffuriau gwrthiselder i'w cymryd a thriniaeth ECT (*electro-convulsive therapy*). Doedd fy merch a minnau ddim yn hapus ynglŷn â rhoi'r driniaeth ECT i Anthony, ond ar ôl ystyried argymhellion y ddau berson proffesiynol oedd yn ein cynghori, yn gyndyn iawn cytunwyd i roi'r driniaeth hon iddo.

Nid tan fis Hydref 2003 y cafodd y gair dementia ei grybwyll o'r diwedd. Roedd cyfeiriadau wedi eu gwneud at achos organig neu gorfforol i afiechyd Anthony, ond yn f'anwybodaeth doeddwn i ddim wedi cysylltu hyn â dementia. Cyn gynted ag yr oedd e dros 65, symudodd y meddyg ymgynghorol yn yr ysbyty meddwl ef i ofal uned seicogeriatrig ysbyty arall. O leiaf roedd yr meddyg ymgynghorol yn yr ysbyty arall yn gwybod am ddementia blaenarleisiol a chlefyd Pick, a threuliodd dipyn o amser gydag Anthony a minnau'n egluro dementia. O safbwynt Anthony, doedd o ddim yn gwneud mwy o synnwyr na phe bai'r meddyg yn dweud wrth rywun fod ganddo annwyd. Roedd yn eithaf balch o wybod fod ganddo rywbeth o'r enw clefyd Pick yn hytrach nag iselder. Roeddwn i'n gwybod wrth i'r meddyg ymgynghorol siarad nad oeddwn i wir yn deall y geiriau. Aeth sawl mis heibio cyn i mi allu dechrau amgyffred beth fyddai effaith hyn ar Anthony a minnau a'r merched. Doedd neb ar gael i roi cefnogaeth emosiynol, na help mewn ffyrdd ymarferol, ac roedden ni'n teimlo'n eithriadol o unig. Roedd yn rhaid i mi ddal ati i weithio, ac roeddwn i'n dal i orfod wynebu'r pryder parhaus o gael trefn ar y miloedd o bunnoedd o ddyled oedd gan Anthony.

Ym mis Ionawr 2004, cafodd y diagnosis ei gadarnhau gan Ysbyty Cenedlaethol Niwroleg a Niwrolawdriniaeth yn Llundain. Rhoddwyd pwysau arnaf i ddod o hyd i gartref i'r henoed bregus eu meddwl a symud Anthony allan o'r ysbyty.

Wedi chwilio a chwilio am unrhyw beth a allai fod yn addas yng nghyffiniau Llundain, dyma fi'n dod o hyd i le iddo yn swydd Sussex ym mis Mai 2004. Er mai digon cyffredin oedd yr adnoddau, roedd gan reolwr y cartref brofiad o ofalu am berson arall oedd â dementia blaenarleisiol, felly fe wnaethon ni symud Anthony yno. Serch hynny, er eu bod nhw'n gwneud eu gorau, roedd hi'n amlwg na allai'r cartref ddiwallu ei anghenion wedi'r cwbl. Rhoddais y gorau i'm swydd yn Llundain a rhentu fflat yn agos at Anthony, ac rydw i'n helpu efo'i ofal bron bob dydd, heblaw am y dyddiau hynny pan ydw i'n gweithio. O ganlyniad i'r hyn a ddigwyddodd i ni, rydw i wedi ailhyfforddi er mwyn gallu gweithio ym maes gofal dementia. Rydw i bellach yn gweithio dau ddiwrnod yr wythnos yn rhedeg canolfannau dydd ar gyfer pobl sydd wedi cael eu heffeithio gan ddementia; mae un o'r diwrnodau hynny'n benodol ar gyfer pobl iau sy'n cael eu heffeithio gan y cyflwr.

Dydy'r stori hon ddim wedi dirwyn i ben, oherwydd mae rheolwr y cartref yn dweud na all ofalu am Anthony mwyach, hyd yn oed gyda 'nghymorth i. Rydyn ni bellach yn chwilio am gartrefi eraill efo'n gilydd, ac rydw i'n gobeithio y byddwn, o'r diwedd, yn llwyddo i sicrhau'r gofal y mae Anthony yn ei haeddu.

24

Torri drwodd i'r ochr arall

Louisa Houchen

UN O'R HERIAU mwyaf rhyfedd ac anodd yw galaru am eich tad ac yntau'n dal yn fyw, a dyna 'mhrofiad i gyda 'nhad, Anthony, pan ddatblygodd glefyd Pick gyntaf – a cholli'i bersonoliaeth hefyd. Byddai pobl yn dweud ei fod yn dal yn fyw ac yn gorfforol heini, felly pam oeddwn i wedi mynd i'r gornel fel cysgod? Ar y pryd, roeddwn i'n dioddef diffyg cwsg cronig. Byddwn yn mynd i'r gwely a'r cyfan allwn i feddwl amdano oedd y dryswch oedd yn ein hwynebu ni fel teulu. Chafwyd ddim diagnosis am amser maith; doedd dim atebion.

Roedd yr ymweliadau â'r ysbyty yn Llundain pan ddechreuodd fy nhad fynd yn sâl yn uffernol. Roedd popeth ynglŷn â'r lle a'r ffordd roedd yn cael ei drin yn frawychus. Er enghraifft, cafodd driniaeth sioc drydanol, a'i gadw yn yr islawr, yn rhannu ystafell fach ag ambell ffenest fach uchel efo 'carcharorion' eraill, tra oedd gwaith adeiladu hanfodol yn cael ei gwblhau. Byddai fy chwaer a minnau'n crio ac yntau'n methu deall beth oedd 'y peth gwlyb yna' oedd ar ein hwynebau. Roedd ansawdd ei fywyd yno'n wael iawn. Doedd neb i ofalu amdano'n iawn, ac roedd yn cael 'mynd am dro' ar ei ben ei hun. Roedd hynny'n hynod beryglus am y gallai gael ei anafu neu waeth, ac roedd hynny'n fy ngofidio'n fawr, am 'mod i'n gweithio gerllaw ac yn ei weld weithiau'n crwydro'r strydoedd ar ei ben ei hun yn ystod f'awr ginio, a minnau'n mynd 'nôl i'r gwaith ac yn teimlo na allwn i siarad â neb.

Rydw i'n ystyried y dyddiau hynny yn 'ddyddiau tywyll' ac wedi eu dileu fwy neu lai o'm meddwl erbyn hyn. Weithiau rydw i'n teimlo fel tasai tair blynedd o 'mywyd wedi mynd ar goll i mewn i dwll du, ond bryd arall rydw i'n sylweddoli mai dim ond eisiau teimlo'n drist ydw i a delio â meddyliau a theimladau, cyn i mi allu dod allan yr ochr arall. Drwy gyfrwng ymarfer corff a myfyrio, rydw i wedi dysgu bod yn hapus unwaith eto, ac erbyn i mi gyrraedd fy nauddegau hwyr roeddwn bron yn teimlo'n 'normal' unwaith eto.

Theimlais i erioed y gallwn i siarad â'm ffrindiau ynglŷn â 'nhad a'r modd roeddwn i'n ymdopi â'r peth, ond fe wnes i siarad yn hir am bethau efo fy chwaer. Un bore, cefais fy hun yn cerdded i'r feddygfa i siarad â chynghorydd. Helpodd hyn fi i sylweddoli nad oedd gen i broblem efo mi fy hun, a'i bod hi'n bryd i mi stopio teimlo fel taswn i ar chwâl a dechrau mwynhau fy mywyd unwaith eto. Fe wnes i atgoffa fy hun mai dyna beth fyddai Dad wedi'i ddymuno.

Byddai cân gan y grŵp The Doors yn chwarae ar feddyliau fy chwaer a minnau. Dyma'r geiriau: 'Break on through to the other side' a dyna, rydw i'n credu, mae'r ddwy ohonom wedi llwyddo i'w wneud.

Diolch byth fod Mam yn berson mor anhygoel sy'n helpu i ofalu amdano ac yn rhoi cymaint o ymdrech i'w hymchwil ei hun er mwyn canfod sut y gellir edrych ar ei ôl a sut i sicrhau cyllid ar gyfer gwneud hynny. Ymddengys fel petai llawer o agweddau 'Fictoraidd' ynglŷn â sut i ymdrin â phobl sydd â chlefyd yr ymennydd: mae llawer o ddirgelwch am y pwnc o hyd, ac mae pawb yn osgoi trafod. Dylai clefyd yr ymennydd gael ei lusgo i'r amlwg, er mwyn gallu dod o hyd atebion synhwyrol. Rhaid sicrhau agwedd gadarnhaol er mwyn i bethau wella.

25

Ysgwyd y seiliau

Sheena Sanderson

'Rwy'n gwybod! Dwyt ti ddim yn trio concro'r byd gyda "Byg y Mileniwm". Ond gyda gwenyn marwol!' Fy ngŵr 49 mlwydd oed oedd yn fy nghyhuddo o gynllun gwallgof arall.

Cafodd Philip ddiagnosis o glefyd Parkinson pan oedd yn 32. Ro'n ni wedi cwrdd pan oedd e'n gweithio fel darlithydd prifysgol a minnau'n ysgrifenyddes adrannol a'r ddau ohonom yn dod at ein gilydd dros groesair y *Guardian*. Gŵr tawel, deallus oedd Philip, ac roedd yn mwynhau cerdded, coginio a ffotograffiaeth – a fi. Ro'n ni'n caru'n gilydd yn fawr, a gadawon ni ein priodasau ein hunain a dechrau byw gyda'n gilydd, gan briodi yn 1980. Roedd ganddo ambell symptom bryd hynny, ond dywedodd y meddyg teulu mai 'eisiau sylw' yr oedd e, a chafodd bresgripsiwn ar gyfer tawelyddion.

Yn ystod y pum mlynedd cyntaf wedi'r diagnosis roedd yn dal i allu gweithio. Erbyn hynny roedd e'n uwch-ymgynghorydd TG gyda chwmni olew, ond bu'n rhaid iddo ymddeol pan oedd yn 37. Dros y blynyddoedd, newidiodd yr afiechyd a dechreuodd wneud symudiadau anrheoledig eithafol, gan arwain pobl i feddwl ei fod yn feddw neu ag anabledd meddwl. Ac yntau'n 40 mlwydd oed, fi oedd ei brif ofalwr llawn-amser, ac yn cael tâl hael o £41.41 yr wythnos, wrth iddo yntau gymryd mwy a mwy o dabledi a phigiadau i reoli'r afiechyd. Yn 1996, syrthiodd a thorri'i ysgwydd, er na chafodd ddiagnosis o hynny tan ddwy flynedd yn ddiweddarach. Erbyn hyn roedd ei symudiadau anrheoledig mor nerthol, byddai'n cael ei daflu'n llythrennol o'r gwely.

Yn y diwedd, cytunodd llawfeddyg i osod ysgwydd newydd iddo, ond roedd angen llawdriniaeth ar ei ymennydd i atal y symudiadau ar un ochr. Cyrhaeddodd adref mewn hwyliau gorfoleddus, yn sôn am gael ei drwydded yrru yn ôl, prynu beic modur: roedd hyn yn codi braw arna i. Gallwn weld nad oedd ganddo amgyffred o'i gyflwr: roedd fel tegan clocwaith yn arafu o flaen fy llygaid. Yn y diwedd, sylweddolodd nad oedd wedi'i 'adfer', a chyn i'r dagrau ddechrau llifo i lawr ei fochau, dywedodd, 'Fe welais i'r Nefoedd!'

Wedyn, dechreuodd ar ryw gyfnod pan nad oedd dim byd yn iawn: doedd ganddo ddim dillad cyffyrddus, y tŷ'n rhy dwym/rhy oer, ac roedd e'n cael rhithweledigaethau. Datblygodd theorïau o bob math oedd yn hollol wallgof. Cyhuddai fi o unrhyw beth a fyddai'n dod i'w feddwl a throdd yn gas iawn. Dywedodd wrth ei weithiwr cymdeithasol 'mod i'n dreisgar tuag ato am 'mod i'n diffodd y gwres, ddim yn ei fwydo ac yn ei guro'n gyson. Er y gallai'r honiadau yma fod wedi'u gwrthbrofi'n rhwydd iawn gan y gofalwyr asiantaeth oedd yn galw bob dydd, bu bron imi gael fy nynodi'n droseddwraig â gweithdrefn Amddiffyn Oedolion Agored i Niwed wedi'i rhoi arnaf i, a allai fod wedi arwain at ymyrraeth gan yr heddlu a minnau'n cael fy rhwystro rhag ei weld e.

Mae gwybodaeth gan Parkinson's UK yn dweud bod pobl â chlefyd Parkinson yn aml iawn yn datblygu dementia yn y pen draw, ond dydy hynny ddim yn cael ei amlygu rhyw lawer rhag dychryn y rhai sydd â'r clefyd. Oherwydd bod Philip wedi'i ddisgrifio gan y gwasanaethau cymdeithasol fel rhywun 'anabl', ac am nad oedd dim yn ei gofnodion yn cyfeirio at ddirywiad meddyliol, ro'n nhw'n cymryd yn ganiataol mai anabledd *corfforol* oedd arno a bod ei feddwl yn berffaith iawn. Pan fyddwch yn ymwneud â'r gwasanaethau cymdeithasol, mae'n *rhaid* iddyn nhw gredu 'defnyddiwr y gwasanaeth', hynny yw, fe ac nid fi. Ymddengys nad oes gwyro yn hynny o beth am fod ganddyn nhw bolisi sy'n cael ei ddilyn dan bob amgylchiad, hyd yn oed os yw hynny'n mynd yn erbyn synnwyr cyffredin.

Dywedodd y rheolwr iechyd meddwl a ddaeth i'w asesu pan oedd e'n sôn am 'wenyn marwol' (ro'n i'n mynd i'w taro nhw'n anymwybodol, gosod bomiau ar eu coesau a rhoi tua 20,000 ohonyn nhw mewn bocs a'u hanfon nhw i diroedd y gelyn) nad oedd e'n gweld unrhyw arwydd o broblemau iechyd meddwl a'i fod yn meddwl mai 'camdriniaeth emosiynol ac ariannol' o'm safbwynt i oedd wrth wraidd y broblem! (Ers hynny rwyf wedi llwyddo i newid y cofnodion meddygol ac wedi cael ymddiheuriad llawn. Dydy'r rheolwr ddim yn gweithio yno bellach, ond mae hyn yn dangos mor rhwydd y gall rhywun gael ei gyhuddo o drais heb sylweddoli hynny.)

Bu raid i ni frwydro'n gyson yn erbyn yr awdurdodau dros y

blynyddoedd, yn bennaf am fod ei gyflwr mor anghyffredin ac roedd e fel petai'n dianc drwy'r rhwyd. Erbyn hyn, roedd yn mynychu un o ganolfannau dydd y cyngor ddwywaith yr wythnos er mwyn i mi allu cael seibiant. Roedd hwn yn gyfnod pryderus iawn i mi. Roedd Philip yn credu bod y diafol yn ei reoli ac yn 'gweld' pethau ar y muriau nad oedden nhw yno. Byddai'n chwilio am gamerâu byth a hefyd gan gredu eu bod nhw'n ei ffilmio ac mai tramorwyr oedd y staff i gyd gan nad oedd yn gallu deall gair o'u genau. Yn ddiweddarach, canfyddais fod y staff yn amheus iawn pan grybwyllais ei rithdybiau, gan mai dim ond wrtha i roedd e wedi sôn am y pethau hyn. Roedd rhywun yno wedi mynnu cysylltu â chyfreithiwr er mwyn gallu ei gynghori ynglŷn ag ysgariad! Do'n i ddim yn gwybod dim am hyn nes i anfoneb gyrraedd pan oedd e yn yr ysbyty ychydig yn ddiweddarach.

Cafodd ei anfon i uned niwro-ymddygiadol a threuliodd bum mis yno, a dyna pryd y dywedwyd wrtha i fod angen gofal preswyl arbenigol arno. A dyna ddechrau ar gyfres arall o broblemau enfawr.

Roedd y cartref cyntaf yn benodol ar gyfer pobl iau oedd wedi cael niwed i'w hymennydd, ac yn fy naïfrwydd, do'n i ddim wedi sylweddoli bod gan lawer o'r cleifion anableddau dysgu. Yn ystod ei gyfnod yno, cafodd y cartref ei archwilio gan y Comisiwn Arolygu Gofal Cymdeithasol a'm cynghorodd i wneud cwyn iddyn nhw am ei ddiffyg gofal. Pan wnes i hyn, fe wnaeth y metron ddial drwy roi rhybudd y byddai'n rhaid iddo adael. Mae gennych chi fis wedyn i ddod o hyd i rywle: a) sy'n derbyn 'pobl iau', sef rhai dan 60 oed, b) sydd â lle gwag ac c) yr ydych yn ymddiried ynddo.

Yn unol â chyngor gan y gweithiwr cymdeithasol, symudodd Philip i gartref yn agosach at fy nhŷ. Do'n i ddim yn gwbl argyhoeddedig gan ei fod wedi treulio cyfnod seibiant yn y cartref yma o'r blaen; ond doedd gen i ddim syniad beth oedd fy hawliau, felly dilynais y cyngor a roddwyd. Roedd hynny'n gamgymeriad mawr! Cafodd Philip ei esgeuluso: datblygodd bothelli ar ei gluniau na chafodd eu trin am naw mis, ac yn y pen draw, fe ddatblygodd MRSA. Fydden nhw ddim yn trafferthu i frwsio'i ddannedd, a bu'n rhaid iddo gael tynnu saith ohonyn nhw dan anaesthetig cyffredinol. Fe ges i wybod yn ddiweddarach fod ei swper yn cael ei gymryd oddi arno am ei fod wedi blino ac yn methu bwydo'i hun. Allai'r Comisiwn Arolygu Gofal Cymdeithasol ddim gwneud dim heblaw 'mod i'n gwneud cwyn; cyn gynted ag y gwnes i hynny, cynhaliwyd ymchwiliad yn syth. Roedd y metron mor gandryll nes iddi 'nghyhuddo i o'i gam-drin yn seicolegol a bu'n rhaid i mi wynebu cael gweithdrefn Amddiffyn Oedolion Agored i Niwed heb unrhyw gefnogaeth. Collais bythefnos o 'mywyd, gan dreulio dros chwe awr ar y ffôn gyda'r Samariaid yn ystod y cyfnod hwnnw cyn cael fy nghanfod yn ddieuog.

Wnaeth y gwasanaethau cymdeithasol ddim byd i'm helpu i, i'r gwrthwyneb, oherwydd bod ganddyn nhw gleientiaid eraill yn y cartref a do'n nhw ddim eisiau gwneud pethau'n lletchwith. Yn naturiol, ro'n i eisiau ei symud oddi yno wedi popeth ro'n i wedi gorfod ei wynebu, ond dywedwyd na allwn i am fod 'ei anghenion yn cael eu diwallu'!

Tua'r un adeg, cymerodd yr ymddiriedolaeth gofal sylfaenol (PCT – *Primary Care Trust*) gyfrifoldeb dros ofal Philip, er mawr ryddhad i mi, gan 'mod i'n ystyried bod y gwasanaethau cymdeithasol yn hynod aneffeithiol. Llwyddais i ddod o hyd i gartref arall yn lleol gyda'r addewid o ofal ardderchog. Yn anffodus, gwthiwyd Philip i gornel mewn ystafell yn llawn pobl â chlefyd Alzheimer a doedd e ddim yn deall beth oedd yn digwydd. Un diwrnod, llwyddodd i godi a cherdded drwy ddwy ystafell, i fyny'r grisiau ac ar hyd y coridor i gyrraedd ei ystafell ei hun. Dywedodd y metron na allai gymryd cyfrifoldeb amdano a gofynnwyd i ni ei symud oddi yno!

Erbyn hyn, ro'n i wedi cael llond bol, a gofynnais i'r ymddiriedolaeth gofal sylfaenol helpu drwy sicrhau lle i Philip yn yr ysbyty cymuned lleol lle gallwn ymweld ag e bob dydd nes i ni ddod o hyd i le addas ar ei gyfer, rhywle na fyddai'n ein siomi eto. Ha ha!

Felly dyma fe'n mynd i'r pedwerydd cartref, a minnau wedi cael sicrwydd ei fod yn cynnig gofal ardderchog. Ond yn gyflym iawn, dechreuodd pethau ddirywio.

Wrth ymweld â Philip ychydig cyn y Nadolig sylwais fod ambell beth ddim yn iawn. Ro'n i bob amser yn ffonio staff yr ymddiriedolaeth gofal sylfaenol i wneud yn siŵr nad o'n i'n gorymateb. Gofynnodd y nyrs asesu i mi a oedd y pethau y cytunwyd arnyn nhw yn y cyfarfod diwethaf wedi digwydd, a doedd hynny ddim wedi digwydd, felly dyma hi'n ffonio'r metron. Ychydig funudau'n ddiweddarach, dyma'r metron yn taranu i mewn i'r ystafell a dechrau gweiddi arna i: gwnes fy ngorau i dawelu'r dyfroedd ond roedd Philip wedi cynhyrfu a dechreuodd grio.

Erbyn i mi adael a gyrru i faes parcio lleol i ffonio'r ymddiriedolaeth gofal sylfaenol, roedd hi wedi rhoi rhybudd i Philip adael. Ffoniais yr Comisiwn Arolygu Gofal Cymdeithasol ar unwaith, a ddywedodd fod y mater yn un difrifol; fe fuon nhw'n ymchwilio am fisoedd, nes i'r cyfan gael ei wthio o'r neilltu.

Erbyn hyn, ro'n i'n dechrau meddwl na fyddwn i byth yn llwyddo i ddod o hyd i le addas. Ffoniais arolygydd y Comisiwn Arolygu Gofal Cymdeithasol a oedd wedi fy helpu i gyda'r ail gartref; roedd hi bellach yn rheolwr rhanbarthol ar gyfer nifer o gartrefi gofal. Dywedodd wrtha i fod ystafell wag yn un ohonyn nhw ac ro'n i'n hollol hyderus y byddai popeth yn iawn, a hithau yng ngofal pethau. Ac felly yr oedd hi, nes iddi gael ei diswyddo heb unrhyw rybudd!

Roedd pethau'n dirywio eto, ond pan geisiais symud Philip, dywedodd yr ymddiriedolaeth gofal sylfaenol na allwn i wneud hyn gan fod 'ei ofynion yn cael eu diwallu'. Felly, roedd gen i frwydr fawr arall o'm blaen. Yn y pen draw, bu'n rhaid i mi wneud cwyn swyddogol i'r cartref, wnaeth gorddi llawer o bobl, cyn i mi gael hawl i'w symud o'r diwedd. Y cartref presennol yw'r unig un rwyf wedi gallu ymweld ag ef ac edrych o'i gwmpas ar fy mhen fy hun, heb unrhyw bwysau.

Dyma'r chweched cartref mewn saith mlynedd ac rwyf wedi gorfod brwydro yn erbyn y cyngor, yr Ombwdsmon Llywodraeth Leol, Ombwdsmon y Gwasanaeth Iechyd, y Cyngor Nyrsio a Bydwragedd, y Comisiwn Arolygu Gofal Cymdeithasol, yr ymddiriedolaeth gofal sylfaenol lleol a'r Comisiwn Gofal Iechyd. Mae'n ymddangos i mi nad oes neb yn cymryd cyfrifoldeb dros redeg y cartrefi gofal a bod pawb yn pasio'r broblem o'r naill i'r llall.

Mae Philip yn hapus nawr. Mae'n treulio'r rhan fwyaf o'i amser yn chwerthin, fel arfer am bethau hollol anaddas, ac mae wedi troi i fod yn blentynnaidd iawn mewn llawer o ffyrdd. Bellach mae'n rhan o'r sefydliad a phrin yn gallu gwneud dim drosto'i hun. Mae ei weld fel hyn yn dal i dorri fy nghalon, ond mae'n dod ychydig bach yn haws ar ôl saith mlynedd.

Bellach felly, mae fy ngŵr, sy'n meddu ar radd anrhydedd dosbarth cyntaf mewn economeg a gradd meistr, yn methu cerdded, yn gwlychu ac yn baeddu a phrin yn gallu cyfathrebu. Wrth i'r blynyddoedd fynd heibio, mae'n ymddangos mai dim ond fi sy'n ei gofio fel yr oedd pan briodon ni.

Roedd e'n ofnus iawn ar y dechrau a threuliais gryn amser yn ceisio'i sicrhau bod popeth yn iawn ac nad oedd ar fin cael ei droi allan o'i gartref a'i wneud yn ddigartref. Dydy e ddim yn ymddangos fel petai'n poeni cymaint erbyn hyn ac mae ei wyneb yn goleuo pan fydd yn fy ngweld i. Y llynedd, fe wnaeth e hyd yn oed ofyn i mi ei briodi! Mae'n cael sesiwn ffisiotherapi breifat a sesiwn dylino/adweitheg ddwywaith yr wythnos, ac rwy'n siŵr fod hynny'n helpu gyda'r ffordd mae'n dal ei gorff a'i gyfathrebu.

Dydy Philip ddim wedi byw gartref nawr ers saith mlynedd, ac mae gen i ddyn newydd yn fy mywyd. Rwy'n teimlo 'mod i'n haeddu tipyn bach o hapusrwydd a normalrwydd ond mae rhai pobl wedi stopio siarad â mi: dyma'r bobl nad oedd yn ymweld â ni pan oedd Philip gartref ac sydd heb drio dychmygu sut fywyd oedd gen i. Roedd hynny'n brifo ar y dechrau, ond rwy'n falch 'mod i wedi gwneud popeth allwn i, ac yn dal i wneud hynny, er mwyn gwneud yn siŵr ei fod yn cael y gofal gorau posib.[1]

Nodiadau

[1]   Bu farw Philip ym mis Mawrth 2009. Mae'r enwau wedi eu newid.

26

Yr un o bwys

Brian Baylis

DYN HOYW OEDD Timothy, ac roedd math eithafol o ddementia ganddo, a nifer o afiechydon eraill oedd yn bygwth ei fywyd.

Do'n ni ddim yn bartneriaid, ond fel llawer o ddynion hoyw eraill, roeddem yn gyfeillion agos a chariadus. Mae cyfeillgarwch o'r fath, yn enwedig mewn sefyllfa lle ceir dementia, mor arwyddocaol â phartneriaeth, ac mae angen cydnabod rôl 'yr un o bwys' yng nghyswllt y broses o anghenion gofal. Adeg ei farwolaeth, ac yntau'n 65 oed, yn dilyn deng mlynedd, bron, o afiechyd difrifol, ro'n ni wedi bod yn ffrindiau ers 40 mlynedd.

Dechreuodd dementia Timothy'n sydyn iawn, a chafodd ei roi i ddechrau mewn ward seiciatrig gyffredinol fawr mewn hen ysbyty meddwl. Tua blwyddyn yn ddiweddarach, wedi i mi ymyrryd, aeth i fyw mewn cartref gofal bychan ar gyfer trigolion a chanddyn nhw amrywiol fathau o anableddau meddyliol a bu'n byw yno am wyth mlynedd. Pan gaeodd hwnnw, cafodd ei symud i gartref nyrsio ar gyfer pobl oedd ag anabledd meddwl difrifol, lle bu'n byw am flwyddyn arall, ac yna treuliodd flwyddyn olaf ei fywyd mewn uned gofal parhaus mewn ysbyty meddwl.

Roedd ei deulu agosaf yn byw yn Iwerddon, a phrin oedd eu cysylltiad â'r gwasanaethau cymdeithasol yn ystod yr wyth mlynedd gyntaf. Prin oedd yr ymweliadau hefyd. Roedd y gwasanaethau cymdeithasol yn cyfeirio ataf i fel eiriolwr a gofalwr Timothy, ac yn fy ngwahodd i bob cyfarfod ac yn trafod yr holl faterion yn ymwneud â'i ofal meddygol, seicolegol a chyffredinol â mi. Byddwn yn ymweld â Timothy o leiaf deirgwaith yr wythnos, ac yn mynd ag ef allan am dro'n gyson.

Pan aeth Timothy i mewn i ofal preswyl am y tro cyntaf, roedd wedi drysu'n llwyr, heb fawr ddim cof tymor byr a dim ond ambell dameidyn o gof tymor hir. Roedd ganddo fethiant cronig yr afu yn ogystal â diabetes. Roedd wedi'i gynhyrfu hefyd, yn anhapus iawn ac weithiau'n ymosodol oherwydd ei bryderon, ei gyflwr a'i amgylchiadau. Yn ystod dyddiau cynnar ei afiechyd daeth ei chwaer draw o Iwerddon, gyda'r bwriad o'i symud i Iwerddon a chael atwrneiaeth. Wedi cryn oedi, penderfynodd beidio â gwneud y naill beth na'r llall a gwnaed Timothy yn ward llys.

Yng ngolwg staff yr ysbyty, roedd Timothy'n berson trist a diobaith, ond ro'n i'n argyhoeddedig y gallai ei fywyd fod yn llawer gwell, ac ro'n i'n benderfynol o sicrhau hynny.

Dan anogaeth y gweithiwr cymdeithasol a'r seiciatrydd, dechreuais fynd â Timothy allan am dro yn y car, gan ymweld â llefydd yn Hampstead, lle roedd wedi byw am tua 30 mlynedd. Bydden ni'n mynd i gerdded ar Hampstead Heath ac yn ymweld â Highgate Ponds, a datblygodd ryw hoffter arbennig o'r amrywiol adar dŵr. Roedd ymweliadau wythnosol â 'nghartref i hefyd yn rhan bwysig o fywyd Timothy. Roedd wrth ei fodd yn edrych allan ar yr ardd o'r ystafell haul, yn coginio gyda'n gilydd ac yn tocio'r llwyni yn yr ardd.

Dechreuais hefyd fynd ag e allan i ambell dafarn am bryd o fwyd. Yn y gorffennol, roedd Timothy wedi bod yn yfwr trwm, ac ro'n i'n pryderu rywfaint y byddai am gael diodydd alcoholaidd eto pan fyddai mewn tafarn. Serch hynny, roedd e'n hapus i yfed lager di-alcohol, heb sylweddoli nad oedd ei ddiod yn cynnwys alcohol. Byddwn yn mynd â Timothy i dafarn ar gyfer hoywon yn Hampstead oedd yn gyfarwydd iawn iddo. Eglurais broblemau Timothy wrth y staff tu ôl y bar, a bydden nhw'n cadw bwrdd bach tawel yn y gornel ar ein cyfer. Yn raddol bach, ailddysgodd Timothy sut i chwarae gêm syml o ddominos. Roedd ei wylio'n canolbwyntio ac yn edrych mor hapus wrth wneud hynny'n bleser. Roedd y staff tu ôl i'r bar a rhai o'r cwsmeriaid eraill yn garedig iawn. Bydden nhw'n dod draw i gael sgwrs fer – a oedd fwy neu lai'r un fath bob tro, gannoedd o weithiau drosodd a thro, dros y blynyddoedd, heb i Timothy sylweddoli hynny. Ddysgodd e byth i'w hadnabod nhw, ond doedd hynny'n tynnu dim oddi ar y pleser y byddai'n ei gael wrth sgwrsio dipyn bach fel hyn mewn amgylchedd cyfarwydd.

Nid mewn ysbyty oedd ei le, a gwnes fy ngorau i'w symud i gartref gofal. Yn y diwedd, trefnwyd hyn gan y seiciatrydd. Prynais deledu a pheiriant fideo i Timothy o'i arian ei hun, i'w ddefnyddio yn ei ystafell, lle roedd e'n gorfod treulio llawer o'i amser. Roedd wastad wedi bod wrth ei fodd â ffilmiau, ac wedi bod yn ddawnsiwr brwd yn ei ieuenctid, felly dechreuais ddangos rhannau o ffilmiau fel *West Side Story* a *The Sound of Music* iddo. Wedi gwylio'r ffilmiau gannoedd o weithiau, dechreuodd ffurfio dilyniant y straeon yn ei feddwl a mwynhau'r gerddoriaeth, y dawnsio a'r ddrama'n fawr iawn. Weithiau roedd e'n gallu rhag-weld y ddeialog, dyfalu'r darn nesaf o gerddoriaeth a chanu'r caneuon. Byddai'n canolbwyntio'n ddwys iawn ac yn cadw ei sylw'n gyson ar y sgrin o'i flaen, ac roedd y profiadau'n ei achub o'r hyn roedd e'n gorfod ei wynebu yn ei fywyd bob dydd.

Trefnais hefyd iddo fynychu canolfan ddydd Alzheimer ychydig filltiroedd i ffwrdd. Alla i ddim canmol digon y caredigrwydd a'r gofal a gafodd Timothy yno gan y staff. Fe ddaethon nhw'n ffrindiau ac yn eiriolwyr yn y cyfarfodydd adolygu ac mewn mannau eraill gan wneud cyfraniad pwysig i fywyd Timothy dros y blynyddoedd.

Yn gyffredinol, roedd Timothy'n ffodus o'i le yn y cartref gofal hwnnw. Fe gymerodd hi rai blynyddoedd iddo ymgyfarwyddo â chynllun y cartref, dod o hyd i'r ffordd i'r tŷ bach ac i'w ystafell, a hefyd teimlo elfen o gysur gan y staff a nifer bach o'r trigolion. Cymerodd dipyn o amser hefyd i'r staff ymgyfarwyddo â hwyliau oriog Timothy a'i rwystredigaethau, ac i allu ddelio'n effeithiol â'r rhain.

Tybiwyd ei bod hi'n angenrheidiol, yn enwedig yn ystod y dyddiau cynnar, i Timothy dreulio cryn dipyn o'i amser yn ei ystafell. Gweithiai hyn yn gymharol dda ar y dechrau, am nad oedd angen i'r un oedd yn rhannu ystafell ag e fod yno ar wahân i oriau'r nos. Ond pan fu farw hwnnw, roedd anghenion y person newydd – oedd eisiau treulio llawer o amser yn yr ystafell yn 'darllen' llyfrau defosiynol – yn gwrthdaro yn erbyn anghenion Timothy. Gan fod holl ysgogiadau Timothy'n deillio o wylio a gwrando ar y teledu a fideos, roedd hon yn broblem fawr. Roedd gweld Timothy, a oedd ychydig yn drwm ei glyw, yn trio dilyn ffilmiau fideo am oriau di-ri a'r sain wedi'i droi i lawr gymaint â phosib yn olygfa dorcalonnus. Dywedwyd droeon wrtha i fod Timothy'n ymddwyn yn fwy ymosodol ac am yr anawsterau wrth geisio ymdrin ag e. Bu'n rhaid i mi bwysleisio 'mod i'n credu bod y ddwy broblem yn gysylltiedig. Yn ystod f'ymweliadau innau, ro'n i'n sylwi bod Timothy'n fwy dryslyd a chysglyd yr olwg, a bod a wnelo hynny â'r newidiadau yn ei feddyginiaeth.

Gwaethygodd pethau gymaint nes i Timothy gael ei symud i ward seiciatrig gyffredinol mewn ysbyty; roedd wedi ffwndro'n lân yno ac â brech gennog drosto – ac roedd e'n cyrlio'n belen fel anifail wedi'i ddychryn. Ro'n i'n ymweld ag e bob dydd, yn siarad â'r staff, ac yn y diwedd, cefais wahoddiad i gyfarfod yn yr ysbyty, dan gadeiryddiaeth y meddyg ymgynghorol, gyda rheolwr y cartref gofal a'r holl arbenigwyr meddygol oedd wedi bod yn arsylwi ac yn asesu Timothy ers iddo gyrraedd yr ysbyty. Ddaeth gweithiwr cymdeithasol Timothy – y cyfeiriwyd ato fel 'person allweddol' – ddim i'r cyfarfod, ond cefais gyfle i annerch y cyfarfod, a chafwyd mewnbwn defnyddiol iawn gan y staff meddygol, felly cafodd Timothy ddychwelyd i'r cartref gofal wedi rhyw ddeg diwrnod. Gwellodd pethau wedyn, wedi cryn bledio gennyf i, pan gafodd Timothy ei ystafell ei hun.

Ro'n i'n ofnus ac yn bryderus iawn pan benderfynodd y cyngor gau'r cartref gofal lle roedd Timothy'n byw. Cafodd ei symud i gartref nyrsio ar gyfer y rhai a chanddyn nhw anabledd meddyliol difrifol, ac er nad oedd pethau'n rhwydd o bell ffordd, gweithiodd y staff yn galed i helpu Timothy i addasu i'w amgylchedd newydd. Ro'n i'n cyfarfod yn gyson â rheolwr y cartref, a hefyd yn mynychu'r cyfarfodydd adolygu a'r cyfarfodydd misol gyda gofalwyr y cartref. Serch hynny, doedd e bellach ddim yn cael y sylw seiciatrig misol roedd e'n arfer ei gael, ac rwy'n credu ei fod yn cael dognau cynyddol uwch o risperidone; roedd y cartref gofal blaenorol yn ceisio defnyddio hwnnw gyn lleied â phosib. Trodd i fod yn gysglyd iawn, ac yn fwy dryslyd na chynt; roedd ei sgwrs yn gynyddol aneglur. Hefyd, am y tro cyntaf, dechreuodd wlychu a baeddu. Wedi chwe mis yn y cartref nyrsio, cafodd ei anfon i'r ysbyty am archwiliad, ond dal i ddirywio wnaeth ei gyflwr nes ei farwolaeth ryw flwyddyn yn ddiweddarach. Rwy'n credu'n gryf ei fod wedi'i wenwyno gan risperidone.

Pan oedd e'n byw yn y cartref nyrsio, cysylltodd cynrychiolydd o deulu Timothy'n sydyn â'r gwasanaethau cymdeithasol, ac o hynny ymlaen, yn unol â dymuniadau'r teulu, do'n i ddim yn cael ymwneud mwyach â sawl agwedd ar ofal Timothy – yn ariannol, yn feddygol ac yn seiciatrig. Y cyfan allwn i ei wneud felly oedd ymweld â Timothy, a dyna wnawn i, fel arfer tua phedair gwaith yr wythnos, a bob dydd, pan oedd pethau'n ddrwg. Tan y diwedd, fi oedd yr unig un oedd yn ymweld â Timothy yn gyson ac yn aml.

Yn ystod y cyfnod hwn, pan oedd Timothy 'nôl a 'mlaen rhwng gwahanol ysbytai mewn cyflwr truenus, byddai'r staff yn gwrthod rhoi unrhyw fanylion i mi ynglŷn â'i gyflwr meddygol yn ystod f'ymweliadau dyddiol. Ymddiheuro fyddai'r staff bob tro, ac rwy'n amau eu bod nhw mewn penbleth, ond ro'n nhw'n amlwg yn gweithredu dan gyfarwyddyd.

Ar un achlysur pan gafodd Timothy ei anfon i'r ysbyty, cyrhaeddais yno i glywed na fyddai'n bosib i mi ei weld. Ymatebais drwy ddweud y byddwn yn eistedd allan yn y man aros drwy'r nos pe bai angen, nes iddyn nhw newid eu meddwl. Ar ôl rhyw awr, dyna wnaethon nhw. Pan gyrhaeddais y rhan o'r ysbyty lle roedd Timothy, gwelais ei fod wedi ffwndro'n lân, yn ofnus, ac yn bytheirio'n aneglur ac annealladwy. Roedd yn cael ei ddal i lawr gan ddau gynorthwyydd cydnerth er mwyn ei rwystro rhag gadael y gwely. Dywedais wrthyn nhw'n dawel na fyddai angen gwneud hynny bellach. Do'n nhw ddim yn fy nghredu i ar y dechrau, a chawson nhw eu synnu o weld bod Timothy yn f'adnabod a 'mod i'n gallu cyfleu ei feddyliau. Tawelodd, a diflannodd y cynorthwywyr. Er gwaethaf hyn i gyd, a'r ffaith mai fi oedd yr unig un roedd Timothy'n ei adnabod ac yn gallu cyfathrebu ag e, roedd y staff yn dal yn gyndyn i roi manylion ei gyflwr i mi. Rwy'n credu bod yr anawsterau yma wedi'u hachosi'n bennaf o ganlyniad i'r dogn mawr o risperidone, a oedd bellach yn cael ei leihau.

Yn dilyn hyn, fe wnaeth Timothy wella ychydig a thawelu rywfaint, felly penderfynwyd ei roi mewn uned gofal parhaus a'i drosglwyddo i ysbyty ar gyfer pobl oedd ag anabledd meddwl difrifol. Dyna lle y bu weddill ei ddyddiau. Cefais fy ngwahardd rhag mynychu'r cyfarfod a benderfynodd anfon Timothy i'r uned gofal parhaus, ac i bob cyfarfod arall wedi hynny, er gwaetha'r ffaith nad oedd arweinydd y tîm a'r gweithiwr cymdeithasol yn meddwl bod modd cyfiawnhau hyn o ran lles Timothy. O ystyried y sefyllfa, rwy'n credu y dylai'r gwasanaethau cymdeithasol fod wedi trefnu cyfarfod â'r meddyg ymgynghorol, y staff meddygol a'r staff gofal, cynrychiolydd y teulu, y gweithiwr cymdeithasol a minnau, er mwyn i mi allu gwrthwynebu'n gyhoeddus y penderfyniad i'm hatal i, wedi naw mlynedd o fynychu pob cyfarfod gofal ac adolygu fel unig gynrychiolydd Timothy, ar adeg pan nad oedd ei deulu'n gwneud dim ag e.

Roedd y gwasanaethau cymdeithasol wedi cydnabod fy rôl fel prif ofalwr Timothy dros y naw mlynedd flaenorol, ac rwyf wedi gweld gohebiaeth fewnol sy'n datgan nad oedd rheswm i'm rhwystro i. Eto, wnaeth neb o'r gwasanaethau cymdeithasol fy nghefnogi i a thrio rhoi pwysau moesol ar y teulu, a dangos mor afresymol oedd eu hagwedd.

Ro'n i'n pryderu'n fawr y byddai anfon Timothy i uned gofal parhaus yn ei amddifadu o'r holl bethau cyfarwydd a oedd mor hanfodol o safbwynt ei les. Ro'n i eisiau eu rhybuddio y byddai Timothy'n ffwndro'n lân ac yn methu dod i delerau â'i amgylchedd newydd o'i gymryd allan o'i amgylchedd presennol ac oddi wrth staff cyfarwydd, ei rwystro rhag mynychu'r ganolfan ddydd Alzheimer (a oedd wedi bod yn rhan o'i fywyd ers naw mlynedd), ac atal ei ymweliadau â mannau cyfarwydd. Roedd yr un pryderon wedi'u rhag-weld mewn adroddiad seiciatrig ddwy flynedd yn gynharach.

O safbwynt 'dilyniant mewn gofal' – cafodd hyd yn oed fy llythyron at y gwasanaethau cymdeithasol yn gofyn am sbectol a dannedd gosod newydd i Timothy eu hanwybyddu. Dywedwyd wrtha i yn y diwedd nad oedd a wnelo'r adran gwasanaethau cymdeithasol â Timothy mwyach, ac y dylwn gyfeirio fy mhryderon at y tîm gofal parhaus. Ysgrifennais at arweinydd y tîm gofal parhaus, i geisio rhoi sefyllfa bywyd Timothy mewn rhyw fath o gyd-destun, ac egluro fy rôl i. Daeth yr ateb na allen nhw drafod manylion personol Timothy gyda mi am 'resymau cyfrinachedd'.

Ro'n i wedi mynd â Timothy am brawf llygaid dros flwyddyn yn gynharach, ond er gwaethaf sawl cais, do'n i ddim wedi cael hawl gan y gweithiwr cymdeithasol i brynu sbectol newydd iddo. Yn y diwedd, dywedwyd wrtha i am anfon y presgripsiwn at gynrychiolydd y teulu, a anfonodd sbectol drom iawn a hollol anaddas drwy'r post – sbectol nad oedd yn ffitio ac yn disgyn oddi ar drwyn Timothy.

Er bod Timothy'n mynd yn fwy a mwy ffwndrus, roedd yn dal i adnabod rhannau o'i hoff fideos, a hyd at y diwedd roedd yn gallu cyd-ganu â rhai o'r caneuon. Rwy'n credu bod y staff wedi synnu ei bod hi'n bosibl ennyn cymaint o ddiddordeb gan Timothy. Eto, yn sydyn, diflannodd ei bum fideo o'i ystafell. Gwrthododd cynrychiolydd y teulu brynu unrhyw gopïau newydd o arian Timothy, gan honni bod staff y ward o'r farn nad oedd eu hangen arno. Pan ofynnais i staff y ward am gefnogaeth, ro'n nhw'n amlwg yn teimlo'n annifyr a ddim yn awyddus i ymyrryd. Felly fe wnes yr unig beth posib, sef prynu copïau iddo fy hun, a bu Timothy a minnau'n eu gwylio hyd at ddau ddiwrnod cyn iddo farw.

Profais yr enghraifft olaf o ddiffyg parch tuag ataf y diwrnod y bu farw Timothy. Ro'n i wedi bod yn ymweld ag e bob dydd ers cryn amser am nad oedd wedi bod yn dda o gwbl, ac ro'n i wedi aros tan tua 10.30 y noson gynt. Y gred oedd y gallai fod mewn coma fel hynny am ddiwrnod neu ddau eto. Ond am saith o'r gloch y bore canlynol, ffoniodd un o staff y ward fi i ddweud ei fod wedi marw. Erbyn i mi gyrraedd yr ysbyty, roedd ei gorff wedi'i symud i farwdy'r ysbyty gan y teulu, oedd hefyd wedi symud ei holl eiddo o'i ystafell. Pan gysylltais â chynrychiolydd y teulu, dywedodd hi wrthyf i na fyddai'n bosib i mi fynd i weld corff Timothy na mynd i'w angladd. Dyma enghraifft o benderfyniad creulon y teulu i'm heithrio i ym mhob ffordd bosib.

Pan gasglodd y teulu eiddo Timothy, fe aethon nhw â'm ffotograffau i – y rhai ro'n i wedi eu chwyddo a'u gosod ar y muriau o gwmpas ystafell Timothy i'w atgoffa'n weledol o bobl a phethau roedd e'n eu cofio. Ysgrifennais at y teulu ddwywaith yn gofyn iddyn nhw ddychwelyd y rhain, ac yn gofyn hefyd a allen nhw ddweud wrtha i ble roedd ei lwch wedi'i gladdu. Chefais i ddim ateb.

Am flwyddyn a mwy cyn i Timothy farw, ro'n i wedi bod yn cwyno wrth y gwasanaethau cymdeithasol ynglŷn â'r ffordd warthus, annheg a llawdrwm ro'n nhw wedi trin Timothy a minnau, ac am eu methiant i weithredu er ei les. Cafodd y rhan fwyaf o'm llythyron eu hanwybyddu, felly ro'n i wedi dechrau ar y broses o gwyno trwy weithdrefn cwyno'r cyngor. Y peth pwysicaf oll o'm safbwynt i oedd y modd y cefais f'eithrio o ofal Timothy a'r effaith a gafodd hynny ar ei les. Rwy'n credu'n gryf iawn fod yr holl gamau a gymerwyd gan y cyngor, yn cynllwynio gyda'r teulu a'm heithrio i o ofal Timothy, yn anfoesol ac yn amhroffesiynol. Drwy f'eithrio i, ro'n nhw'n tynnu ffrind agosaf Timothy a'r person ro'dd e'n ei adnabod orau oddi arno. Fi oedd yr unig un allai ddarparu'r ddolen rhyngddo fe a'i orffennol gan sicrhau gofal parhaus – rhywbeth y mae'r gwasanaethau cymdeithasol a'r GIG yn honni eu bod nhw'n pryderu'n fawr amdano.

Methais i fynd â'r maen i'r wal o safbwynt fy nghwynion i'r cyngor, ac yn y cyfamser, bu farw Timothy. Doedd dim amdani felly ond cysylltu â'r Ombwdsmon Llywodraeth Leol, ond bu oedi o flwyddyn gyda hynny am nad o'n i wedi cael y dogfennau perthnasol gan y cyngor. Fe wnaeth yr achos gyda'r Ombwdsmon bara am dair blynedd, bron. Daeth i'r casgliad nad oedd y cyngor wedi gweithredu'n briodol o safbwynt 'yr un o bwys', a gorchmynnwyd i'r cyngor ailysgrifennu dau o'i brif bolisïau, a'i hysbysu o'r ffyrdd yr o'n nhw'n bwriadu eu hybu a'u gweithredu. Serch hynny, methodd yr Ombwdsmon â sicrhau bod hyn yn cael ei gyflawni, a bu'n rhaid i mi ei atgoffa. Pan gynhaliodd ymchwiliad, sylweddolodd yr hyn ro'n i eisoes ei wybod – nad oedd y polisïau newydd wedi cael eu gweithredu. Dirwyodd yr Ombwdsmon y cyngor ddwywaith ar fy rhan i, a chyflwynais yr arian hwnnw i elusen.

Rwy'n credu ei bod hi'n hanfodol fod y Ddeddf Galluedd Meddyliol[1] ddiweddar yn cael ei gosod mewn cyd-destun ar gyfer pobl LDHT (lesbiaid, hoywon, deurywiol a thraws) ac y dylai'r brif egwyddor, sef bod buddiannau'r claf yn flaenaf bob amser, gael ei hybu gan holl bolisïau'r cynghorau ac ymddiriedolaethau'r GIG. Mae cydnabod rôl 'yr un o bwys' o safbwynt yr holl faterion sy'n ymwneud â gofal yn rhan o hyn. Mae amharu ar y broses hon gyda dadleuon yn ymwneud â chyfrinachedd yn hollol annerbyniol. Mae'n rhaid gweithredu cyfrinachedd er lles cleifion yn hytrach na'i ddefnyddio yn eu herbyn.[2]

Pan fydd dynion hoyw wedi rhannu 40 mlynedd o gyfeillgarwch, mae'n rhywbeth arbennig iawn. Bydda i'n ystyried fy mherthynas â Timothy fel cyfeillgarwch prin a thrawsffurfiol am byth. Roedd yna lawer o hapusrwydd, hyd yn oed yn nyfnderoedd dementia. Serch hynny, yn anffodus, erchylltra gwylio rhywun sy'n agos atoch yn cael ei arteithio ac yn chwalu yn sgil dementia fydd f'atgof pennaf, yn ogystal â'r ffordd y cefais fy nhrin gan y teulu, a chan yr awdurdodau y mae gofalu am bobl fregus yn ddyletswydd arnyn nhw.[3]

Nodiadau

[1] Gweler gwefan yr Alzheimer's Society, www.alzheimers.org.uk/get-support/legal-financial/mental-capacity-act (gwelwyd 25 Mawrth 2019).

[2] Gweler Arolygiaeth Gofal CSCI (2008) *Putting People First: Equality and Diversity Matters 1 Providing Appropriate Services for Lesbian, Gay and Bisexual and Transgender People*: www.thinklocalactpersonal.org.uk/_assets/Resources/Personalisation/Localmilestones/putting_people_first_equality_and_diversity_matters_1.pdf, gwelwyd 1 Ebrill 2019.

[3] Newidiwyd rhai manylion.

27

Canllawiau ar gyfer cadw eich meddwl

Gail Chester

Rheol 1: *Osgoi cael eich geni i deulu lle mae eich mam-gu'n marw o glefyd Alzheimer ychydig cyn eich trydydd pen-blwydd, eich mam yn gwneud yr un peth dri diwrnod cyn eich pen-blwydd yn ddeugain, a'ch modryb, y ferch olaf yn y llinach o'ch blaen chi, yn marw o'r un cyflwr ddeuddeg mlynedd yn ddiweddarach.*

Oherwydd na fedrwch chi, mewn gwirionedd, gyflawni Rheol 1, symudwch ymlaen i **Reolau 2 a 3**: *Credwch yr hyn rydych chi'n ei feddwl* (ond nid bob amser); a *Peidiwch â chredu popeth rydych chi'n ei ddarllen yn y papurau newydd.* Hynny yw, wrth ofalu am rywun sydd â dementia, does dim rheolau. Ond efallai fod yna ganllawiau bras, a chysur o wybod nad ydych ar eich pen eich hun pan fyddwch yn poeni y gallech gael dementia unrhyw funud, a'ch bod chi cystal arbenigwr ag unrhyw un o'r arbenigwyr honedig.

Sylweddolais nad yr her fwyaf o gael yr holl berthnasau yma gyda chlefyd Alzheimer oedd gofalu amdanyn nhw pan oedden nhw'n sâl, gan i mi fod yn lwcus iawn i gael perthynas dda gyda nhw pan oedden nhw'n holliach. Na, y peth gwaethaf fu ymdopi â'r holl deimladau ar ôl hynny. Un o'r rhai amlycaf yw'r ofn y bydda i fy hun yn datblygu clefyd Alzheimer, neu y bydd fy chwaer yn ei ddatblygu o 'mlaen i, ac felly y bydd yn rhaid i mi ofalu amdani hi hefyd.

Mewn gwirionedd, rwy'n eithaf synhwyrol ynglŷn â hynny, oherwydd **Rheol 4**: *Gwastraff amser yw teimlo'n euog.* Cofiwch eich bod yn gwneud eich gorau dan amodau anodd iawn a phrin o adnoddau, ac na fyddwch chi'n gallu gofalu cystal am eich perthynas os byddwch yn aberthu eich bywyd eich hun er mwyn gwneud hynny. Felly, gan fod cadw fy mhwyll yn bwysig i mi, fyddwn i ddim yn meddwl ddwywaith ynglŷn â'i rhoi mewn cartref gofal, a dydw i ddim yn meddwl y byddai ots ganddi hithau chwaith. Yn rhyfedd iawn, serch hynny, dydyn ni erioed wedi trafod hyn.

Gofynnais i'm chwaer beth ddylwn i ei gynnwys yn yr erthygl hon – sut oedd hi'n teimlo pan oedd Mam yn sâl, sut mae hi'n teimlo wrth edrych 'nôl ar y cyfnod? 'Dydw i ddim yn cofio,' atebodd, a dechrau chwerthin yn afreolus. Hen jôc ro'n i wedi'i chlywed gannoedd o weithiau o'r blaen. Ond o dan yr holl sbort a'r sbri, mae yna fater difrifol sy'n poeni'r ddwy ohonom – a fyddwn ni'n etifeddu'r cyflwr?

Fel arfer, dydw i ddim yn cael trafferth ysgrifennu darnau llyfn, rhesymegol eu dadl. Ond sôn am wylio dadfeiliad penodol y meddwl rydyn ni yma, rhywbeth sy'n bendant heb lif. Felly, rwy'n ei chael hi'n anodd ysgrifennu darn diymdrech. Efallai, o ystyried y pwnc, does dim ots os nad yw'r darn yn llifo cystal. Efallai nad cyd-ddigwyddiad yw fy mod i, ers imi gytuno i ysgrifennu'r darn hwn, wedi cael fy mhlagio gan y gofidiau rwyf eisiau eu nodi.

Pan oeddwn yn f'arddegau, roedd Mam dros ei hanner cant – yr oedran y dechreuodd ei mam hi ddangos arwyddion o glefyd Alzheimer. Hwyrach mai cyd-ddigwyddiad oedd hynny ac o bosib mai diwedd y mislif, oedd yn gyfrifol, ond am sawl blwyddyn yr oedd Mam yn llawn tensiwn cynyddol, a oedd yn ei gwneud hi'n anodd iawn byw gyda hi. Rwyf innau nawr dros fy hanner cant, ac er na ddechreuodd clefyd Alzheimer fy mam nes ei bod ymhell yn ei chwedegau, rwy'n cael fy hun yn gyson archwilio pob manylyn o f'ymennydd am unrhyw arwydd fod rhywbeth o'i le – neu beidio.

Weithiau rwy'n clywed fy hun yn siarad yn araf, a'r alarnad undonog yn fy niflasu innau hefyd. Rwy'n clywed fy hun yn oedi wrth siarad, wrth i f'ymennydd anystwyth ac aneffeithiol geisio dod o hyd i'r gair cywir. Dyw mynegiant y brawddegau rwy'n llwyddo i'w clymu at ei gilydd ddim mor goeth ag yr arferai fod. Dydw i ddim yn gwybod a oes rhywun arall wedi sylwi – dydw i ddim yn mentro holi.

Er 'mod i'n gwybod bod yna hanner dwsin o resymau pam mae cof rhywun yn pallu o dro i dro, y teimlad naturiol yw ei bod yn rhaid mai clefyd Alzheimer yw gwraidd y drwg. Sylwais ar hyn am y tro cyntaf pan dynnais fy mhelfis o'i le. Gwnes fy ngorau i ddal ati i weithio fel arfer wrth i mi orwedd yn fy ngwely, mewn poen difrifol, y ffôn yn un llaw a'm llyfr nodiadau'n pwyso ar glustog. Roedd fy meddwl anymwybodol yn gwybod rhywbeth nad oedd f'ymennydd yn ei sylweddoli: roedd yn rhaid i mi *stopio*. Dywedodd fy osteopath fod straen yn rheswm cyffredin dros golli'r cof, a dim ond imi orffwyso, byddai'n siŵr o wella. Ac ar ôl rhai wythnosau, dyna a ddigwyddodd.

Pan oeddwn i'n feichiog, cefais bwl difrifol o amnesia'r fam. Y tro hwn, wnaeth fy nghof ddim gwella'n iawn, byth, er iddo wella tipyn dros y blynyddoedd (nes i ddiwedd y mislif ddechrau rai blynyddoedd wedi hynny ...).

Yn ddiweddar, cefais fy nghyflwyno i ddyn a ddywedodd wrtha i fod ei wraig wedi'i hanfon i glinig i weld pam roedd ei chof wedi dirywio'n sydyn. Cefais fy synnu. Doeddwn i ddim yn sylweddoli bod y fath sefydliadau'n bodoli. Doedden nhw ddim rai blynyddoedd yn ôl. Dechreuais feddwl a ddylwn i gyfeirio fy hun atyn nhw?

Rheol 5: *Cofiwch – nid y bobl sy'n poeni ynglŷn â datblygu clefyd Alzheimer yw'r unig rai sy'n gosod profion bach iddyn nhw'u hunain.*

'Ysgrifennwch bopeth i lawr cyn gynted ag y daw i'ch meddwl a gwnewch nodyn cyn i chi anghofio.' Dyna beth rydych chi'n cael eich dysgu ym mhob dosbarth ysgrifennu. Felly mae popeth yn iawn, nid dim ond fi sy'n cael problemau: mae angen nodiadau ar bawb i gofio'r syniad gwibiog yna sy'n ymddangos mor wych ar y trên tanddaearol, yn yr archfarchnad, am 4 o'r gloch y bore pan na fyddwch chi'n gallu cysgu. Gallwch ddidoli'r syniadau yn nes ymlaen, meddai'r tiwtor.

Ond beth os nad ydych chi'n gallu didoli mwyach? Wrth i glefyd Alzheimer effeithio fwyfwy ar fy modryb, byddai hi'n llunio rhestri cynyddol annelwig ar gefn amlenni, ar ymylon tudalennau'r papur newydd, ar napcynau papur, er mwyn ceisio rheoli'i meddyliau. Cefais hyd i gannoedd ohonyn nhw wrth glirio'i fflat, atgofion torcalonnus o'r person oedd hi ac eisiau bod o hyd.

Fel mae'n digwydd, genetegydd yw fy nghymar, genetegydd amheugar, radicalaidd sy'n cynnal ymgyrchoedd yn seiliedig ar faterion sy'n ymwneud â geneteg ddynol. Pan wnaethon ni gyfarfod, roedd gafael clefyd Alzheimer ar Mam yn eithaf tyn, ond, er bod ei chof tymor byr a thymor canolig wedi diflannu i raddau helaeth, roedd hi'n gwybod pwy oedd Dave tan iddi farw, bron. Fel y dywedodd un o'm ffrindiau, 'Mae hi wedi aros 37 mlynedd i ti ddod ag Iddew da adref, felly go brin ei bod hi'n mynd i anghofio hynny!' Y tro cyntaf i mi fynd ag e i gyfarfod â'm rhieni, eisteddodd Mam gyferbyn ag e wrth y bwrdd cinio, yn codi ei llaw arno ac yn gwenu. Bob deg munud byddai hi'n pwyntio'n wên i gyd at ei thrysor pennaf – cwpwrdd tsieni traddodiadol oedd yn dal y setiau llestri roedd hi wedi'u casglu dros y blynyddoedd – ac yn dweud yn hollwybodus wrth Dave, 'Ti fydd biau'r rhain un diwrnod.'

Felly, yn naturiol, yn gynnar iawn yn ein perthynas, trodd y sgwrs at y tebygolrwydd y byddwn i'n etifeddu clefyd Alzheimer fy mam – yn ogystal â'r cwpwrdd tsieni. Ddiwedd yr 1980au, doedd Dave ddim yn rhoi llawer o bwys ar y syniad bod hanes clefyd Alzheimer yn fy nheulu'n golygu y byddwn innau hefyd yn ei etifeddu maes o law, gan honni mai dim ond y math oedd yn effeithio ar berson yn gynnar yn ei oes y gellid ei etifeddu. Yn fwy diweddar, mae wedi newid ei ffordd o feddwl ychydig, ac yn dweud bellach ei bod hi'n eithaf tebygol fod yna gopïau ychwanegol o'r genyn sy'n cynnwys y tueddiad genetig hwn yn fy nheulu i, ond hyd yn oed wedyn dydy hynny ddim yn golygu y bydda i'n datblygu clefyd Alzheimer, a beth bynnag, pa ots?

Barn Dave yw na ddylwn dybio y bydda i'n etifeddu clefyd Alzheimer, oherwydd – er mor annhebygol y mae hynny'n swnio – gallai tri aelod agos o deulu sydd â'r clefyd gael eu hystyried yn achosion unigol sydd wedi digwydd ar hap. Fel arfer, fi yw'r optimist yn ein tŷ ni, ond ar y dyddiau hynny pan nad ydw i'n cofio a ydw i wedi cymryd fy nhabledi fitamin neu beidio ac wedi treulio deg munud yn chwilio am gasyn fy sbectol, rwy'n bwrw fy mol wrtho: sut elli di fod yn siŵr nad yw clefyd Alzheimer yn cuddio rownd y gornel? Wrth gwrs, alla i ddim bod yn siŵr, yw ei ateb, yn trio peidio â bod yn bigog, ond rwyt ti'n gwybod nad clefyd Alzheimer sy'n gyfrifol am bob problem sy'n ymwneud â'r cof, ac rwyt ti'n gwybod efallai nad yw'r genyn penodol yna gen ti, a hyd yn oed os ydy e, dydy hi ddim yn anorfod y byddi di'n datblygu'r clefyd. Waeth pa mor aml y bydd yn dweud hyn wrtha i, fedra i ddim credu'n llwyr na fydda i'n datblygu'r clefyd os ydw i'n meddu ar y genyn.

Felly, a fyddwn i'n hapusach taswn i'n cael prawf i weld a ydw i'n meddu ar y genyn penodol yma? Pam fyddwn i? Does dim y galla i ei wneud ynglŷn â'r peth, ar wahân i gymryd y camau arferol megis bwyta'n iach a chadw'n heini – pethau y dylwn i fod yn eu gwneud beth bynnag. Tasai'r canlyniad yn un positif, dim ond poeni'n ofnadwy fyddwn i'n ei wneud, ac efallai mai datblygu clefyd Alzheimer fyddwn i wedyn beth bynnag.

Rheol 6*: Peidiwch â synnu os nad ydych chi weithiau'n gallu gwahaniaethu rhwng ofn rhesymegol ac awydd afresymegol i fwyta llwyth o siocled.*[1]

Nodiadau

[1]   Dylai darllenwyr sy'n pryderu am y pethau hyn gyfeirio at wefan yr Alzheimer's Society, taflen wybodaeth 450 *Risk factors for dementia* a thaflen wybodaeth 405: *Genetics of dementia*.

Cadw cysylltiad,
gollwng gafael

28

Pan fydd geiriau'n methu

Barbara Pointon

Roedd hi wedi bod yn bwrw eira. Wrth y ffenest, meddai Malcolm, 'Edrycha ar y bobin!' Bobin? Meddyliais am ennyd ... Wrth gwrs, robin! Bedair blynedd ers iddo gael ei ddiagnosis o glefyd Alzheimer, roedd Malcolm wedi cyrraedd y cyfnod pan oedd yn teimlo bod ei eiriau'n disgyn i ganol twll du, a byddai'n aml yn dweud gair oedd yn odli â'r un roedd yn chwilio amdano. O ganlyniad, er mor ddifyr hynny, a barddonol hyd yn oed, roedd hyn yn arwydd trist fod ei ddefnydd o iaith yn dechrau llithro. Nid felly roedd pethau'n arfer bod.

Roedd gan Malcolm ddawn geiriau. Byddai'n llunio sgriptiau ar gyfer y cyhoeddwyr ar Third Programme y BBC (Radio 3 bellach), roedd yn athro cerdd galluog (p'un ai gyda dosbarth o blant chwe blwydd oed neu'n darlithio i fyfyrwyr yng Nghaergrawnt) ac yn creu sgetsys dychanol a chaneuon ar gyfer ein grŵp drama lleol. Pan gafodd Malcolm ei ddiagnosis yn 1991, ac yntau'n 51 oed, ro'n i'n teimlo bod ein byd ni ar ben.

Y peth cyntaf i fynd oedd ei allu i sillafu, yna i ysgrifennu, ac wedyn i ddarllen. Dair blynedd ar ôl iddo fynd yn sâl, dechreuodd ei leferydd ddirywio, ac yn ogystal â defnyddio geiriau oedd yn odli, byddai Malcolm yn cyfuno dau air i ffurfio un arall. Un diwrnod, dywedodd wrtha i fod 'swper yn ffwpty' – cyfuniad o ffwrn a popty. Roedd yn rhaid i mi fod yn effro iawn i drio gwneud synnwyr o'r cyfan! Wrth i amser fynd heibio, pan fyddwn i'n gofyn cwestiwn iddo, ro'n i wedi dysgu bod angen rhoi amser iddo feddwl a chynllunio'i ateb ac i beidio â neidio i ganol y tawelwch er mwyn cynnig eglurhad pellach, a fyddai ddim ond yn ei ddrysu. Ond y peth anoddaf ar y pryd oedd delio â ffrindiau nad oedden nhw'n sylweddoli bod pobl â dementia'n gallu deall llawer mwy nag y maen nhw'n gallu ei ddweud. Roedd cymaint o achlysuron mewn partïon gwahanol pan fyddai pobl yn osgoi dweud yr un gair wrtho. Gall y teimlad poenus o gael eich ynysu'n gymdeithasol ddechrau'n gynnar.

Tua chwe blynedd ar ôl iddo fynd yn sâl, roedd lleferydd Malcolm yn rwtsh-ratsh pur. Dim ond wrth dôn ei lais y gallwn ddirnad beth roedd yn trio'i gyfleu, ac roedd yn rhaid i mi ddibynnu ar gliwiau eraill, megis ystumiau'r wyneb neu iaith y corff. Pan fyddwn yn cyfathrebu ar lafar â Malcolm, dysgais ddefnyddio geiriau syml iawn mewn brawddegau byrion, neu ofyn cwestiynau y gallai eu hateb drwy ddweud naill ai ie neu na. Ond roedd hyd yn oed hynny'n creu anawsterau: dechreuodd Malcolm ddweud ie wrth bopeth, am ei fod yn tybio, am wn i, mai dyna ro'n i eisiau'i glywed. Maes o law, ymateb drwy wneud synau fyddai'n ei wneud. Mae'n union fel y dysgoch chi a fi i siarad, ond am yn ôl. Rwy'n cofio un noson yn glir iawn pan oedd brawd Malcolm a minnau'n canu deuawd ar y piano a minnau'n gwneud llawer o gamgymeriadau. Mae'n rhaid bod synnwyr Malcom o alaw yn dal yn ei le, oherwydd dyma fe'n gwneud y sŵn wfftio uchaf i mi ei glywed erioed.

Pan fethodd y geiriau, daeth cerddoriaeth i achub y dydd. Er nad oedd yn sgorio unrhyw bwyntiau yn ei brofion gwybyddol, ac nad oedd modd gwneud synnwyr o'r hyn roedd yn ei ddweud o gwbl, gallai Malcolm ganu'r piano'n fyrfyfyr am oriau lawer. Doedd e bellach ddim yn gallu cofio'r darnau roedd yn arfer eu chwarae, nac yn gallu darllen cerddoriaeth, felly roedd pob darn yn greadigaeth newydd. Er nad oedd yn gallu cofio dim am fwy na munud, byddai Malcolm yn dyfeisio darnau lle byddai'n gosod syniadau cerddorol ar y dechrau ac yn eu chwarae nhw eto ar y diwedd, o leiaf ugain munud yn ddiweddarach. Byddai'r gerddoriaeth fyrfyfyr hefyd yn rhoi syniad gwerthfawr i mi o sut

Malcolm Pointon, 1997

roedd e'n teimlo – yn hapus, yn dawel ei feddwl, yn ddig, yn ddirwgnach neu'n bositif. Roedd llawer o'i ddarnau'n cynnwys adran bwerus, ddig, ond byddai'r rhan fwyaf yn gorffen yn hydrefol heddychlon. Rwy'n credu bod y darnau'n therapiwtig i'r ddau ohonom. Byddai Malcolm hefyd yn gwrando ar gerddoriaeth (ar stereo personol gyda theclynnau clust i gau'r byd a'i bethau allan o'i feddwl) ac weithiau byddwn i'n dewis darn i newid ei hwyliau – i dawelu rhwystredigaeth neu i'w godi o'i iselder – yn hytrach na throi at gyffuriau. Rwy'n rhyfeddu at rym cerddoriaeth, oherwydd ei natur ddi-eiriau, i dorri drwodd pan fydd llwybrau eraill wedi cau.

Roedd rhai pobl fel tasen nhw'n meddwl bod Malcolm bellach yn llai o berson gan nad o'n nhw bellach yn gallu cynnal yr un math o sgyrsiau ag e, ac yn ei chael hi'n anodd deall nad oes yn rhaid wrth eiriau bob tro i gyfathrebu; mae ffyrdd eraill. Tua diwedd ei salwch (a barodd am saith mlynedd), wedi i Malcolm golli ei allu i gyfathrebu a'i symudedd, byddai'n rhaid i mi atgoffa'r gofalwyr oedd yn gweithio gyda mi i ddal ati i siarad â Malcolm. Ry'n ni'n siarad â babanod sy'n methu ein hateb, yn dydyn ni? Mae clywed sŵn y llais dynol yn angen sylfaenol iawn.

Drwy wylio Malcolm, lluniais ddelwedd yn fy meddwl o sut mae ein synnwyr o hunaniaeth yn datblygu – mewn cyfres o haenau, tebyg mewn rhyw ffordd i winwnsyn – a'r hyn sy'n digwydd pan fydd dementia'n cydio. Ry'n ni'n cyrraedd y byd hwn fel babanod newydd-anedig, gyda hunaniaeth, ysbryd a hanfod unigryw, neu beth bynnag rydych chi eisiau'i alw, a dyma sy'n ffurfio ein craidd canolog. Fel babanod bach, bydd ail haenen yn dechrau ffurfio: ry'n ni'n archwilio ein hamgylchedd drwy ddefnyddio'n pum synnwyr; ry'n ni'n profi emosiynau ac mae ein hunan seicolegol yn dechrau datblygu. Wedyn, fel plant ifanc, ry'n ni'n dysgu rheoli ein gweithredoedd dynol sylfaenol – sefyll, cerdded, siarad, bwydo'n hunain, cysylltu symudiad llaw a llygaid, rheoli ein pledren a'n coluddyn, ac felly'n ffurfio'r drydedd haen. Mae'r haenen allanol yn cynnwys ein ffordd o ddirnad pethau, ein gwybodaeth, ein meddwl haniaethol a sgiliau mwy arbenigol, sy'n datblygu dros gyfnod hir o amser, a'r haen allanol hon yn bennaf yw'r un y mae'r byd yn ei gweld, yn ei gwerthfawrogi ac yn ei gweld fel yr 'hunan'. Ond mae dementia'n ymosod ar yr hunaniaeth o'r tu allan, yn saethu tyllau yn y ddwy haen allanol nes eu bod nhw yn chwalu, gan adael y synhwyrau, yr emosiynau, elfennau seicolegol ac ysbrydol – yr

Barbara a Malcolm, 2000

hunan mewnol – yn fwy agored ac felly'n bwysicach. Eto i gyd, dyma'r elfennau sy'n cael eu hanwybyddu fwyaf o safbwynt gofal, yn enwedig gofal sefydliadol. Ydyn nhw'n rhoi syniad i ni sut i gyfathrebu heb eiriau?

Felly, pan oedd haen allanol Malcolm, yn ogystal â'i holl alluoedd corfforol, bron, yn cael eu chwalu, yn cynnwys geiriau, fe wnaethom ein gorau i gyfathrebu â Malcolm gan ddefnyddio'i bum synnwyr: gwenu, lliwiau llachar, newid lleoliad; arogl coginio a sesiynau aromatherapi; sain cerddoriaeth (wedi'i recordio neu'n fyw – hyd yn oed rywun yn hymian) a lleisiau dynol a chwerthin. Fe wnaethon ni barhau i fwydo Malcolm drwy'i geg, pa mor hir bynnag y byddai hynny'n ei gymryd, er mwyn iddo allu cael y pleser o flasu (ac ymwneud cymdeithasol) tan y diwedd. Mae'n bosib mai'r synnwyr pwysicaf oedd cyffwrdd, yn enwedig er mwyn gwneud iddo deimlo'n ddiogel: bydden ni'n anwesu dwylo a wyneb Malcolm, yn ei gofleidio'n ddigymell ac yn rhoi cusan nos da iddo. Pan fyddai'n deffro'n llawn dychryn ganol nos weithiau, fydden ni ddim yn rhedeg i nôl cyffuriau, ond yn ei ddal yn dynn, yn sibrwd yn ei glust nes ei fod yn ymlacio ac yn mynd 'nôl i gysgu. Drwy'r dulliau hynny, ro'n ni nid yn unig yn cyfathrebu ag e, ond ro'n ni hefyd yn ceisio diwallu ei angen ysbrydol mwyaf sylfaenol – teimlo ei fod yn cael ei garu a'i werthfawrogi.

Yn ystod yr haint olaf ar ei ysgyfaint, rhoddodd Malcolm arwyddion corfforol clir i ni ei fod wedi blino byw a'i fod ei eisiau ein gadael. Stopiodd lyncu'n gyfan gwbl, a llithrai i mewn ac allan o goma. Wythnos yn ddiweddarach, roedd Malcolm yn marw'n dawel, yng nghwmni ei deulu agosaf – yn cynnwys yr wyrion ifanc, oedd yn derbyn y sefyllfa'n ddi-lol. Roedd f'athrawes ioga wedi awgrymu y dylwn roi fy mysedd yn y pant bach ar ei wegil a siarad ag e, wrth i bob un ohonom, mewn cylch, ei gofleidio trwy ddal rhan o'i gorff: dywedodd mai dyma sut y byddai Malcolm wedi cyrraedd y byd, â'r fydwraig yn gafael ynddo, ac y byddai hyn yn hwyluso'i ymadawiad. Roedd hi'n hollol gywir. Tawelodd yr anadlu'n raddol, cyn arafu a dod i stop. A dyna lle buon ni'n cofleidio'n gilydd yn y tawelwch, drwy ein dagrau.

Roedd hi wedi bod yn bwrw eira. Ddwy funud yn ddiweddarach, dyma'r plentyn pum mlwydd oed yn gofyn, 'Dadi, allwn ni wneud dyn eira nawr?' Ffordd ryfeddol i'n hatgoffa na ellir gwahanu bywyd a marwolaeth.

Yn ystod wythnosau olaf ei fywyd, treuliodd Malcolm a minnau lawer o amser yn dal dwylo'n gilydd ac yn gwrando ar gerddoriaeth, yn enwedig darn corawl cyfareddol Stanford, 'The Blue Bird'; mae'r darn yn adrodd stori rhywun ar ben bryn uchel yn edrych i lawr dros lyn, mor las â'r awyr, ac yn gweld aderyn glas yn hedfan dros y llyn, wedi'i adlewyrchu am ennyd yn y dŵr cyn diflannu i'r pellter. Yn angladd aml-ffydd syml Malcolm, a gynhaliwyd yn ei ystafell yn ein cartref, soniais am y modd ro'n i wastad wedi meddwl am Malcolm a'i afiechyd fel aderyn wedi'i gaethiwo mewn cawell, ac mai dim ond marwolaeth allai agor drws y gawell a'i ryddhau. Felly, wrth i ni wrando ar gerddoriaeth 'The Blue Bird', fe ddywedais y byddwn yn agor drws y patio fel symbol o'i ysbryd yn hedfan i ryddid. Roedd hi'n ddiwrnod oer ym mis Chwefror; ond cyn gynted ag yr agorais y drws, glaniodd aderyn ar goeden y tu allan a chanu nerth ei ben nes i'r gerddoriaeth orffen, cyn hedfan i ffwrdd eto.

Mae cyfathrebu'n llawer mwy na dim ond geiriau.

29

Diwedd y stori

Tim Dartington

Dɒʏʟᴀɪ ᴍᴀʀᴡ ɢᴀʀᴛʀᴇꜰ ddim bod mor anodd. Rwy'n amau mai dyna fyddai dymuniad llawer o bobl. Roedd Anna, fy ngwraig, yn 54 pan gafodd hi'r diagnosis. Siaradodd â seicolegydd ifanc ynglŷn â bod â chlefyd Alzheimer, gan gyfeirio at yr hyn alwodd hi yn 'f'ymennydd anffyddlon', gan ddatgan ei dymuniadau'n glir iawn: 'Rwyf eisiau i 'ngŵr fod gyda mi ac rwyf eisiau bod gartref ... rwy'n benderfynol 'mod i eisiau marw gartref ac nid yn yr ysbyty.'[1]

Roedd Anna wedi bod yn llawer o bethau yn ystod ei hoes. Dechreuodd ei gyrfa fel nyrs ac yna bu'n weithiwr cymdeithasol. Gweithiodd mewn ysbyty seiciatrig cyn ailhyfforddi fel seicotherapydd a gweithio gyda phobl ifanc a'u teuluoedd. Roedd hi'n llysfam ardderchog i'm meibion wedi i'w mam nhw farw. Cwblhaodd radd mewn llenyddiaeth Saesneg gyda'r Brifysgol Agored. Roedd hi'n bwriadu dilyn cwrs prifysgol pellach pan ddechreuodd hi stryffaglu gyda phethau bob dydd bywyd, yn methu cadw pethau yn ei meddwl, yn ffwndro ac yn cael trafferth cerdded i lawr grisiau. Am ddwy flynedd gwnaeth ei gorau i ddal ati, nes i'r profion ddangos bod rhywbeth difrifol o'i le. Cadarnhaodd biopsi fod clefyd Alzheimer arni.

Cymerodd ymddeoliad cynnar ac aros gartref gyda chefnogaeth gynyddol 'gofal cymdeithasol'. Fel ei gŵr, dysgais lawer am fywyd, am hunaniaeth a chariad yn ystod y chwe blynedd nesaf. Roedd yn rhaid i mi ddysgu bod yn amyneddgar a dyfalbarhau wrth imi geisio cyflawni pethau nad o'n i wedi eu gwneud o'r blaen, fel rhedeg marathon Llundain, a chymryd rhan mewn myfyrdod Bwdhaidd fel modd o dawelu fy meddwl.

Pan oedd Anna'n gweithio, roedd hi wedi cyflogi Lynn fel glanhawraig, ond roedd hi bellach yn ffrind gorau iddi, yn galw deirgwaith yr wythnos, heb wneud llawer o waith glanhau, dim ond eistedd gydag Anna yn sgwrsio ac yn chwerthin. Byddai gofalwyr o'r awdurdod lleol yn galw bob bore a nos. Roedd un di-ffwdan o Glasgow yn ogystal ag Asiad o Uganda yn ei hijab urddasol. Fe gyflogon ni sawl merch ifanc o Wlad Pwyl i fod gydag Anna yn ystod y dydd.

Roedd yna wirfoddolwraig o Age Concern a ddaeth yn ffrind da hefyd. Roedd ganddi hi wallt coch yn bigau i gyd a thatŵs nadreddog ar hyd ei breichiau, a thra oedd Anna'n dal i allu cerdded, fe fydden nhw'n mynd i siopa ac yn prynu'r dillad mwyaf beiddgar. Ond, yn ddiweddarach, taflodd Anna bwysau papur at wirfoddolwr arall. Roedd gofal nos yn anodd weithiau, ac roedd gennym dri neu bedwar o bobl wahanol yn dod yn ystod yr wythnos. Fyddai Anna ddim yn hoffi gweld wyneb newydd. Roedd hyd yn oed y gorau'n gorfod gofyn cwestiynau, oedd yn gwneud iddi deimlo'n rhwystredig, a doedd rhai ddim hyd yn oed yn trafferthu i holi, oedd yn waeth fyth. Peidiodd y rhai oedd yn ei chael hi'n rhy anodd â galw. Daliodd Joanna, un o'r merched o Wlad Pwyl, i ddod am dair blynedd, ac erbyn y cyfnod rwy'n cyfeirio ato nawr, roedd gennym dîm da iawn o ofalwyr oedd yn adnabod Anna ac roedd hithau'n ei hadnabod hwythau. Wrth gwrs, byddai yna argyfyngau pan fyddai un ohonyn nhw i ffwrdd am wahanol resymau, ond yn gyffredinol, roedd gennym system ofal ar waith – ac roedd Anna'n fodlon â honno.

Parhaodd ei ffrindiau, merched yn bennaf, i alw. Roedd hi'n hoffi fflyrtio gyda ffrindiau gwrywaidd, ond do'n nhw ddim yn galw i'w gweld hi mor aml. Ac yn gynyddol, roedd yr ymwelwyr yn gweld y sefyllfa'n un dorcalonnus. Weithiau fyddai hi ddim yn eu hadnabod nhw neu fe fyddai hi'n cofio ac yn dechrau crio.

Do'n i ddim wastad yn bwyllog wrth gwrs. Do'n i ddim yn gweld fy hun fel y gofalwr. Mae sôn am gefnogaeth i'r gofalwr pan maen nhw wedi mynd yn brin o syniadau ar gyfer y person ei hun – ond y gefnogaeth orau i mi oedd ei bod hi'n cael yr help oedd ei angen arni. Felly, ro'n i'n fy ngweld fy hun yn gynyddol yn amddiffynnydd ac efallai yn rheolwr y gofal roedd hi'n ei gael. Ro'n i'n blino ac yn gwylltio, ac weithiau'n fy ngweld fy hun yn ymdopi neu'n methu ymdopi â straen gofalu, ac yn weithredol neu'n oddefol yn wyneb yr heriau: ar y naill olwg, yn sant ac yn bechadur, ac ar y llall, yn arwr ac yn ferthyr. Fel sant, rwy'n dychmygu 'mod i'n gwneud y peth iawn: ond fel pechadur, nad ydw i'n ddigon da i ymdopi â'r sialens. Fel arwr, rwy'n dychmygu 'mod i'n gwneud gwahaniaeth; fel merthyr, serch hynny, rwy'n derbyn fy

Anna Dartington

nhynged. Byddai sylwadau pobl eraill yn atgyfnerthu'r syniadaeth yma. 'Rwy'n edmygu dy ddewrder di': ro'n i'n bendant yn arwr! 'Dydw i ddim yn gwybod sut wyt ti'n ymdopi': merthyrdod, heb os.

Wedyn, pan oeddwn i'n teimlo'n fwy o ferthyr nag o arwr, newidiodd ein bywydau eto. Cafodd Anna ei hasesu ar gyfer gofal parhaus gan y GIG – roedd hi bellach yn ddibynnol iawn ar ofalwyr am bopeth – ac roedd rhywun yn byw gyda ni'n llawn amser.

Ro'n i'n ysgrifennu blog ar y pryd, mewn ymgais i oresgyn y teimlad ynysig, ac i gofnodi beth oedd yn digwydd gydag Anna:

> A pham, nawr fod gofalwr yn byw gyda ni, y mae hi'n edrych fwyfwy fel rhywun sy'n byw mewn sefydliad? Dydw i ddim yn meddwl mai cyd-ddigwyddiad yw'r ffaith ei bod fel tasai hi'n ildio darn mawr o'i hannibyniaeth yn ystod y dyddiau yma. Gofynnais i'r gofalwr a oedd ganddi unrhyw gwestiynau. Oes, atebodd, doedd hi ddim yn gallu cael teclyn y teledu i weithio.[2]

Roedd fel cael gwraig tŷ lojin yn y tŷ. Hefyd, doedd y gofalwyr o'r systemau gwahanol, o'r asiantaeth oedd yn darparu gofal dros nos, o'r awdurdod lleol, a'r rheini ro'n ni'n eu cyflogi'n uniongyrchol, ddim bob amser yn cytuno. Weithiau byddai yna dawelwch sarrug neu weiddi achlysurol. Byddai'r gwahaniaethau rhyngddyn nhw fel arfer yn dod i'r amlwg mewn ambell gweryl wrth drafod codi Anna, cyn ymledu i agweddau eraill o'i gofal: sut i fwydo Anna, siarad â hi, ei chefnogi, ac ati. Efallai y dylen ni fod yn disgwyl gwrthdaro fel hyn – gall natur ddi-ildio'r afiechyd wneud i unrhyw un fod yn awyddus i amddiffyn ei allu.

Ond rwy'n cofio hynny i gyd nawr fel rhyw oes euraid. Efallai fod hyn yn swnio'n hurt. Ond roedd yr ansicrwydd, y panig, yr argyfyngau, bellach dan reolaeth, yn fy marn i, ac roedd gennym systemau oedd yn ddigon cadarn i ymdopi ag unrhyw beth fyddai afiechyd Anna ei daflu atom. A'r hyn rwy'n gweld ei eisiau nawr yw'r synnwyr o gymuned a ddatblygodd o gwmpas Anna i weithio yn erbyn unigrwydd ei hafiechyd.

Roedd gennym y fantais o fyw mewn cymdeithas amlddiwylliannol, ac fel y sylweddolais hefyd, farchnad fyd-eang o safbwynt gofal. Roedd un o'r gofalwyr oedd yn byw gyda ni'n Gristion Pentecostaidd o Sierra Leone – gwraig weddw a chanddi bump o blant oedd bellach yn oedolion. Mwslim o Kenya oedd un arall – myfyriwr meddygol oedd yn astudio yn Nhwrci ond a oedd eisiau gweithio yn yr Unol Daleithiau, ac yn talu am hynny drwy weithio fel gofalwr yn y Deyrnas Unedig.

Fe gawson ni Nadolig da, yr unfed ar hugain gyda'n gilydd yn y cartref hwn. Prynais goeden Nadolig oedd mor dal ag Anna. Arhosodd y meibion dros nos a'r gofalwr oedd yn byw gyda ni ar y pryd oedd merch ifanc arall o Ddwyrain Ewrop a ddaeth â'i hegni ei hun i'r aelwyd. Roedd Anna hefyd mewn hwyliau da, yn ymateb yn well o lawer i synau nag i'r hyn y gallai hi ei weld: fe wnaeth hwyl am ben araith y Frenhines, er nad oedd hi'n gwybod beth oedd y goeden Nadolig.

Es i i ffwrdd am wythnos yn ystod y gwanwyn, a phan gyrhaeddais i 'nôl, prin oedd y newid yn Anna ar y dechrau. Ro'n i wedi bod yn gofidio o'r dechrau ynglŷn â'r anawsterau roedd Anna'n eu hwynebu gyda'r grisiau. Byddai'n cymryd ugain munud iddi gyrraedd y gwaelod weithiau, a hyd yn oed hanner awr ambell waith. Byddai'n canolbwyntio o ddifri, weithiau'n synfyfyrio. Byddai'n stopio am rai munudau, ac weithiau'n eistedd i lawr, her i amynedd unrhyw un oedd gyda hi. Gwrthgynhyrchiol oedd unrhyw ymgais i geisio gwneud iddi frysio. Gallech weld ei hymdrech, yn rhoi troed ymlaen, yn ei thynnu yn ôl, gan wneud hyn ryw ddeuddeg o weithiau, ugain – a byddai cydio ynddi'n gorfforol er mwyn ei helpu'n debygol o wneud iddi ddisgyn yn swp ar y grisiau, yn wrthrych amhosib ei symud.

Yna, un noson, allai Anna ddim dringo'r grisiau o gwbl. Fe safon ni am hanner awr – hi, y gofalwr, a fi – ond lwyddodd hi ddim i roi ei throed ar y gris gyntaf hyd yn oed. Ers misoedd roedd hi wedi bod yn stryffaglu i drio mynd i fyny ac i lawr y grisiau, yn trio cynnal ei hannibyniaeth, yn cadw'i chorff bregus yn symud. Ond nawr, roedd hi wedi stopio, wedi stopio'n stond. Felly codais hi a chydiodd y gofalwr yn ei choesau a rywsut fe lwyddon ni i'w chario hi i ben y grisiau, er 'mod i'n ofni y byddwn i'n ei gollwng hi. Fyddwn i ddim yn gwneud hynny eto.

Y diwrnod canlynol roedd Lynn, ei ffrind mewn gwewyr: 'Ydy hi'n mynd i farw?'

Roedd Anna'n eistedd yn hen gadair ei mam, cadair cefnsyth draddodiadol ac ochrau arni i ddal ei phen llipa, ond roedd hi'n dal i lithro ymlaen, bron i'r llawr. Wedyn, byddai hi'n eistedd i fyny ond hefyd yn codi ar ei thraed, yn simsan ac yn ansicr ynglŷn â beth oedd hi'n mynd i'w wneud nesa, yn troi, yn holi, ac yna'n disgyn i lawr ar y gadair unwaith eto – heblaw pan syrthiodd hi i'r llawr.

Roedd angen cadair well arnom yn syth bin. Byddai angen un arnon ni am wythnos neu ddwy, mis neu dri, roedd hi'n anodd gwybod. Roedd y gwasanaethau cymdeithasol yn ei chael hi'n anodd cadw i fyny â'i hanghenion hi. Roedd eu hasesiadau'n statig bob amser, yr hyn roedd ei angen arni ar y pryd – a byddai wythnosau'n mynd heibio cyn i hynny gael ei awdurdodi a'i gyflenwi – ac erbyn hynny byddai ei hanghenion wedi newid eto. Flwyddyn yn gynharach, ro'n nhw wedi creu ramp ar gyfer llwybr blaen y tŷ, ond cymerodd y broses wyth mis ac erbyn hynny doedd Anna ddim eisiau mynd allan mwyach. Ac roedd eu polisi nhw'n gwrthod caniatáu i rywun oedd eisoes wedi cael y gwely hydrolig diweddaraf gael cadair oedd yn mynd yn ôl hefyd.

Felly roedd hwn yn gyfnod dirdynnol dros ben. O droi eich cefn am eiliad neu ddwy, gallai Anna fod wedi syrthio. Roedd hi'n anodd ei gwylio'n ofalus drwy gydol y dydd.

Eisteddais gydag Anna un prynhawn, wrth iddi hithau orwedd yno mewn gwewyr: roedd hi'n fflapio o gwmpas yn y gwely, fel crwban wedi troi ar ei gefn. Yn sydyn, ar ôl awr, dechreuodd siarad yn glir: 'Dydw i ddim eisiau mynd i ffwrdd.' Dywedais i wrthi nad oedd hi'n mynd i unman a'i bod hi'n aros yma. Ymlaciodd wedyn.

Un diwrnod, fe fu hi'n sefyll ac yn eistedd, yn sefyll ac yn eistedd drwy'r prynhawn, ac roedd hi fel petai eisiau cerdded. Roedd hi'n gwneud synau fel rhyw fath o eiriau er nad oedd yn bosib ei deall hi, ar y cyfan. Yna, ar ôl iddi gymryd y moddion newydd i dawelu'i chynnwrf, ymdawelodd a phrin roedd hi'n siarad o gwbl.

Cofiais sgwrs gynharach, pan ddywedodd Anna, 'Mae ofn arna i. Ond rwy'n gwybod y byddi di yno i fi. Rwy'n mynd yn ddigalon iawn.'

'Does dim rhyfedd,' atebais.

'Ti'n meddwl? Dyna beth caredig i'w ddweud.' Trawodd wydr oedd yn dal diod. 'Nid sudd sydd ei eisiau arna i, ond cariad. Dere 'nôl.'

'Rwy yma,' atebais. (Ond do'n i ddim mewn gwirionedd. Ro'n i yng nghanol fy meddyliau fy hun a sylweddolodd hithau hynny'n ddigon sydyn. Doedd bod â chlefyd Alzheimer ddim yn golygu ei bod hi wedi colli'i chrebwyll yn llwyr. Allai hi ddim gweld gwydr o'i blaen hi ond roedd hi'n gwybod a oeddwn i'n gwrando ai peidio.)

Felly dyma hi'n dweud, 'Dere 'nôl. Y ti go iawn. Roeddet ti'n ŵr gwych. Ond nid nawr.'

'Ro'n i'n meddwl yr hoffet ti gael diod gyda mi.'

'Na! A tithau wedi bod mor gas tuag ata i. Alla i ddim, rwy'n ofni. Sut wyt ti'n gallu gwneud hyn? Ar ôl popeth rwy wedi'i wneud i ti.'

Wedyn fe gysgodd neu hanner cysgu drwy'r dydd, a'i llygaid ar gau. Weithiau roedd hi'n ymddangos fel tasai hi'n trio codi ond allai hi ddim gwneud dim mwy na chodi'i choesau. Aeth ei chorff a'i choesau'n stiff, cafodd ambell ffit fach, roedd ei braich chwith wedi'i throi, a byddai'n plygu ymlaen ac i'r ochr. Ar y cyfan, serch hynny, roedd hi'n dawel ac yn llonydd. Do'n i ddim bellach yn gwybod a oedd hi'n gallu adnabod fy llais.

Erbyn hyn roedd y gofalwr oedd yn byw gyda ni'n awgrymu efallai y gallai Anna aros yn ei gwely am gyfnod yn ystod y dydd, er mwyn iddi fod yn fwy esmwyth. Do'n i ddim yn dilyn ei rhesymeg yn llawn, ond roedd yn rhaid i mi dderbyn ei bod hi'n edrych yn fwy goddefol ac y byddai'n gorfod aros yn y gwely. Roedd y gofalwr hefyd eisiau eillio ei blew cedor. Dywedodd eu bod nhw'n arfer gwneud hynny mewn cartrefi preswyl. A meddyliais fod hynny'n rheswm digonol arall dros ei hatal rhag mynd i ofal preswyl.

Ac yna, ar fore Sul heulog, roedd dau ofalwr yn ei chodi hi ac Anna'n cael anhawster gyda'i hanadlu, oedd yn swnllyd ac yn ymdrechgar. Doedd hi ddim yn agor ei llygaid chwaith nac yn ymateb mewn unrhyw ffordd. Roedd y gofalwyr eisiau i mi ffonio'r meddyg, ond torrodd y gwasanaeth tu-allan-i-oriau ar fy nhraws cyn gynted ag y crybwyllais anawsterau anadlu cyn i mi allu egluro'r cyd-destun, gan ddweud wrtha i am ffonio'r gwasanaethau brys. Hanner awr yn ddiweddarach, roedd Anna mewn ward gofal brys. Digwyddodd y cyfan yn sydyn iawn heb unrhyw drafodaeth.

Cafodd ei rhoi ar ddrip, cynhaliwyd profion gwaed, ond llwyddais i'w rhwystro rhag gosod cathetr er mwyn cymryd sampl dŵr. Eglurais am y gofal oedd gennym gartref a pherswadio'r meddyg i adael iddi ddod adref. Ond roedd yn waith caled, am eu bod nhw eisiau iddi aros i mewn er mwyn ei harsylwi. Pan waeddodd Anna, daeth y meddyg i'r golwg eto, yn ofni'i bod hi mewn poen. Mewn gwirionedd, dyma'i ffordd hi o brotestio ac ar ôl chwe awr, ro'n ni gartref unwaith eto – er iddi fod yn frwydr agos iawn.

Y Sul canlynol, roedd Anna'n edrych yn iawn gyda'r gofalwyr ac ro'n i'n mynd allan. Ond pan ddes i 'nôl o'r car i nôl fy nghôt, ro'n nhw'n gweiddi, 'Ble mae'r ffôn? Ffoniwch 999!' Roedd y gofalwyr yn credu bod Anna'n cael ffit, neu strôc o bosib. Roedd hi'n anadlu'n drwm, roedd gwaed yn ei cheg ac roedd hi'n aflonydd iawn.

Eto, doedd dim dewis ond ffonio'r gwasanaethau brys. Rhoddodd y parafeddygon ocsigen i Anna, a chymryd ei phwysedd gwaed a'i thymheredd. Erbyn hynny roedd Anna wedi agor ei llygaid, ond roedd hi wedi cynhyrfu. Fe ddywedon nhw y byddai'n rhaid iddi fynd i'r ysbyty. Gofynnais pam. Oherwydd y profion: efallai fod ei hymennydd yn gwaedu. Felly beth allen nhw ei wneud? holais. Dywedais ei bod hi'n bwysig ei bod hi'n gyfforddus ac egluro bod gennym ryw fath o ysbyty gartref, gyda'r gwely a'r ddau ofalwr.

'Ai fel hyn y mae hi fel arfer?' oedd y cwestiwn nesaf, ac ro'n i'n dweud mai dyna sut roedd hi, ond dweud na wnaeth y gofalwr. Roedd Anna wedi cynhyrfu, ond roedd ei hanadlu'n dechrau dychwelyd i'r hyn oedd yn normal iddi. Peidiodd y gwaedu o'i cheg. Eglurais nad o'n i eisiau iddi hi fynd i'r ysbyty, ond fe ddywedon nhw mai dyma'r cyngor ro'n nhw wedi'i gael. Dyma nhw'n penderfynu ffonio'u rheolwr.

Roedd Anna wedi cynhyrfu ychydig – oedd yn arwydd da, yn fy marn i. Doedd dim cymaint â hynny'n bod arni os oedd hi'n dal i allu protestio fel y gwnaeth, â masg ocsigen ar ei hwyneb ac ystafell yn llawn pobl yn gwisgo dillad gwyrdd.

Dangosais y llythyr rhyddhau o'r uned frys yr wythnos flaenorol ac ro'n nhw wedyn yn gallu cymharu'r canlyniadau. Cyrhaeddodd rheolwr y parafeddygon. Roedd anadlu Anna'n normal bellach. Eglurodd y rheolwr eto mai'r cyngor ro'n nhw wedi'i gael yng nghyswllt Anna oedd mynd â hi i'r ysbyty a gofynnwyd i mi arwyddo ffurflen yn dweud 'mod i wedi gwrthod y cyngor hwnnw. Dywedodd y dylwn i ffonio'r meddyg, a dyna wnes i, ond roedd y gwasanaeth tu-allan-i-oriau'n cwestiynu pam roedd angen meddyg os oedd y gwasanaethau brys yno'n barod. Rhoddais y ffôn i'r parafeddygon i sortio pethau.

Dyma oedd ein dilema ni: 'tu-allan-i-oriau', doedd dim byd rhwng sicrhau bod Anna mor gyfforddus ag y gallai hi fod a chael y driniaeth â'r goleuadau glas yn fflachio. Pan ddaeth y meddyg, roedd hi'n cydymdeimlo'n fawr â ni ac yn gymwynasgar iawn, ac yn ein cysuro ein bod ni wedi gwneud y peth iawn. Roedd Anna'n gyfforddus ac yn gysglyd erbyn hyn. Archwiliodd frest a chalon Anna gan nodi bod ganddi ychydig bach o wres. Ceisiodd hefyd nôl sampl dŵr o'r pad anymataliol roedd y gofalwyr wedi'i daflu o'r neilltu – oedd dipyn yn fwy caredig na gosod cathetr.

Gorffwysodd Anna yn ei gwely tan amser cinio, cyn i'r gofalwyr ei chodi. Roedd pethau 'nôl i drefn unwaith eto. Ond taswn i ddim wedi dychwelyd i nôl fy nghôt am 'mod i'n teimlo'n oer, fe allai hi fod wedi mynd i'r ysbyty eto, wedi cael ei chadw yno, ac o bosib wedi marw yno.

Felly, fe lwyddon i osgoi hynny – fwy neu lai – tan y cyfarfod adolygu nesaf. Gofynnwyd i mi lunio cynllun gofal diwedd oes, wedi iddyn nhw egluro wrtha i beth oedd hwnnw. Rwy'n cofio meddwl, 'Ond onid eich gwaith chi yw hynny? Chi yw'r arbenigwyr,' ond wedyn sylweddolais eu bod yn fy nghymryd i o ddifri, ac yn cael fy nhrin yn deg o fewn y system. Ro'n ni'n ymateb i argyfwng, ac yn trio cael trefn ar bethau wrth i ni fynd ymlaen.

Roedd wyneb newydd i mi yn y cyfarfod adolygu: y meddyg ymgynghorol o'r tîm gofal lliniarol. Roedd darnau olaf y jig-so gofal bellach yn disgyn i'w lle a chytunwyd ar y cynllun gofal diwedd oes: gofalu am Anna gartref heb unrhyw ymyrraeth arwrol i ymestyn ei bywyd, gyda chopïau i'r meddyg teulu, y gwasanaethau cymdeithasol, nyrsys ardal, ac asiantaeth y gofalwyr oedd yn byw gyda ni.

Daeth yr ymgynghorydd gofal lliniarol i'n gweld ni gartref, ac roedd gennym yr holl gefnogaeth oedd ei heisiau arnom nawr, yn cynnwys gwahanol feddyginiaethau, rhag ofn, a silindr ocsigen.

Weithiau byddai Anna'n cynhyrfu a ninnau'n methu gwneud llawer i'w gwneud hi'n gyfforddus. Roedd hi eisiau sefyll ar ei thraed, ond doedd ganddi mo'r nerth. Er ei bod hi'n wan, roedd hi'n gallu dal fy mys yn dynn iawn. Roedd yn rhaid i mi dderbyn ei bod hi'n marw, ond doedd gan neb syniad pryd oedd hynny'n debygol o ddigwydd.

Felly roedd penwythnos y Pasg yn gyfnod digon tawel. Byddwn yn eistedd gydag Anna am dipyn ac yna'n gorffwys. Soniodd ein gofalwr Pwylaidd wrthym am ei hymweliadau hi a'i chariad â'r eglwys Bwylaidd i fynd â bwyd mewn basged i gael ei fendithio. Ddaeth gofalwr y nos ddim, ond fe lwyddon ni i ymdopi rywsut. Gwyliais y newyddion ar y teledu: person ifanc arall wedi'i lofruddio, bachgen wedi'i drywanu mewn bwrdeistref gyfagos yn Llundain. Yna gwyliais ychydig o golff, y Meistri o Atlanta. Mae gwylio sgiliau ardderchog pobl eraill bob amser yn galonogol – un peth arall nad oes raid i mi ragori ynddo.

Galwodd dau hen ffrind ysgol i Anna'n annisgwyl iawn. Roedd hynny'n annisgwyl oherwydd roedd ffrindiau gwrywaidd Anna wedi stopio galw pan aeth hi'n sâl. Rhoddais ddiod iddyn nhw a'u harwain nhw i fyny'r grisiau i'w gweld hi. Eisteddodd Mike a gafael yn ei llaw. Aros ar ei draed wnaeth Derek. Dywedodd wedyn nad oedd e wedi disgwyl i'r afiechyd effeithio arni mewn modd mor gorfforol. Eglurais sut roedd ei chorff hi'n nychu, 'mod i'n meddwl y byddai hi'n marw'n ystod y misoedd nesaf. Misoedd ddywedais i, ond wythnosau ro'n i'n ei feddwl. Fe eglurais beth oedd wedi bod yn digwydd, yr argyfyngau a'r gofal lliniarol. Cawsom sgwrs am yr hen ddyddiau.

Cyrhaeddodd y gofalwr nos, yn edrych yn hynod o hardd, yn fy marn i. Y diwrnod hwnnw, roedd hi wedi bod yn gweld corff ei nai. Fe oedd y bachgen a drywanwyd, yr o'n i wedi clywed ei hanes ar y newyddion. Dechreuais feddwl mor anodd oedd bywydau rhai o'r gofalwyr – mewnfudwyr cenhedlaeth gyntaf a newydd – a chymaint ry'n ni'n dibynnu arnyn nhw.

Es i Iwerddon am ychydig ddyddiau – roedd y tripiau gwaith yma'n ymgais i gadw un droed yn y byd go iawn. Pan gyrhaeddais adref, ro'n i'n gwybod ein bod ni'n agosáu at y diwedd. Roedd gen i annwyd trwm a ddaliais ar y daith 'nôl ar yr awyren ac ro'n i'n ofni y byddai Anna'n ei ddal gen i ac y gallai hynny olygu'r diwedd iddi.

Galwodd y seiciatrydd a gweld bod Anna'n cael trafferth gyda'i hanadlu ac yn cael mwy o byliau o boen. Roedd ei gofid fod cyflwr Anna wedi dirywio cymaint yn amlwg, ac roedd hi felly gyda phob ymweliad. Rhaid mai dyma un o agweddau mwyaf heriol ei gwaith, meddyliais: oedd hi fyth yn gweld rhywun yn gwneud dim heblaw gwaethygu?

Roedd hi'n rhyfedd meddwl nad oedd gan rywun mor gymdeithasgar ag Anna lawer o deulu a phenderfynais ei bod hi'n bryd ysgrifennu at ei chefndryd. Yn fy mhen, ro'n i'n trefnu ei hangladd.

Galwais yn y feddygfa leol ond doedd ein meddyg ni ddim yno. Daeth meddyg arall. 'Ai eich mam chi yw hi?' holodd. Ro'n i'n ei gasáu yr eiliad honno.

Roedd yn ddiwrnod prysur dros ben. Daeth gofalwyr gwahanol i fyw gyda ni. Cyrhaeddodd y darn olaf o offer: rhywbeth i ddal pen Anna pan oedd hi'n eistedd ar ei chadair yn y gawod. Roedd popeth gennym bellach, a nawr fod popeth gennym, roedd hi'n mynd i farw. Ro'n i'n amau y byddai hynny'n digwydd yn eithaf sydyn. Neu a fyddai hi'n llwyddo i fyw am rai wythnosau eto? (Neu fisoedd, meddwn yn fy meddwl.)

Daeth yr ymgynghorydd gofal lliniarol i'n gweld eto gyda'i thîm. Dyma'r trydydd meddyg mewn tri diwrnod, oedd yn fodd o farnu pa mor ddifrifol oedd y sefyllfa.

Brynhawn dydd Gwener, roedd Joanna, y gofalwr Pwylaidd, a oedd wedi dod atom dros dair blynedd ynghynt, pan oedd Anna'n gallu chwerthin a chanu a dawnsio, yn bryderus ynglŷn ag anadlu Anna, oedd yn fyr ac yn llawn ymdrech. Aeth y ddau ohonom i eistedd gyda hi nes iddi stopio anadlu.

Galwodd yr ymgynghorydd gofal lliniarol ar ddiwedd y dydd ac ysgrifennu'r dystysgrif marwolaeth. Daeth rhai o'r gofalwyr ac aelodau'r teulu draw hefyd, a chawsom noson anffurfiol o hel atgofion cyn mynd i eistedd gydag Anna. Daeth y trefnydd angladdau i nôl ei chorff y diwrnod canlynol.

Dementia oedd achos ei marwolaeth ar y dystysgrif yn ôl y meddyg – oedd yn ddigon gwir. Yn rhyfedd iawn, doedd swyddfa'r crwner ddim yn fodlon derbyn eglurhad mor syml a bu'n rhaid ysgrifennu tystysgrif newydd. Hyd yn oed mewn marwolaeth roedd angen dod o hyd i eglurhad arall ar gyfer yr hyn oedd wedi bod yn digwydd.[3]

Nodiadau

[1]   Cyhoeddwyd cofnod Anna'n ddiweddarach fel: Dartington, A. a Pratt, R. (2007) 'My Unfaithful Brain – a Journey into Alzheimer's Disease.' Yn R. Davenhill (gol.), *Looking into Later Life: A Psychoanalytic Approach to Depression and Dementia in Old Age*. Llundain: Karnac, tt. 283–297.

[2]   Yn ddiweddarach, defnyddiodd Tim ei flog fel sail ar gyfer ei ddisgrifiad o'i brofiadau wrth i gyflwr Anna ddirywio, cyhoeddwyd yn y cofnodolyn *Dementia*. journals.sagepub.com/doi/10.1177/1471301207081564

[3]   Mae Tim Dartington wedi ysgrifennu am fisoedd olaf bywyd Anna hefyd,

gyda mewnbwn gan y tîm clinigol fu'n gofalu amdani yn ystod y cyfnod hwn o'i hafiechyd, yn y *British Medical Journal:* Dartington, T. (2008) 'Dying from dementia – a patient's journey.' *BMJ 337,* 7675, 931–933. www.bmj.com/content/337/bmj.a1712.full. Gwelwyd 2 Ebrill 2019

30

Cyflwr o ras

Rosemary Clarke

Ro'n i'n 51 oed, yn gweithio'n llawn amser fel seicotherapydd ac yn byw ar fy mhen fy hun, pan ddechreuodd fy mam fynd yn fwy anghofus a dryslyd. Gallwn ddisgrifio fy hun mewn sawl ffordd, ond byddai 'cydwybodol' bob amser yn agos iawn at frig y rhestr. Nawr fod gofalu am fy mam wedi troi'n gyfrifoldeb gwirioneddol, gwnes fy ngorau i gyflawni hynny hefyd.

Byddai'n rhwydd dweud bod gen i berthynas dda â hi: dydy pethau byth mor syml â hynny. Ro'n i'n gwybod bod ei chalon yn y man iawn, ac roedd hi'n wraig garedig, anfeirniadol a thosturiol, ac ro'n i'n meddwl y byd ohoni. Yn yr un modd, gallai hi weithiau fynd o dan fy nghroen. Beth sy'n ddigamsyniol o wir yw 'mod i wedi 'gofalu amdani hi' am gyfnod hir iawn. Roedd hi'n ddihyder iawn: roedd hi wedi dysgu'n gynnar iawn i fod yn ansicr o'i chroeso, ac felly y parhaodd pethau drwy gydol ei hoes. Ro'n i'n deall ei hanawsterau ac wedi ceisio'i helpu hi gyda nhw bob amser, er mwyn 'gwneud pethau'n well', orau y gallwn. Byddwn yn ei chynnwys weithiau yn rhai o'm digwyddiadau cymdeithasol; pan fyddai angen dillad newydd arni, fi fyddai'n mynd gyda hi'n gwmni i'w hannog; byddwn hefyd yn mynd gyda hi i apwyntiadau meddygol. Roedd rôl y fam a'r ferch wedi cyfnewid, yn rhannol o leiaf, flynyddoedd yn ôl. Ac wrth gwrs, do'n ni ddim yn unigryw yn hyn o beth. Mae cymaint o ferched yn llithro i mewn i rôl gofalwr heb sylweddoli hynny. Do'n i ddim yn ystyried fy hun yn fwy o 'ofalwr' ar ddiwedd 1998 nag o'n i'n ofodwraig.

Pan ddechreuais i bryderu am y modd roedd fy mam yn gweithredu, roedd agwedd fy mrawd tuag at y sefyllfa'n fwy hamddenol. Roedd hi'n methu cofio pa ddiwrnod o'r wythnos oedd hi am nad oedd hi'n mynd allan ryw lawer, meddai fe: roedd un diwrnod yn debyg iawn i'r llall. Ond wedyn, sylweddolais mai ei duedd arferol oedd peidio ag edrych o dan wyneb pethau. Rwy'n cofio mynd gyda hi i weld y meddyg ymgynghorol a oedd yn mynd i roi clun newydd iddi a gorfod siarad drosti bron yn llwyr. Ac roedd mwy i'w hanghofrwydd hefyd: rwy'n cofio iddi fod yn annodweddiadol o 'hunanol' ynglŷn â bod eisiau bwrw ymlaen ar unwaith â'r llawdriniaeth, beth bynnag yr effaith ar eraill. Ro'n i ar fin symud tŷ, ond yn rhyfedd iawn, roedd hynny ddim fel pe na bai'n effeithio dim ar ddymuniadau fy mam.

Rwy'n gwybod nawr nad fy anhawster mwyaf oedd ei hafiechyd ei hun, nid ein perthynas flaenorol, nid hyd yn oed fy amser prin, ond y ffaith nad o'n i'n gwybod dim am ddementia. Doeddwn i ddim hyd yn oed yn gyfarwydd â'r gair ac yn waeth byth, yn meddwl mai dim ond 'heneiddio' oedd fy mam, fel roedd ei mam hithau wedi'i wneud, a'i bod yn rhaid i ni wneud y gorau allen ni. Ddefnyddiodd y nyrs ardal o'r feddygfa leol mo'r gair, na sôn am ddiagnosis, nac am glinig cof na chyffuriau ar gyfer dementia, nac am yr Alzheimer's Society na'r grwpiau cefnogi na gofal seibiant, na ... gallwn i fynd ymlaen. Rwy'n gwneud hynny'n aml! Hyd y gwyddwn i, doedd gen i ddim dewis ond ymdopi â'r sefyllfa a gwneud y gorau allwn i, gan ddechrau gyda'n gilydd ar hyd llwybr na allwn ei ddisgrifio ond fel un hynod o anniben.

Wedi iddi gael cyfnod hir o anaesthesia ar gyfer y llawdriniaeth rai wythnosau'n ddiweddarach y gwaethygodd y dementia: roedd hi'n cael rhithweledigaethau gwyllt ac yn hynod o baranoid. Pan ddaeth adref o'r ysbyty, gwnaeth fywyd yn amhosib i'r gofalwr llawn amser ro'n ni wedi'i gyflogi. Roedd hi'n gwrthod gwneud ei hymarferion o gwbl, a'r unig bryd y byddai'n fodlon gwneud unrhyw beth oedd pan fyddai un ohonon ni yno gyda hi. Aeth pethau o ddrwg i waeth; syrthiodd a thynnu ei chlun newydd o'i lle dair gwaith, ac yn dilyn tri ymweliad brys â'r ysbyty bu'n rhaid iddi gael llawdriniaeth lawn arall, gyda chyfnod hir arall o anaesthesia. Ro'n i'n eistedd wrth ymyl ei gwely pan ofynnodd hi i fi beth oedd y plant yn ei wneud ar y llawr fan draw. Flwyddyn neu ddwy'n ddiweddarach, ac ar ôl llawer o sylwadau tebyg – yn cynnwys cyfeiriadau at y cŵn roedd hi'n eu gweld – clywais am ddementia â chyrff Lewy, a rhoi dau a dau at ei gilydd.

Aeth misoedd heibio, a dirywio wnaeth cyflwr fy mam. Collodd bwysau, a'r unig bryd y byddai hi'n bwyta, roedd hi'n amlwg, oedd pan fyddai rhywun yno. Mae'r bore y cyrhaeddais a gweld ei fest yn hongian dros y lamp wrth ymyl y gwely a thwll ag ymyl brown lle roedd y gwres wedi llosgi drwyddo wedi'i selio ar fy nghof am mai dyna'r diwrnod y ffoniodd hi fi 40 gwaith mewn un diwrnod.

Y peth arall oedd yn digwydd – heblaw bod fy mrawd a minnau'n rhedeg i ddal i fyny â hi, a minnau'n tynnu gwallt fy mhen yn drosiadol wrth ruthro rhwng un apwyntiad a'r llall er mwyn gweld ei bod hi'n iawn gan nad oedd hi'n ateb y ffôn, ac ar yr un pryd yn trio trefnu'r gofal yr oedd hi bob amser yn ceisio'i danseilio – oedd ein bod ni'n ymweld â phob cartref gofal posib yn yr ardal. A doedd yr un ohonyn nhw'n gwneud y tro, cyn belled ag yr oedd hi yn y cwestiwn. Mae'r geiriau 'wedi ymlâdd' yn ymadrodd rhy rwydd i'w ddefnyddio i ddisgrifio'r ffordd ro'n i'n teimlo yr adeg hon. Ro'n i ar ben fy nhennyn, yn rhwystredig am ei bod hi mor 'anodd', heb ddeall nad oedd hi'n gallu ei helpu ei hun.

Yn y pen draw, llwyddon ni i'w thwyllo hi – dyna'r gwir – i fynd i gartref nyrsio yn ystod y dydd, a byddwn i'n teimlo rhyddhad aruthrol o'i gadael hi yno. Diolch i Dduw fod rhywun yn gofalu amdani am y diwrnod, a doedd dim rhaid i mi boeni amdani am yr oriau nesaf.

Ymhen ychydig, symudodd fy mam i mewn i'r cartref; arhosodd yno am sawl blwyddyn, ac yn raddol, dirywiodd ei gallu meddyliol a'i symudedd. Yn y pen draw, llwyddais i gael hyd i'r Alzheimer's Society, a theimlo rhyddhad enfawr o gael bod gydag eraill oedd yn yr un sefyllfa, ac a oedd yn deall. Cefais fy nghyflwyno gan nyrs seiciatrig gymunedol ardderchog, a oedd hefyd yn weithiwr cefnogi gofalwyr, i bob math o ffynonellau gwybodaeth ac yn raddol dechreuais ddeall y sefyllfa. Ond dro ar ôl tro byddwn yn dod ar draws rhywbeth ychydig yn rhy hwyr i fod o fudd i fy mam. Roedd hi, er enghraifft wedi dechrau 'gwlychu a baeddu' cyn i mi hyd yn oed ddysgu bod hyn yn digwydd i bobl â dementia oherwydd eu bod nhw wedi anghofio ble mae'r tŷ bach, neu oherwydd bod angen help arnyn nhw i gofio mynd yn gyson, yn hytrach na'u bod yn methu rheoli'r bledren.

Y peth anoddaf i mi oedd, ac yw o hyd, nad o'n i'n gallu sicrhau ansawdd bywyd derbyniol iddi, ar adeg pan oedd hi'n gwbl ddibynnol ar y rhai o'i chwmpas i wneud hynny – ac yn fwy felly, pan oedd yr ansawdd bywyd hwnnw'n bosibl, taswn i a phawb arall yn gwybod beth nad o'n i'n ei wybod ar y pryd. Dydw i ddim yn fy meio fy hun. Dydw i ddim chwaith yn teimlo'n euog, ddim ond yn drist ofnadwy, am na ddigwyddodd yr hyn oedd yn bosib yn ei hachos hi, ac iddi orfod dioddef profiadau ofnadwy na ddylai fod wedi digwydd.

Wedi dweud hynny, hoffwn ddisgrifio ambell achlysur eithriadol o fendigedig a dreulion ni gyda'n gilydd, a ddigwyddodd mewn ffordd yn sgil ei huniongyrchedd a'i symlrwydd cynyddol. Tra oeddwn i'n gallu ei chael hi i mewn i'r car, bydden ni'n mynd allan am dro ar y penwythnosau. Rwy'n cofio eistedd gyda hi yn ystafell haul fy nghartref i, a haul yr hydref yn gwenu'n wan drwy'r gwydr, wrth i ni ddidoli'r afalau o'r berllan: y rhai perffaith i'w cadw yn y bocs yna, y rhai â chleisiau mân yn hwn, ac yn y bowlen hon, y rhai sydd angen eu trin a'u rhewi'n syth. Wrth gwrs, fe ofynnodd hi eto bob tro y byddai'n cydio mewn afal beth oedd beth, ond doedd dim ots. Roedd hi'n hollol fodlon, yn bod yn ddefnyddiol mewn gardd gyda'i merch. Ac ro'n i wir yn gallu teimlo 'mod i'n rhoi iddi'r hyn roedd ei angen arni.

Un prynhawn o haf, es â hi i bentref bach a pharcio'r car cyn mynd am dro, yn araf bach, ar hyd llwybr i lawr at nant. Agorais y cadeiriau ro'n i rywsut wedi llwyddo i'w cario gyda mi yn fy llaw sbâr, a'i helpu i eistedd. A dyna lle y treulion ni awr neu ddwy ddedwydd iawn yng nghwmni'n gilydd. Hwyliodd alarch heibio, roedd yr adar yn canu, yr haul yn cynhesu ei hen esgyrn, ac fe gawson ni bicnic bach hyd yn oed, a oedd yn cuddio yn fy mag. Dyma'r math o le oedd wrth fodd ni'n dwy; roedd yn berffaith iddi hi, ac yn gyfle i mi fod yn llonydd ac yn dawel am dipyn gan ddianc o 'mywyd prysur iawn.

Es i â fy mam i gyngherddau ar brynhawn Sul yn y Barber Institute yn Birmingham droeon. Roedd hi'n rhyddhad i mi sylweddoli beth bynnag fyddai fy mam yn ei wneud, fyddwn i ddim yn teimlo cywilydd. Gallai guro'i dwylo i ddangos ei gwerthfawrogiad ar ddiwedd pob symudiad tasai hi'n dymuno gwneud hynny. Pam lai? Pan nad oes llawer o amser gennych ar ôl i fwynhau harddwch, mae confensiynau cymdeithasol yn cilio i'r cefndir.

Mae pethau syml yn troi'n arwyddocaol a gwerthfawr. Gallen ni basio tŷ a chanddo lwyn lafant o'i flaen, a byddwn yn gwasgu darn bach rhwng fy mysedd a'i gynnig iddi i'w arogli. Byddai'r wên fyddai'n lledu ar draws ei hwyneb wrth iddi drio dweud ei bod hi'n cofio ac wrth ei bodd efo'r arogl yn rhoi cymaint o foddhad i mi.

Ond 'nôl yn y cartref nyrsio, roedd hi wedi dechrau mynd yn 'ymosodol', mae'n debyg. Ar y pryd do'n i ddim yn ymwybodol o beth allai hyn ei olygu – poen, ofn, ymgais i gyfleu rhywbeth pwysig iawn. Felly, pan ofynnodd y cartref i mi roi fy nghaniatâd i'w llonyddu hi, cytunais yn gyndyn. Do'n i ddim yn sylweddoli eu bod nhw'n golygu gwneud hynny'n barhaol. Do'n i ddim yn gwybod bod ganddi ddementia â chyrff Lewy, na bod y cyffuriau hynny'n fygythiad i fywyd rhywun â'r afiechyd hwnnw. Doedd dim diwylliant o bartneriaeth yn rheolaeth y cartref, ac ro'n i wastad yn teimlo fel taswn i dan draed o ofyn am gyfle i drafod pethau gyda'r staff. Felly, er i mi dreulio cinio Nadolig y flwyddyn honno fwy neu lai'n codi pen fy mam allan o'i bwyd am ei bod hi mor gysglyd – dydw i ddim yn gor-ddweud – rywsut, dim ond rhai wythnosau'n ddiweddarach, pan oedd hi'n dal 'allan ohoni' a minnau'n holi ai'r tawelyddion oedd ar fai, y darganfyddais fod y stwff yn dal i gael ei roi iddi a'i 'bod hi'n anodd cael lefel y dogn yn gywir ar y dechrau'. Roedd hyn yn frawychus!

Yn fuan wedi hynny, doedd hi'n ddim syndod clywed bod Mam wedi syrthio a thorri asgwrn y forddwyd, wedi'i hanfon i'r ysbyty, heb gael llawdriniaeth oherwydd y problemau blaenorol gyda'r anaesthesia, ac wedi'i rhyddhau o'r ysbyty, yn erbyn fy nymuniadau i, a'i hanfon 'nôl i'r un cartref. Mynnais fod y seicogeriatrydd yn dod i weld fy mam a, diolch byth, fe orchmynnodd na ddylai hi gael y cyffuriau mwyach. Yn dilyn hynny, cafwyd cyfnod hir pan oedd fy mam, yn ôl y dyddiadur a gadwyd gennym ar y pryd, fel petai'n 'absennol' lawer o'r amser, ddim yn ymateb i mi, ddim fel tasai hi'n f'adnabod i, ac yn edrych yn 'wag', ei llygaid naill ai ar gau neu ar agor ond yn methu gweld dim. Neu felly roedd hi'n ymddangos. Waeth beth ro'n i'n ei drio, doedd dim ymateb.

Am gyfnod hir ro'n i wedi bod yn rheoli arian fy mam, ac roedd hynny'n anodd yn emosiynol. Cyn hynny, fy mrawd oedd wedi bod yn cyflawni'r dasg hon, ond heb drafod dim â mi na 'nghael i i arwyddo sieciau, er 'mod i'n gyd-atwrnai ag e. Doedd y berthynas rhyngon ni'n dau ddim wedi bod yn dda ers blynyddoedd lawer – hen hanes oedd yn dal i effeithio ar ein hymwneud â'n gilydd. Chwyddodd diffyg ymddiriedaeth o'm rhan i yn ddicter, a dyna pryd y trosglwyddodd y papurau i gyd i mi. Yr adeg hon, prin oeddwn i'n llwyddo i gadw'r blaidd rhag y drws o safbwynt fy sefyllfa ariannol fy hun. Doedd hi ddim yn adeg addas i mi dderbyn cleifion newydd a minnau'n gorfod canolbwyntio ar bethau eraill; o ganlyniad roedd f'incwm yn graddol leihau, yn gymaint felly fel nad o'n i hyd yn oed yn prynu paned o de i mi fy hun pan o'n i'n mynd allan, ac yn gweddïo na fyddai angen car newydd arna ai, ac na fyddai'r to'n gollwng. Doedd dim byd gen i wrth gefn.

Eto i gyd, dyma lle ro'n i nawr, yn cydarwyddo sieciau fy mam am

£2000 bob mis i dalu am y cartref nyrsio. Ro'n i'n teimlo rhyw fath o gynddaredd diymadferth fod y wlad yn disgwyl i bobl â dementia dalu am eu gofal eu hunain, yn wahanol i bobl sydd ag afiechydon terfynol eraill, a'i bod yn rhaid i mi ymladd yn erbyn penderfyniadau hyd yn oed ynglŷn â'r cyfraniadau 'gofal nyrsio' bondigrybwyll, ac unrhyw fudd-dal pitw arall yr oedd ganddi hawl iddo.

Ond ymysg yr holl flinder a gwewyr meddwl a rhwystredigaeth, digwyddodd dau beth pwysig, y ddau ohonyn nhw'n rhyddhad mawr, ac a ddaeth â llawer o fendith.

Un o'r newidiadau mawr oedd i ni ddod o hyd i gartref nyrsio arall, tra gwahanol, ar gyfer blwyddyn olaf bywyd fy mam. Roedd y bysellbad ar y drws ffrynt yn golygu y gallwn fynd a dod fel y mynnwn, fel taswn i'n ymweld â Mam yn ei chartref ei hun, a dyna oedd e wrth gwrs. O'r dechrau, ro'n i yno fel partner yn ei gofal, yn cael fy nerbyn a'm gwerthfawrogi felly, ac yn teimlo'n hollol rydd i siarad â'r gofalwr neu'r rheolwr. Yn bennaf oll, cefais y profiad hynod ddymunol o allu cefnogi'r gofal arbennig roedd y staff yn ei ddarparu. Os nad oedd rhywbeth yn iawn, byddai fy sylwadau'n cael eu derbyn yr un mor raslon. Gofynnodd y staff i fi lenwi ffurflen yn cynnwys hanes bywyd fy mam, fel eu bod nhw'n gwybod rhywbeth amdani er na allai hi ddweud dim wrthyn nhw ei hunan: roedd hi nawr yn fud a bron bob amser yn methu ymateb pan fyddai rhywun yn siarad â hi. Weithiau byddwn i ac aelod o'r staff yn cofleidio'n gilydd pan fyddwn i'n cyrraedd. Merched o Ddwyrain Ewrop oedd llawer ohonyn nhw, yn bell o'u teuluoedd, ac ro'n i'n colli fy mam. Roedd gwir gynhesrwydd yn bodoli rhyngon ni.

Rwy'n cofio'i phen-blwydd yn naw deg un, ychydig ddyddiau ar ôl iddi gyrraedd. Prynhawn Sul oedd hi, a'i hystafell yn llawn blodau. Roedd rhai aelodau o'r staff a rhai o'm ffrindiau caredig wedi dod ynghyd yno ac ro'n ni i gyd yn yfed coctels siampên, diod yr oedd hi'n hoff iawn ohoni. Roedd mwy o ymateb ar wyneb Mam nawr: roedd hi'n amlwg yn mwynhau'r siampên. A dyma'r gogyddes yn dod â chacen ysblennydd i mewn iddi a phawb yn canu 'Pen-blwydd Hapus', am y tro olaf, fel y digwyddodd hi. Digwyddiad prin oedd hwnnw, wrth gwrs, ond ro'n i'n teimlo'n hapus o wybod 'mod i'n gwneud y gorau allwn i i'r wraig annwyl hon, a'i bod hi, o bosib, yn hapus hefyd.

Y rhodd hwyr arall oedd i un o'm cyd-weithwyr sôn wrtha i am gwrs ar 'waith coma', a allai, mae'n debyg, fod o gymorth i bobl oedd wedi 'ymgilio' yn sgil cyflyrau fel coma neu ddementia.[1] Ro'n i'n amheus y gallai hynny helpu fy mam. Ai'n *analluog* oedd hi yn hytrach nag wedi ymgilio? Ond roedd yn rhaid i mi roi cynnig arni, felly dyma fi'n mynd ar y cwrs. O'r hyn a glywais y penwythnos hwnnw, gallwn sylweddoli bod y dull hwn wedi helpu llawer o bobl eraill, mewn ffyrdd digon trawiadol, ond gadael wnes i heb deimladau cryf am y peth y naill ffordd na'r llall. Yr argraff gefais i oedd y syniad syml iawn fod angen i mi gadw llygad am unrhyw arwydd o weithgaredd o du fy mam a'i chefnogi i gyfleu hynny'n llawn; mai fy ngwaith i oedd ei galluogi *hi* i fynegi'i hun yn hytrach na thrio mynegi fy hun iddi hi. Dyna'r newid radical yn fy meddylfryd.

Pan ddechreuais drio defnyddio'r dull hwn gyda fy mam, doedd hi ddim wedi siarad â mi ers blwyddyn. Roedd ei llygaid fel tasen nhw ddim yn gallu gweld dim y tu allan iddi hi ei hun. Byddai hi'n arfer gorwedd weithiau â'i breichiau wedi eu croesi ar draws ei mynwes, ei dwylo'n ddyrnau, a'i choesau wedi eu croesi, heb symud dim. Do'n i ddim yn meddwl ei bod hi'n f'adnabod i mwyach. Ond nawr, pan o'n i'n talu sylw'n llawn, ro'n i'n gallu sylwi o'r newydd ar symudiadau bach ro'n i wedi eu gweld o'r blaen ond heb feddwl bod unrhyw ystyr iddyn nhw: byddai'n cnoi ei deintgig, byddai ei bys bawd yn symud y tu mewn i'w dwrn, ac weithiau byddai bawd ei throed yn symud.

Y tro cyntaf i mi ymweld â fy mam ar ôl y cwrs, dyma fi'n trio ychydig o'r hyn ro'n i wedi'i ddysgu. Roedd y canlyniadau'n rhyfeddol. Penliniais wrth ei chadair a siarad â hi: dywedais wrthi 'mod i'n mynd i roi fy mys ar ei harddwrn. Gwyliais ei symudiadau bach a dewis mynd am y bys bawd oedd yn gaeth o fewn ei dwrn. Rhoddais fy mys ar waelod ei bawd, am mai dim ond hwnnw y gallwn ei gyrraedd, a 'siarad' â'i bawd gan ddweud pa mor egnïol yr oedd, a pha mor brysur oedd pethau'n ymddangos i mewn yno. O'r dechreuad syml hwnnw, sbardunwyd 40 munud o weithgaredd di-dor ar ran fy mam. Cyn bo hir roedd ei braich yn chwifio yn yr aer, fy mys bob amser yn glynu'n dynn, ond yn dyner, wrth ei llaw. Byddai hi'n gwneud ambell sain, yna'n dweud rhywbeth, ambell air rhyfedd i ddechrau, wedyn ambell frawddeg fer. A thrwy'r amser ro'n i'n ei hannog hi i wneud beth bynnag roedd ei chorff hi eisiau ei wneud, gyda geiriau a chyda'u tôn.

Pan o'n i'n barod i adael, dyma fi'n dweud, 'Hwyl am y tro,' ac fe atebodd hithau, 'Hwyl am y tro,' ac yn dilyn saib byr, 'Rwyt ti *yn* garedig, cariad.' Anghofiaf i fyth y foment honno: ro'n i'n gegrwth.

Yn ystod y pum neu chwe mis nesaf, byddai yna ryw gysylltiad rhwng

Rosemary gyda'i mam Josan

y ddwy ohonon ni ar bob ymweliad. Pan na fyddai hi'n ymateb o gwbl, roedd hynny'n haws am ei bod hi'n ymddangos fel tasai hi'n *dewis* f'anwybyddu i. Roedd dewis, hyd yn oed dewis gwrthod, mewn bywyd hollol oddefol, yn rhywbeth gwerthfawr iawn i mi. Yn ogystal â'r fantais amlwg i fy mam, roedd y broses yn rhodd i mi. Daeth yr angen i 'ddeall' i ben ac yn hytrach dysgais ymddiried yn f'ymatebion greddfol. Efallai fod hyn yn swnio'n rhyfedd ond rwy'n ddiolchgar i'r afiechyd yma am roi ffordd i Mam a minnau i gysylltu'n agosach â'n gilydd nag ro'n ni wedi'i wneud ers pan o'n i'n fabi.

Dewisodd ddefnyddio'r gwaith coma gyda mi am ryw chwe mis, cyn 'mynd i mewn' unwaith eto am flwyddyn, bron. Yn y diwedd, a hithau'n gorfod wynebu'r argyfwng o orfod gadael y byd hwn, dewisodd wneud hyn eto.

'Cyhoeddodd' un diwrnod ym mis Rhagfyr ei bod hi'n marw, drwy wrthod bwyd a diod. Roedd hi wedi cau ei cheg i wrthod bwyd o'r blaen, ond roedd hyn yn wahanol: wnaeth hi ddim dechrau bwyta eto ymhen tipyn fel roedd hi wedi'i wneud yn y gorffennol. Ro'n i wedi bwriadu mynd i ffwrdd am wythnos, ond doedd canslo'r gwyliau ac aros gyda hi ddim yn broblem.

Roedd y bythefnos olaf honno'n ddim mwy na gwyrthiol, i mi o leiaf. Galluogodd fy hyfforddiant fel therapydd ac yn bendant mewn gwaith coma, imi fod yno iddi, yn bresennol drwy'r amser, weithiau'n fud. Y gair fyddwn i'n ei ddefnyddio i ddisgrifio'r cysylltiad rhyngon ni yw cymundeb. Defnyddiodd hi ei bys bawd a minnau fy mys, hithau'n dal fy mys drwy'r amser. Gwnaeth nifer o bethau drosodd a thro, ac ro'n i'n teimlo y gallwn i gymryd rhan mewn ffordd ro'n i'n teimlo oedd yn ei chynnal hi mewn cariad, yn yr un modd ag yr oedd cariad y staff yn ein cynnal ni. Mae un enghraifft benodol yn aros yn glir yn y cof. Wrth iddi orwedd yn llonydd yn ei gwely, byddai'n sydyn iawn yn troi ei phen yn annisgwyl ac yn edrych i fyny i'w chwith, ei llygaid led y pen ar agor, fel tasai hi'n gweld rhywbeth neu rywun na allwn i ei weld, y golau llachar y cyfeirir ato'n aml, efallai, neu o bosib rai pobl yr oedd hi wedi eu hadnabod. Ro'n i'n hyderus i'w hannog i edrych draw oddi wrtha i, yma a nawr, a thuag at yr hyn oedd i ddod, drwy gyfrwng yr hyn ro'n i'n ei ddweud a thrwy dôn fy llais, gan gynnal afael yn ei bys o hyd. 'Mae fel petaech chi'n gweld ...' (heb awgrymu pwy na beth, am nad o'n i'n gwybod fy hun) '... Mae'n edrych yn arbennig,' neu 'Mae'n edrych yn ddiddorol,' neu 'yn gyffrous'. Yna, yr un mor sydyn, byddai'n troi 'nôl tuag ata i ac yn dal fy mys yn dynn. Wedyn, byddwn yn dweud pethau wrthi fel 'Oes ofn arnoch chi? Rwy'n *gwybod* y byddwch chi'n iawn.' A do'n i ddim yn rhyfygu: ro'n i'n gwybod bod hynny'n wir. Bryd arall pan fyddai hi'n troi ac yn gafael yn fy mys i, byddwn i, rhywun oedd wedi bod gyda hi drwy gydol ei hoes, yn dweud, 'Ry'ch chi'n gwybod, Mami, fod hwn yn rhywbeth y mae'n rhaid i chi ei wneud ar eich pen eich hun: alla i ddim dod gyda chi y tro hwn.' Ac fe ddywedais i hynny gyda chariad syml iawn ac yn gwbl hyderus, a'r hyder hwnnw'n deillio o'r hyn ro'n i wedi'i ddysgu o'r holl flynyddoedd hynny o straen ac ymdrech a thor calon.

Gan fod y Nadolig ar y gorwel, dyma fi'n canu rhai o'r carolau traddodiadol roedd hi'n arfer eu mwynhau. Adroddais weddïau cyflwyno o'r hen lyfr gweddi, gweddïau oedd wedi bod yn gyfarwydd iddi, ac sy'n rhoi gwroldeb a hyder a gobaith i'r rhai sydd ar fin marw, gweddïau oedd yn dod o gyfnod arall o 'mywyd ond a oedd yn teimlo'n iawn, ac yn wir, ac yn llawn ystyr y foment honno.

Roedd gallu bod gyda fy mam yn y ffyrdd yma yn gysur i mi. Gyda'n gilydd, ro'n i'n credu ein bod yn arnofio ar fôr diarwybod, ac ymddiriedaeth lwyr. Weithiau byddwn yn wylo'n dawel, dagrau colli ond hefyd o ollwng. Ro'n i'n teimlo 'mod i wedi ymlacio'n llwyr, yn dangnefeddus bron, ac yn llawn heddwch mewnol. Doedd y ffaith ei bod ar fin marw ddim yn peri gofid i mi ond yn ddatganiad, fe wyddwn rywsut, o symud ymlaen: iddi hi, i rywle gwell, ac i mi, i fath gwahanol o orffwys. Ac ro'n i bellach wedi ildio i'r syniad 'Beth bynnag ddaw'. Ro'n i wedi cyrraedd man sydd efallai'n cael ei alw gan bobl grefyddol yn gyflwr o ras. Yn ystod y cyfnod hwn roedd gen i synnwyr o rywbeth alla i mo'i ddisgrifio'n ddigonol bellach. Alla i ddim ond dweud pethau fel: dirgelwch bod, y posibilrwydd o'n parhad mewn rhyw ffordd dragwyddol, ymdeimlad o'n cysylltiad â'n gilydd, ac o fod wedi'n cysylltu y mymryn lleiaf â 'Rhywbeth' llawer mwy nag unrhyw beth, ac sy'n cynnal popeth.

Roedd marwolaeth f'annwyl fam, a hynny dan ofal cynnil ond eithriadol gymwys a chariadus staff y cartref nyrsio, yn un o'r rhoddion gwerthfawr niferus a gefais yn sgil afiechyd fy mam.

Efallai ei bod hi'n ymddangos yn rhyfedd 'mod i'n sôn am ddementia fy mam fel rhodd, ac rwyf yn cyfeirio ato fel rhodd – mewn rhai ffyrdd – i *mi* yn unig. Alla i ddim ond credu, o'i safbwynt hi, fod y profiad am lawer o'r amser yn un hynod erchyll, yn enwedig ar y dechrau. Ond dysgais lawer, yn enwedig yn ystod y flwyddyn olaf – am fod yn llai ymenyddol, am beth allai'r gair gras ei olygu, am garedigrwydd cariadus staff y cartref nyrsio. Ac ymhell cyn i fy mam farw, cefais ymddiheuriad didwyll gan fy mrawd ac fe wnaethon ni ein dau gymodi. Aeth ei hafiechyd hi â mi i lefydd y tu mewn i mi fy hun na fuaswn i wedi mynd iddyn nhw fel arall. Y rhodd fwyaf gwerthfawr a roddwyd i mi – yn sgil fy nghyswllt clòs â marwolaeth araf fy mam – oedd y profiad o gael cyfle i baratoi f'agwedd fy hun tuag at farwolaeth, fel cyd-deithiwr â rhywun sy'n marw, fel tyst y gall fod yn daith dangnefeddus a heddychlon, ac y gall fod 'Rhywbeth' mwy o'i mewn.[2]

Nodiadau

[1]   Ceir rhagor o wybodaeth am waith coma yn *Coma: a Healing Journey* gan Amy Mindell (1999). Portland: Lao Tse Press neu ar http://www.aamindell. net/books-by-amy-mindell#coma, gwelwyd 26 Mawrth 2019.

[2]   Ysgrifennodd Rosemary Clark am ei phrofiad o waith coma am y tro cyntaf mewn erthygl a gyhoeddwyd yn y *Journal of Dementia Care*. Gweler Clarke, R. (2004) 'Precious experiences beyond mere words.' *Journal of Dementia Care* 12, 3, 22–23.

Geirfa

Anfon i ysbyty'r meddwl (*sectioning*) gorfodi rhywun i fynd i ysbyty meddwl. Mae'r term yn deillio o 'sections' Deddf Iechyd Meddwl 1983, sy'n rhoi'r grym i'r awdurdodau gadw rhywun mewn ysbyty meddwl yn erbyn ei ewyllys. Rhaid i ddau feddyg gytuno bod y person ag 'afiechyd meddwl o natur neu raddfa sy'n gwarantu ei gadw mewn ysbyty ar gyfer asesiad neu driniaeth am gyfnod cyfyngedig, o leiaf', naill ai er diogelwch y claf neu er diogelwch pobl eraill.

Archwiliad Cyflwr Meddyliol Cryno (MMSE – *Mini Mental State Examination*) cyfres o gwestiynau a chyfarwyddiadau sydd wedi eu cynllunio i helpu i asesu lefel gweithredu gwybyddol person ac y gellir ei defnyddio i gyrraedd diagnosis posibl o ddementia. Cynlluniwyd y cwestiynau i brofi gweithrediadau megis y cof tymor byr, y gallu i enwi gwrthrychau cyfarwydd, bod yn ymwybodol o'r dyddiad cyfredol a pha diwrnod o'r wythnos ydyw, i gofio gwybodaeth bersonol, yn cynnwys ei gyfeiriad, ac ati. Canllaw bras yn unig o allu person yw'r MMSE, ac nid yw'r prawf safonol yn rhoi canlyniadau dibynadwy ar gyfer pobl sydd ag anableddau dysgu, anableddau corfforol megis byddardod, dallineb, anawsterau cyfathrebu (yn dilyn strôc ac ati) neu'r rhai sydd heb fod yn rhugl yn yr iaith y cynhelir y prawf ynddi.

Aricept enw brand donepezil, cyffur sy'n gallu bod yn effeithiol yn gwella symptomau ac arafu'r dirywiad, dros dro, mewn rhai pobl sydd â chlefyd Alzheimer. Ar hyn o bryd mae canllawiau NICE yn argymell ei ddefnyddio yn achos rhai mewn cyfnod cynharach o'r afiechyd ond mae'r Alzheimer's Society yn ymgyrchu i gael rhoi'r cyffur i bobl yn nyddiau cynnar y clefyd. Ewch i www.alzheimers.org.uk a chwiliwch am Factsheet 407.

Arolygiaeth Gofal Cymru yw'r corff cyhoeddus sy'n rheoli cartrefi gofal.

Clefyd Alzheimer achos mwyaf cyffredin dementia. Afiechyd sy'n newid cemeg a strwythur yr ymennydd, gan achosi i gelloedd yr ymennydd farw. Cafodd clefyd Alzheimer ei ddarganfod gyntaf gan y niwrolegydd Almaenig, Alois Alzheimer, yn 1906.

Clefyd Parkinson clefyd cynyddol ar y system nerfol sy'n effeithio ar y gallu i gydlynu symudiadau. Fe'i nodweddir gan gryndod amlwg, arafwch symudiad a chyhyrau anhyblyg sy'n gallu arwain at wyneb difynegiant. Mae un o bob tri pherson sydd â chlefyd Parkinson yn mynd ymlaen i ddatblygu dementia. Cafodd yr afiechyd ei adnabod am y tro cyntaf gan James Parkinson, meddyg o Lundain, yn 1817.

Clefyd Pick math o ddementia blaenarleisiol.

Cyffuriau gwrthseicotig tawelyddion neu liniarwyr pwysig, sydd hefyd yn cael eu galw'n gyffuriau niwroleptig. Maen nhw'n cael eu defnyddio weithiau i dawelu pobl â dementia sy'n ymddwyn yn ymosodol neu'n aflonydd. Mae pryder ynglŷn â sgil effeithiau'r cyffuriau yma (yn cynnwys gwneud i'r claf deimlo'n gysglyd, yn benysgafn neu'n simsan, lleihad mewn symudedd, cynnydd yn y risg o strôc a thrawiad ar y galon), a thystiolaeth gynyddol y gallen nhw achosi i'r dementia waethygu'n gynt gan arwain at farwolaeth gynnar. O safbwynt y rhai â dementia â chyrff Lewy, ceir tystiolaeth gryf y gall cyffuriau gwrthseicotig fod yn beryglus. Mae defnyddio cyffuriau gwrthseicotig yn elfen allweddol yng Nghynllun Gweithredu Dementia Llywodraeth Cymru.[1] Gweler hefyd daflen wybodaeth 408 yr Alzheimer's Society: *Drugs for behavioural and psychological symptoms in dementia* ac adroddiad Grŵp Seneddol Hollbleidiol ar Ddementia, *Always a Last Resort* (2008).

Cyffuriau niwroleptig enw arall am gyffuriau gwrthseicotig.

Dementia cyflwr clinigol a all gael ei achosi gan nifer o glefydau ffisegol ar yr ymennydd. Nodweddir dementia gan ddirywiad cynyddol o safbwynt gweithredu gwybyddol a chorfforol, yn cynnwys sgiliau'r cof, canolbwyntio, rhesymu, dealltwriaeth a chyfathrebu, a'r gallu i gyflawni gweithgareddau bob dydd yn annibynnol, yn cynnwys coginio a gwisgo. Mae dros hanner yr holl bobl sy'n datblygu dementia hefyd yn newid eu hymddygiad ac yn datblygu symptomau seicolegol megis iselder, rhithdybiau ac ymosodedd, yn crwydro neu'n colli eu swildod. Y mathau mwyaf cyffredin o ddementia yw clefyd Alzheimer a dementia fasgwlar.

Dementia â chyrff Lewy math o ddementia lle mae gronynnau protein abnormal, sy'n cael eu galw'n gyrff Lewy, yn datblygu o fewn celloedd nerfol yn yr ymennydd, gan effeithio ar weithgaredd normal yr ymennydd. Mae person sydd â'r math hwn o ddementia fel arfer yn pendilio o safbwynt gallu ymenyddol o ddydd i ddydd, ac mae'r mwyafrif yn cael rhithweledigaethau. Mae rhai symptomau'n debyg i rai clefyd Parkinson, yn cynnwys cryndod ac arafwch wrth symud.

Dementia amlgnawdnychol (*Multi-infarct dementia*) math o ddementia fasgwlar. Caiff ei achosi gan nifer o strociau bach, sy'n amharu ar lif y gwaed i'r ymennydd.

Dementia blaenarleisiol ffurf brin ar ddementia sy'n cael ei hachosi gan niwed i'r llabed flaen a/neu rannau arleisiol yr ymennydd. Yn ystod y dyddiau cynnar, mae'r cof fel arfer yn iawn ond mae personoliaeth ac ymddygiad y claf – yn cynnwys sgiliau cymdeithasol a'r gallu i uniaethu ag eraill – yn gallu newid yn sylweddol. Gall sgiliau iaith hefyd gael eu niweidio. Yn nes ymlaen, mae'r symptomau fel arfer yn debyg i rai clefyd Alzheimer. Gall dementia blaenarleisiol ddatblygu mewn pobl o bob oed, ond mae'n tueddu i effeithio mwy ar bobl dan 65 oed.

Dementia cynnar (a ddisgrifir hefyd fel dementia'r ifanc neu bobl iau) dementia sy'n datblygu pan fydd rhywun dan 65 oed.

Dementia fasgwlar dementia sy'n cael ei achosi gan doriadau yn y cyflenwad gwaed i'r ymennydd, fel arfer yn dilyn strôc neu gyfres o fân strociau.

Dementia iau enw arall am ddementia cynnar.

Gofal parhaus term sy'n cael ei ddefnyddio'n aml i gyfeirio at driniaeth a gofal nyrsio tymor hir sy'n cael eu rheoli a'u cyllido'n llawn gan y GIG; a bod yn fanwl gywir, cyfeirir at hyn fel 'gofal iechyd parhaus y GIG'. Mae gofal iechyd parhaus y GIG yn rhad ac am ddim i'r defnyddiwr, yn wahanol i'r hyn a ddisgrifir fel 'gofal cymdeithasol' sy'n cael ei ddarparu gan yr awdurdod lleol ac y codir tâl amdano fel arfer, yn dilyn prawf modd. Mae'r rhan fwyaf o bobl â dementia'n cael gofal cymdeithasol yn hytrach na gofal iechyd y GIG yn rhad ac am ddim.

Haloperidol cyffur gwrthseicotig.

LHDT lesbiaid, hoywon, deurywiol a thraws.

NICE (Y Sefydliad Cenedlaethol dros Ragoriaeth mewn Iechyd a Gofal) Asiantaeth annibynnol sy'n rhoi arweiniad i'r GIG ar hybu iechyd ac arferion clinigol, ac ar y defnydd o gyffuriau a thriniaethau cyfredol a newydd, yn cynnwys argymhellion ynglŷn â pha gyffuriau y dylid eu rhagnodi ar gyfer cyflyrau neu afiechydon penodol.

Risperidone cyffur gwrthseicotig.

Seiciatrydd ar gyfer y rhai o oed gweithio seiciatrydd sy'n gweithio gyda chleifion rhwng 17 a 65 mlwydd oed, yn hytrach na 'seiciatrydd yr henoed' neu seicogeriatrydd, sydd fel arfer yn gweithio gyda chleifion dros 65 mlwydd oed. Mae seiciatryddion yr henoed fel arfer yn fwy profiadol wrth ymdrin â chlefydau dementia, a gall person iau sydd â dementia (dan 65) gael ei drosglwyddo o ofal seiciatrydd ar gyfer y rhai o oed gweithio i ofal tîm seiciatrig yr henoed.

Seicogeriatrydd seiciatrydd sy'n arbenigo mewn asesu a thrin pobl hŷn.

Sgan tomograffeg echelinol cyfrifiadurol (CAT/CT scan – *computerised axial tomography scan)* mae'n defnyddio cyfres o ddelweddau pelydr-x wedi'u cymryd o wahanol onglau i adeiladu delwedd 3D o ran o'r corff; gellir defnyddio sgan CAT o'r ymennydd i helpu gyda'r diagnosis o salwch dementia.

Sgôr Archwiliad Cyflwr Meddyliol Cryno caiff pob cwestiwn yn y prawf cryno ei sgorio. Gall atebion cywir i bob cwestiwn neu gyfarwyddyd sgorio cyfanswm o 30. Yn achos y rhan fwyaf o fathau o ddementia, po fwyaf y mae'r clefyd wedi datblygu, isaf yw sgôr yr MMSE.

Nodiadau

1   Llywodraeth Cymru (2018), *Cynllun Gweithredu Cymru ar gyfer Dementia 2018–22*, t. 22

Llyfrau defnyddiol eraill

Deall dementia

Introducing Dementia gan David Sutcliffe. Age Concern England, Llundain 2001.

Caring for Someone with Dementia gan Jane Brotchie. Age Concern England, Llundain, 2003.

At your Fingertips: Dementia – Alzheimer's and other Dementias gan Harry Cayton, Nori Graham a James Warner. Class Publishing, Llundain (Ail argraffiad), 2004.

And Still the Music Plays: Stories of People with Dementia gan Graham Stokes. Hawker Publications, Llundain, 2008. Cyhoeddir yn Gymraeg 2019.

Profiadau gofalwyr

Alzheimer: A Journey Together gan Federica Caracciolo. Jessica Kingsley Publishers, Llundain, 2006

Dementia Diary: A Caregiver's Journal gan Robert Tell. RTP Press, Michigan, 2006.

Losing Clive to Younger Onset Dementia gan Helen Beaumont. Jessica Kingsley Publishers, Llundain, 2009.

Caring for Kathleen gan Margaret T. Fray. BILD Publications, Kidderminster, 2000.

Pobl â dementia yn eu mynegi eu hunain

Living in the Labyrinth: A Personal Journey Through the Maze of Alzheimer's gan Diana Friel McGowin. Mainsail Press, Caergrawnt, 1993.

Dancing with Dementia: My Story of Living Positively with Dementia gan Christine Bryden. Jessica Kingsley Publishers, Llundain, 2005. Cyhoeddir yn Gymraeg 2019.

You are Words: Dementia Poems gan John Killick. Hawker Publications, Llundain (Ail argraffiad), 2008.

Adnoddau'r Alzheimer's Society

Mae **gwefan yr Alzheimer's Society** yn cynnwys toreth o wybodaeth am bob agwedd ar ofal dementia, yn cynnwys taflenni gwybodaeth am amrywiaeth ehangach o bynciau. Gellir lawrlwytho'r taflenni gwybodaeth i gyd o www.alzheimers.org.uk/get-support/publications-factsheets. Mae gwybodaeth yn Gymraeg ar gael o https://www.alzheimers.org.uk/sites/default/files/migrate/downloads/the_dementia_guide_-_welsh.pdf.

Mae'r **Dementia Knowledge Centre** ym mhencadlys yr Alzheimer's Society yn Llundain yn cadw casgliad helaeth o lyfrau, cyfnodolion, dvds ac ati am bob agwedd ar ddementia. Ewch i www.alzheimers.org.uk a chwiliwch am Dementia Knowledge Centre. Mae'r ganolfan ar agor yn ddyddiol a chroesewir ymwelwyr drwy apwyntiad; ffoniwch 020 7423 3577. Mae'r Catalog Dementia, bas data cynhwysfawr o ddeunydd yn ymwneud â dementia, ar gael i bawb ar dementiacatalogue.alzheimers.org.uk.

Mudiadau defnyddiol

Admiral Nursing
Llinell gymorth: 0800 888 6678
www.dementiauk.org

Age Cymru
Ymholiadau cyffredinol: 029 2043 1555
Llinell gyngor: 0800 223 444
Gwefan: www.ageuk.org.uk/cymru
Mae'r pedwar Age Concern cenedlaethol yn y DU wedi ymuno â Help the Aged. Am fanylion canghenau lleol, ewch i'r wefan neu ffonio'r brif swyddfa.

Alzheimer's Society (yn cefnogi pobl sy'n cael eu heffeithio gan bob math o ddementia, nid clefyd Alzheimer yn unig)
Ffôn (gwasanaeth cwsmeriaid): 0330 333 0804
Llinell gymorth dementia: 0300 222 11 22
Gwefan: www.alzheimers.org.uk
Am wybodaeth ynglŷn â changhennau lleol, edrychwch ar y wefan neu ffoniwch y brif swyddfa.

Alzheimer's Society Cymru
Ymholiadau: 02920 480 593
www.alzheimers.org.uk/about-us/wales

Arolygiaeth Gofal Cymru
Ffôn: 0300 7900 126
Gwefan: www.arolygiaethgofal.cymru

Carers Direct
Ymholiadau: 0808 802 0202
Ewch i www.wales.nhs.uk/eng a chwiliwch am 'Carers direct' yn eich gwasanaeth lleol

Carers UK
Ymholiadau: 020 7378 4999
Llinell gyngor: 0808 808 7777
Gwefan: www.carersuk.org

Carers Wales
Ffôn: 029 2081 1370
Gwefan: www.carersuk.org/wales

Dementia UK
Llinell gymorth: 0800 888 6678
www.helptheaged.org.uk

Down's Syndrome Association
Llinell gymorth: 0333 1212 300
www.downs-syndrome.org.uk

Frontotemporal Dementia Support Group
www.raredementiasupport.org/ftd-frontotemporal-dementia

Galw Iechyd Cymru
Llinell gymorth 24 awr: 0845 4647
www.nhsdirect.wales.nhs.uk

Gwasanaeth Cyngor a Chyswllt Cleifion (PALS)
I gael manylion eich swyddfa leol, ffoniwch NHS Direct ar 0845 4647
neu ewch i'r wefan www.wales.nhs.uk/cym a chwiliwch am PALS

Jewish Care
Ymholiadau: 020 8922 2000
Llinell gymorth: 020 8922 2222
www.jewishcare.org

Mencap Cymru
Llinell gymorth (Prydain): 0808 808 1111
Llinell gymorth Cymru (Mencap WISE): 0808 8000 300
Gwefan: wales.mencap.org.uk

MIND Cymru, yr elusen iechyd meddwl
Llinell wybodaeth: 0300 123 3393
Gwefan: www.mind.org.uk/about-us/mind-cymru-cymraeg

National Council for Palliative Care
Ymholiadau: 020 7697 1520
www.ncpc.org.uk

Parkinson's UK
Ymholiadau: 020 7931 8080
Llinell gymorth: 0808 800 0303
www.parkinsons.org.uk

Ymddiriedolaeth Gofalwyr Cymru
Ymholiadau: 029 2009 0087
carers.org/cy/country/carers-trust-wales-cymru

Y cyfranwyr[1]

Gofalodd **Brian Baylis** am ei ffrind, Timothy, am ddeng mlynedd (mewn cartrefi gofal ac yn yr ysbyty). Am flynyddoedd lawer roedd Brian yn brif ddarlithydd yng Ngholeg Huxley, Llundain. Bellach, mae'n byw yng Ngwlad yr Haf a Llundain lle mae'n ymwneud ag amrywiol ymgyrchoedd ar gyfer pobl LHDT (lesbiaid, hoywon, deurywiol a thraws).

Mae **Pat Brown** yn ddarlithydd o Luton a fu'n gofalu am ei gŵr, Chris, a oedd â chlefyd Alzheimer cynnar ac a fu farw yn 2007 pan oedd yn 57 mlwydd oed. Bu'n rhaid i Pat frwydro i sicrhau gofal addas i Chris, a pharhaodd i ymgyrchu am well adnoddau drwy Uniting Carers for Dementia a'r Alzheimer's Society.

Hanesydd llyfrau yw **Gail Chester** ac mae'n aelod gweithgar o'i chymuned (yn ôl ei cherdyn busnes, felly mae'n rhaid bod hynny'n wir). Mae hi hefyd yn falch iawn o fyw yn Hackney, yn ffeminydd radical, awdur, ymchwilydd, gofalwr, mam Iddewig i fab yn ei arddegau, ac yn llawer mwy.

Seicotherapydd ac awdur yw **Rosemary Clarke**. Mae hi bellach yn byw ar Fryniau Malvern ac yn mwynhau cerdded. Mae ei hawydd angerddol i sicrhau gwell gofal dementia na'r hyn a gafodd ei mam wedi ei harwain i ymwneud â'r maes hwnnw'n helaeth iawn, ar hyn o bryd fel cadeirydd Uniting Carers for Dementia.

Mae **Tim Dartington** wedi ymchwilio i anghenion pobl fregus am flynyddoedd lawer, yn cynnwys pobl hŷn mewn ysbytai, mewn gofal preswyl ac yn eu cartrefi. Datblygodd ei wraig, Anna, ddementia cynnar a dysgodd o'i brofiad ei hun sut y gall rhywun â dementia fyw a marw yn ei chartref ei hun.

Mae **Jennifer Davies** yn byw yn Birmingham. Mae hi'n 46, yn briod ac yn gweithio'n llawn-amser fel ysgrifenyddes bersonol. Mae Jennifer a'i brodyr a'i chwiorydd yn gofalu am eu mam, Patricia, sydd â chlefyd Alzheimer ac sydd bellach yn byw mewn cartref gofal.

Treuliodd **Rachael Dixey** ei holl fywyd fel oedolyn gyda'i chymar, Irene, a ddatblygodd glefyd Alzheimer yn ystod ei phumdegau. Gofalodd Rachael amdani gartref er ei bod yn dal i weithio, nes i Irene orfod mynd i ofal preswyl pan oedd hi'n 60. Mae Irene yn hapus, yn cael y gofal gorau yn y cartref ac yn dal i adnabod Rachael a'i brawd, Gordon.

Nyrs gymwysedig yw **Marylyn Duncan**; rhoddodd y gorau i'w gwaith llawn-amser yn 2004 pan ddaeth ei mam 85 mlwydd oed i fyw gyda hi. Er ei bod hi'n nyrs, doedd hynny ddim wedi'i pharatoi o gwbl ar gyfer y daith o'i blaen, gan i ofalu 24 awr y dydd droi ei bywyd ben i waered, yn seicolegol, yn gorfforol ac yn gymdeithasol.

Gofalodd **Peggy Fray** am ei chwaer, Kathleen, am 40 mlynedd. Roedd gan Kathleen syndrom Down, ac fe ddatblygodd ddementia difrifol ac epilepsi'n ddiweddarach yn ei bywyd. Mae Peggy'n ymddiriedolwraig y Down's Syndrome Association ac yn aelod o gyngor BILD (*British Institute of Learning Disabilities*). Cafodd ei henwi'n Ymgyrchydd y Flwyddyn yn seremoni gwobrwyo Help the Aged Living Legends yn 2006.

Daw **Pat Hill** o Maidstone, ac mae'n ymweld â'i gŵr, Derrick, yn y cartref nyrsio bob dydd. Mae'n cael cymorth gan gangen leol yr Alzheimer's Society a nyrsys Admiral. Mae'n mynychu eglwys leol, yn aelod o'r Active Retirement Association ac yn gwneud Tai Chi.

Mae **Andra Houchen**, 56, yn gofalu am ei gŵr 71 mlwydd oed sydd â dementia blaenarleisiol ac sydd bellach yn byw mewn cartref nyrsio. Mae'n gweithio ddeuddydd yr wythnos fel cydlynydd dementia i Crossroads. Cyhoeddwyd erthygl yn ymwneud â theulu'r Houchen yn yr *Observer*, 17 Chwefror 2008.

Dylunydd graffig yw **Louisa Houchen**, ac mae'n ferch i Andra Houchen (uchod). Roedd Louisa a'i chwaer, Amanda, yn eu hugeiniau cynnar pan ddatblygodd Anthony, eu tad, ddementia.

Bu **U Hla Htay yn gweithio** yn y diwydiant llongau ac mae wedi'i hyfforddi i fod yn gymrodeddwr morwrol. Gyda chymorth y teulu, mae wedi bod yn gofalu ers 13 mlynedd am ei wraig, sydd â dementia. Mae'n aelod o rwydwaith defnyddwyr yr Alzheimer's Society ar gyfer ymchwil o ansawdd mewn dementia, yn adolygydd ar ran y defnyddwyr ac yn gyd-awdur adolygiad ar gyfer grŵp dementia a gwelliant gwybyddol Cochrane.

Daw **Debbie Jackson** (nid ei henw cywir) o Dde Affrica. Bu ei gŵr yn byw mewn cartref nyrsio am wyth mlynedd a bu Debbie'n weithgar iawn wrth ofalu amdano tan ei farwolaeth ym mis Mai 2009. Mae'n aelod o'r Alzheimer's Society ac Uniting Carers for Dementia, ac mae hi hefyd yn gwirfoddoli gyda thîm Jewish Care sy'n rhoi cymorth i deuluoedd gofalwyr.

Bardd o wlad Pwyl yw **Maria Jastrzębska**, ac mae hi hefyd yn olygydd ac yn gyfieithydd sy'n ysgrifennu yn Saesneg. Mae ei chasgliadau diweddaraf yn cynnwys *Syrena* (Redbeck Press) ac *I'll Be Back Before You Know It* (Pighog Press). Dangoswyd ei drama *Dementia Diaries* gyntaf yn Lewes Live Literature yn 2009. Roedd dementia gan ei thad a'i mam.

Mae **Steve Jeffery** yn Athro Geneteg Ddynol ym Mhrifysgol St George yn Llundain. Cefnogodd ei fam pan ddatblygodd hi ddementia amlgnawdnychol, ac wedi iddi fynd i mewn i gartref nyrsio, byddai'n ymweld â hi'n gyson am chwe blynedd tan ei marwolaeth. Cafodd gefnogaeth helaeth gan ei deulu.

Daw **Geraldine McCarthy** o Cork yn Iwerddon, ac mae wedi byw yn Llundain ers 1997. Cefnogodd ei mam a'i brodyr a'i chwiorydd yn Cork i ofalu am eu tad oedd â dementia ac a fu farw yn 2006.

Mae **Ian McQueen** yn gyfansoddwr ac yn athro. Fe'i magwyd yn yr Alban ac mae wedi byw yn Llundain ers yr 1970au. Mae ei fam yn dal i fyw yn Glasgow.

Ganwyd **Sania Malik** yn Pakistan a daeth i Lundain yn 1984. Datblygodd ei gŵr, Hassan, ddementia pan oedd eu merched Ayesha, Aliyah a

Fariha rhwng dwy ac wyth mlwydd oed. Bu farw Hasan yn 2006. Mae Ayesha bellach yn briod ag Aftab, ac mae ganddyn nhw ddau blentyn, Mariha ac Anzar.

Athro wedi ymddeol yw **Roger Newman**. Mae'n 67 mlwydd oed ac yn hanu o Margate, swydd Caint. Yn sgil gofalu am ei gymar, David, cydsefydlodd Grŵp Cefnogi LHDT (lesbiaid, hoywon, deurywiol a thraws) yr Alzheimer's Society. (Gweler www.alzheimers.org.uk/get-support/help-dementia-care/lgbt-support. Yn 2007, cafodd Roger yr MBE am ei waith elusennol.

Gofalodd **Shirley Nurock** am ei gŵr (a oedd yn feddyg teulu) a ddatblygodd glefyd Alzheimer yn ystod ei bumdegau pan oedd eu tri phlentyn yn eu harddegau cynnar. Mae Shirley'n ymwneud â nifer o brosiectau ymchwil i ddementia ac yn siaradwraig wadd mewn cynadleddau cenedlaethol a rhyngwladol sy'n ymwneud â gofal dementia. Mae hi'n rhedeg sefydliad ar gyfer gofalwyr sy'n helpu i addysgu myfyrwyr seicoleg feddygol a chlinigol ynglŷn ag effaith dementia ar deuluoedd.

Roedd **Barbara Pointon** a'i gŵr yn ddarlithwyr cerdd yng Nghaergrawnt nes i Malcolm gael diagnosis o glefyd Alzheimer pan oedd yn 51 mlwydd oed. Croniclodd Paul Watson eu taith un mlynedd ar bymtheg o hyd yn ei ffilm ar gyfer ITV, *Malcolm and Barbara ... Love's Farewell* (2007) ac mae Barbara'n dal i ymgyrchu ar ran pobl sydd â dementia a'u gofalwyr. Cafodd MBE yn 2006.

Cafodd **Helen Robinson** ei hyfforddi yn Belfast i fod yn nyrs, ac mae wedi byw yn Nulyn ers 50 mlynedd. Mae ganddi bedwar o blant a chwech o wyrion. Roedd hi'n gynghorydd galar am rai blynyddoedd nes i Chris, ei gŵr, gael ei daro'n sâl, ac roedd hi'n weithgar iawn gydag Alzheimer's Society Cymru.

Pensiynwraig ifanc yw **Sheena Sanderson** sy'n byw yng nghefn gwlad Lloegr. Roedd ei gŵr, Philip, yn arfer bod yn ymgynghorydd TG. Datblygodd ddementia ar ôl bod â chlefyd Parkinson am flynyddoedd. Bu farw Philip yn 2009, wedi i Sheena ysgrifennu ei phennod. Newidiwyd yr enwau.

Ganwyd **Maria Smith** yn Firenze, yr Eidal. Symudodd i Lundain yn 1955, ac yno y cyfarfu â'i chymar, Lonnie, yn 1967. Am yr un mlynedd ar ddeg ddiwethaf, ac yntau â chlefyd Alzheimer, mae hi wedi bod yn ei helpu gartref. Mae ei cherdd wedi'i chyflwyno 'i Lonnie, sy'n wynebu clefyd Alzheimer gyda dewrder a hiwmor, a chyda'i steil unigryw'.

Mae **Rosie Smith** yn 51, yn athrawes ac yn byw gyda'i gŵr a dau fab yn eu harddegau yng nghefn gwlad gogledd Essex. Roedd hi'n anhapus gyda'r gofal a gafodd ei thad yn y cartref nyrsio. Mae hi bellach yn gofalu am ei mam 87 mlwydd oed ac yn benderfynol na fydd yn rhaid i'w mam wynebu'r un profiadau â'i thad. Newidiwyd yr enwau.

Roedd **Jim Swift** a'i wraig, Jan, yn brifathrawon ond daeth eu gyrfaoedd i ben yn sydyn pan gafodd Jan ddiagnosis o glefyd Alzheimer yn 2002. Mae Jim bellach yn ceisio hybu ymwybyddiaeth o ddementia cynnar drwy ei aelodaeth o Uniting Carers for Dementia a'r Alzheimer's Society.

Mae **Jenny Thomas** yn byw yn Llundain, ac roedd ei mam, Marjorie, yn byw yn ne Cymru. Dyfyniadau o lyfr Jenny, *Help, Help* yw'r rhain, sy'n disgrifio triniaeth a gofal Marjorie pan ddatblygodd hi ddementia â chyrff Lewy. Mae'r llyfr yn ymwneud â'r profiad o safbwynt y fam a'r ferch.

Mae **Lucy Whitman** yn awdures, yn athrawes ac yn ymgyrchydd sy'n byw yng ngogledd Llundain, gyda'i mab. Gofalodd Lucy a'i chwaer Rosalind am eu rhieni pan aethon nhw'n fregus wrth heneiddio. Roedd dementia fasgwlar gan eu mam, Elizabeth. www.lucywhitman.com

Seicotherapydd yw **Anna Young**, sy'n byw ac yn gweithio yn Nwyrain Sussex. Cafodd ei gŵr, Crispian, ddiagnosis o ddementia blaenarleisiol yn 2005, ac aeth i gartref gofal yn 2007. Ro'n nhw'n briod am 39 mlynedd ac mae ganddyn nhw bump o blant. Bu farw Crispian ym mis Ebrill 2009, wedi i Anna ysgrifennu ei phennod.

Nodiadau

[1] Y wybodaeth yn gywir adeg cyhoeddi'r llyfr gwreiddiol

Beth yw Dementia UK?

Elusen yw Dementia UK sy'n gweithio i wella ansawdd bywyd pawb sydd wedi'u heffeithio gan ddementia.

Amcanion Dementia UK yw:

- hybu a datblygu nyrsio Admiral, gwasanaeth nyrsio arbenigol sy'n canolbwyntio ar ddiwallu anghenion teuluoedd gofalwyr a'r rhai sydd â dementia
- datblygu partneriaethau dysgu a darparu hyfforddiant o'r safon uchaf ar gyfer pobl broffesiynol sy'n gweithio gyda phobl hŷn, gofalwyr a phobl sydd â dementia
- cael gofalwyr o fewn teuluoedd i ymwneud â gweithgareddau er mwyn codi ymwybyddiaeth a hybu dealltwriaeth o ddementia a gofynion gofalwyr
- hybu'r arferion gorau o safbwynt gofal dementia
- cyfrannu at bolisi cenedlaethol a lleol ar gyfer gofalwyr, dementia a gofal pobl hŷn
- dylanwadu ar arferion a datblygu gwasanaethau.

Nyrsys dementia arbenigol yw **nyrsys Admiral**, ac maen nhw'n gweithio yn y gymuned gyda theuluoedd, gofalwyr a chefnogwyr pobl sydd â dementia. Mae eu henw'n deillio o lysenw Joseph Levy CBE BEM, cymwynaswr gwreiddiol yr elusen, oedd â dementia fasgwlar. Roedd hefyd yn cael ei adnabod gan ei deulu fel 'Admiral Joe' oherwydd ei gariad at hwylio.

Gan weithio mewn partneriaeth â'r GIG, mae Dementia UK yn gyfrifol am linell gymorth nyrsys Admiral, sy'n cynnig cyngor a chefnogaeth i bobl sydd â dementia, gofalwyr teuluol a phobl broffesiynol.

Mae nyrsys Admiral:

- yn gweithio gyda gofalwyr o fewn teuluoedd yn bennaf
- yn darparu cyngor ymarferol, cefnogaeth emosiynol, gwybodaeth a sgiliau
- yn darparu addysg a hyfforddiant o safbwynt gofal dementia
- yn darparu gwasanaeth ymgynghori i bobl proffesiynol sy'n gweithio gyda dementia
- yn hybu'r arfer gorau o safbwynt gofal dementia unigol.

Cyfeiriwch unrhyw ymholiadau am unrhyw agwedd ar waith Dementia UK a nyrsys Admiral at:

Dementia UK
7th floor
One Aldgate
Llundain EC3N 1RE
info@dementiauk.org
Ffôn: 020 8036 5400
Llinell gymorth: 0800 888 6678
Rhif elusen gofrestredig 1039404